L'intervention
communautaire

Le Fonds F.C.A.C. pour l'aide et le soutien à la recherche a accordé une aide financière pour l'édition de cet ouvrage.

HENRI LAMOUREUX   ROBERT MAYER   JEAN PANET-RAYMOND

L'INTERVENTION COMMUNAUTAIRE

ÉDITIONS SAINT-MARTIN

L'INTERVENTION COMMUNAUTAIRE

Composition/montage: Graphiti
Maquette de la couverture: Zèbre Communication inc., Marie-Josée Chagnon

ISBN 2-89035-075-4

Dépôt légal: Bibliothèque nationale du Québec, 1ᵉʳ trimestre 1984
Deuxième édition   1ᵉʳ trimestre 1985
Troisième édition   3ᵉ trimestre 1986

Publié conformément au contrat d'édition de l'Union des écrivains québécois.

Imprimé au Canada.

COLLECTION « PRATIQUES SOCIALES»

Dans la même collection:
Jacques Godbout
La Participation contre la démocratie

Notre catalogue vous sera expédié sur demande:
Les Éditions Coopératives Albert Saint-Martin
4073, rue St-Hubert, Montréal, Qué. H2L 4A7
(514) 525-4346

DISTRIBUTION:

Diffusion Prologue Inc.
2975, rue Sartelon
Ville Saint-Laurent, H4R 1E6
Tél.: 332-5860 — Ext.: 1-800-361-5751

Présentation

Nous aborderons la présentation de ce livre en énonçant une constatation : la pratique de l'intervention communautaire est devenue un métier. Cette reconnaissance d'une réalité en entraîne nécessairement une autre : comme pour les autres métiers, il faut en connaître les règles et les limites.

Il faut aussi savoir que si plusieurs « gagnent leur vie » dans le champ de l'intervention communautaire, plusieurs autres, la majorité, y trouvent plutôt l'occasion d'exprimer leur volonté de participer à la construction de l'édifice social, qui nous sert de demeure collective.

Salariés ou pas, les intervenants en action communautaire participent tous à une œuvre commune : s'assurer que « le savoir, l'avoir et le pouvoir » sont équitablement répartis.

Les choses étant ce qu'elles sont, c'est donc dire que l'activité principale des intervenants en action communautaire sera la lutte ou, pour reprendre les termes de Saul Alinsky : le conflit.

Ceci annonce à quelle enseigne logent les auteurs de ce manuel, quel est le lieu d'où ils parlent. Nous n'avons pas la prétention d'être neutres et même si nous savons qu'à la limite n'importe qui peut prétendre intervenir dans le champ du communautaire, nous croyons que l'action communautaire recouvre la réalité de ceux et celles qui œuvrent au changement.

Nous prenons acte des inégalités entre les hommes et les femmes, entre les classes sociales, entre ceux qui n'ont rien et ceux qui ont tout, entre ceux qui ont beaucoup et ceux qui ont peu. Nous prenons acte que le pouvoir repose entre les mains d'une minorité infime, que le savoir est le lot de tous mais qu'il s'en trouve pour mépriser, dévaloriser, exploiter celui de la majorité, que la richesse collective est appropriée par un nombre de plus en plus restreint d'individus. Nous reconnaissons notre réalité et affirmons la nécessité de modifier radicalement cet état de choses.

Sur cette base, et tenant compte de l'histoire du développement de l'intervention communautaire, nous interprétons ce champ de l'activité humaine comme étant propre aux individus qui œuvrent en fonction des intérêts de la majorité. Ce manuel est donc écrit pour celles et ceux qui interviennent dans les groupes et organisations populaires, les syndicats, le Mouvement autonome des femmes, les organisations qui défendent les intérêts des jeunes, les associations pour la paix, celles qui contestent la dégradation de l'environnement, les groupes qui travaillent en éducation populaire ; bref, nous nous adressons aux forces du progrès humain.

Ce livre sera aussi, nous le souhaitons vivement, un outil utile pour les étudiants qui choisiront de mettre leurs talents et leur énergie au service de la majorité. Il peut aussi, croyons-nous, être lu avec profit par les travailleurs communautaires qui œuvrent au sein des appareils d'État, en particulier dans le réseau des Affaires sociales.

Ceux qui y chercheront des recettes seront déçus. Nous n'avons pas la prétention de tout connaître, bien au contraire. Cependant, notre pratique au cœur du mouvement populaire et syndical nous a permis d'apprendre un certain nombre de choses que nous croyons utiles. Peut-être vous le seront-elles aussi et vous permettront-elles de sauver du temps et des énergies.

Malgré la richesse du mouvement populaire, bien peu en a été retenu. Les acquis se transmettent d'ordinaire par tradition orale et chaque nouvelle génération d'intervenants se voit presque dans l'obligation de refaire continuellement le même chemin, de parcourir des sentiers parfois trop ou mal battus.

Ce manuel devrait permettre à ceux et celles qui choisiront d'aller œuvrer dans le champ de l'action communautaire d'en posséder au préalable les principaux rudiments. Parfois, des choses qui peuvent paraître banales revêtent une importance considérable. Il est utile de le savoir. Il est aussi important de connaître les limites de ce travail sinon nous risquons certaines désillusions.

Si action communautaire et action politique ont parfois tendance à se confondre, il ne faudrait pas oublier que la dynamique interne de chacune de ces *praxis* n'est pas la même. Plusieurs, parmi les meilleurs intervenants ont payé cher de ne pas avoir su établir les distinctions qui s'imposaient.

Le mouvement populaire, comme le mouvement syndical, n'est pas un parti politique. Dans les deux cas, nous sommes en présence d'instances qui peuvent avoir une influence politique considérable, voire même déterminante ; mais, en aucun cas elles ne peuvent remplacer un parti ou une organisation politique structurée lorsqu'il s'agit de mener une lutte pour le pouvoir au niveau de l'État. C'est pourquoi dans ce livre, il sera très peu question d'action politique de type partisane. Lorsque nous parlerons du politique, ce sera pour expliquer l'interrelation qui existe entre les deux niveaux d'action. Il ne faudra donc pas mêler les genres.

La pratique de l'action communautaire possède certaines règles ; nous tenterons, dans les pages qui suivent, d'en aborder quelques-unes.

Enfin, ce livre ayant été écrit par des hommes, il le sera au masculin. Tout en allégeant le texte, cette façon de faire est, croyons-nous, préférable à la détestable manie qui consiste à mettre les femmes entre parenthèses. Nous sommes néanmoins très conscients qu'un grand nombre de femmes interviennent dans le champ de l'action communautaire. Nous constatons même que le rôle des femmes y est déterminant ; non seulement parce qu'elles y interviennent, mais aussi parce qu'elles sont largement majoritaires dans les groupes et organisations du mouvement populaire. Écrire ce livre, c'est pour nous une façon de leur manifester notre solidarité.

PREMIÈRE PARTIE

L'action communautaire : des acteurs, des lieux, des enjeux

Il est impossible d'enfermer la pratique de l'intervention communautaire dans une définition. Pour nous, elle répond en partie à l'affirmation que Saul Alinsky formule dans son livre *Rules for Radicals* : « Il ne saurait y avoir tragédie plus sombre et plus meurtrière pour un homme que la mort de sa foi en lui-même et dans les possibilités de maîtrise de son destin. » Nous pourrions ajouter que ce qui est vrai pour un individu l'est aussi pour un peuple, une collectivité, une communauté. Nous savons que pour un certain nombre d'individus, les intervenants en action communautaire sont au mieux de doux rêveurs ; au pire, de dangereux révolutionnaires à la solde des « communistes ». Ni l'une ni l'autre de ces perceptions ne sont exactes.

L'action communautaire exprime la foi des personnes qui s'y adonnent en la capacité des individus à s'organiser pour défendre leurs intérêts et ceux de leur collectivité. Dit en peu de mots : c'est prendre parti en faveur de la démocratie.

Vu sous un autre angle, on pourrait aussi dire que le travail communautaire témoigne des contradictions qui sont propres à la conception de la vie démocratique dans une société comme la nôtre.

Alan Twelvetrees, dans un intéressant petit livre intitulé *Community Work* souligne « qu'il existe un débat permanent à propos de la réalité de l'action communautaire. Pour certains, elle ne se distingue pas de l'action politique. D'autres ne font pas la différence entre travailleurs communautaires salariés et ceux qui interviennent à titre volontaire.

Une autre question est reliée au statut de l'intervenant communautaire: est-ce métier en soi ou la forme que peut prendre n'importe quel métier? Enfin, il y a cette parenté entre travail communautaire et travail social ».

Toutes ces questions sont fort pertinentes et nous les aborderons dans ce livre.

Cependant, il est important de souligner dès maintenant que l'intervention communautaire au Québec possède sa propre histoire, sa propre dynamique. Elle correspond à la réalité de notre peuple, et, à ce titre, possède un caractère original.

Nous verrons plus loin et plus en détail certains facteurs qui confèrent à l'action communautaire en milieu québécois une originalité certaine; pour le moment, nous nous contenterons de souligner que cette pratique s'est développée et continue de le faire autour de deux grands axes: l'institutionnel et le populaire. À titre d'illustrations, le B.A.E.Q., dans les années soixante, et les C.L.S.C., aujourd'hui, sont représentatifs de l'axe institutionnel tandis que les Opérations dignité dans le Bas-Saint-Laurent et les A.C.E.F. sont plutôt d'inspiration populaire. Il s'est même produit, comme dans le cas des Opérations dignité, que l'intervention d'origine populaire se développe en réaction à celle d'origine institutionnelle: dans ce cas-ci, le B.A.E.Q.

Comme en toutes choses, la réalité est néanmoins plus complexe. C'est ainsi que, paradoxalement, l'État a depuis longtemps légitimé l'intervention communautaire d'inspiration populaire en y investissant des sommes appréciables par le biais de ses multiples projets de création d'emplois, de type Canada au travail, Relais ou Chantier-Québec. Serait-ce donc que l'action communautaire, aussi dérangeante soit-elle parfois, représente quand même un investissement rentable? Et si oui, comment?

Comme on le voit, rien n'est simple dans le champ de l'action communautaire.

Dans la première partie de ce livre, nous aborderons essentiellement quatre thèmes. Un bref aperçu du contexte historique. Qui sont les intervenants? Où interviennent-ils? Quels sont les principaux acteurs avec lesquels il faut compter dans toute démarche d'intervention communautaire?

1

Un peu d'histoire

L'histoire nous apprend qu'au cours des âges, les êtres humains se sont donné les outils pour intervenir dans l'orientation de leur développement.

L'intervention communautaire correspond à une nécessité historique. Elle exprime d'une part l'impérieux besoin que nous ressentons d'être les acteurs, les artisans de notre vie sociale et des structures qui en déterminent la qualité. Intervenir dans son milieu et sur un milieu est un acte signifiant. C'est affirmer un droit fondamental sans lequel toute démocratie n'est qu'un leurre. C'est aussi reconnaître sa responsabilité dans la solution des problèmes qui affligent la communauté à laquelle on s'identifie. C'est enfin un acte de contestation qui se pose comme un refus de l'autoritarisme qui caractérise les mécanismes de prise de décisions dans notre société.

Le peuple québécois, dans le domaine de l'intervention communautaire, comme dans une foule d'autres secteurs de l'activité humaine, possède de riches acquis. Il nous apparaît important d'en souligner quelques-uns. Pour les besoins de ce livre, nous nous en tiendrons cependant aux acquis les plus récents, soit ceux qu'il nous est possible de saisir à partir des vingt dernières années de pratique.

Le lecteur notera sûrement que la majorité de nos exemples est reliée à des pratiques qui ont eu cours lors d'une période couvrant la décennie de 1965-1975. Ce choix n'est pas accidentel. Il réfère d'une part au fait que les auteurs sont particulièrement familiers avec les différentes formes d'intervention qui se sont développées durant ce laps de temps et, d'autre part, à cet autre fait que l'arrivée au pouvoir du Parti québécois en 1976 et l'action de certains intervenants se réclamant du marxisme-léninisme, surtout à partir de 1975, entraînèrent une forte baisse des activités du mouvement populaire.

Loin de nous l'idée de prétendre qu'il ne s'est rien fait depuis. Nous croyons cependant que l'arrivée du P.Q. au pouvoir a eu comme conséquence le départ d'un certain nombre d'intervenants vers des cieux plus cléments et... infiniment mieux rémunérés soit : des postes clés dans l'appareil d'État. De plus, les tentatives de récupération de certains groupes importants par des organisations m.-l. ont eu pour effet de drainer l'énergie de plusieurs vers des cercles d'étude ; alors que d'autres adoptaient une attitude défensive et carrément hostile face au diktat de se transformer au plus vite en « organisme de lutte de classes ». Enfin, la débandade éventuelle des organisations marxistes-léninistes a produit, chez plusieurs intervenants qui y étaient reliés d'une façon ou d'une autre, un profond sentiment d'écœurement politique, source évidente de démobilisation.

Cependant, nous reconnaissons volontiers que le mouvement populaire, malgré les nombreuses difficultés qu'il a connues ces dernières années, a néanmoins continué à vivre et à s'affirmer dans plusieurs secteurs. À titre d'exemple, mentionnons : la ténacité des intervenants qui luttent pour des garderies populaires ; l'important développement du Mouvement autonome des femmes et la lutte menée pour contrer la violence envers elles (la pornographie en étant une des expressions) ; la lutte contre le chômage, particulièrement chez les jeunes, dans le cadre de laquelle furent organisées de nombreuses manifestations, tant par le mouvement syndical que populaire ; l'intérêt suscité par les mouvements écologique et pacifiste ; le militantisme des peuples amérindiens ; la ténacité des victimes de la M.I.U.F.

Sur le plan local, de nombreuses luttes furent engagées et poursuivies : à Rimouski, pour conserver un centre communautaire ; à Mirabel, pour obtenir la rétrocession de terres agricoles abusivement expropriées par le gouvernement fédéral ; à Montréal, pour une utilisation sociale des terrains des usines Angus.

Cette activité témoigne du fait que, malgré la crise, malgré la période de démobilisation à laquelle nous avons fait allusion, malgré les misères, grandes et petites, générées par un vent d'idéalisme et de gauchisme, malgré enfin certaines tentatives de déstabilisation menées par l'État, le mouvement populaire continue de se développer et de s'étendre à de nouveaux secteurs d'intervention.

D'entrée de jeu, il faut toutefois insister sur la nécessité de faire une lecture politique du développement de l'intervention communautaire au Québec. En effet, malgré que certains aient voulu la présenter essentiellement comme une pratique professionnelle ou technique, elle fut et demeure une pratique politique, dans le sens où elle est une partie constituante de l'histoire du Québec dans des domaines aussi divers que l'éducation des adultes (surtout celle que l'on qualifie de populaire), la santé, les services sociaux, le développement régional et les questions urbaines. Elle est associée à l'évolution des rapports de classes dans notre société depuis le début des années soixante et fut, si elle ne l'est pas encore, un champ d'activité privilégié pour une fraction de la petite bourgeoisie traditionnelle,évincée de ses sphères d'activité et d'influence par l'État. Nous pensons en particulier aux clercs qui œuvraient dans l'éducation, la santé et les affaires sociales.

La dynamique du progrès au Québec généra aussi une autre cohorte d'intervenants communautaires laquelle, formée à l'école des sciences sociales, trouva dans cette forme de pratique un débouché naturel à ses compétences. Ces deux fractions de la petite bourgeoisie constituent l'essentiel de ce que nous nommerons les intervenants professionnels salariés.

Ces salariés occupent aujourd'hui une place importante dans les appareils de l'État et une partie d'entre eux interviennent dans les organismes populaires.

Cette dynamique du progrès entraîna aussi l'apparition des comités de citoyens lesquels, au cours de leur développement, donnèrent naissance aux groupes et organisations populaires. Nous reviendrons plus loin sur ce qui distingue selon nous ces trois formes de regroupement.

Il est cependant important de souligner dès maintenant que dans leur rapport avec l'État, comités de citoyens et groupes populaires furent — et sont encore — les instances où s'élaborèrent, se construisirent quelques-unes des réalisations les plus importantes dans le domaine des affaires sociales. Les C.L.S.C., par exemple, constituent une illustration de ce qui fut initié par la volonté et le travail populaire pour être ensuite récupérés par l'État, et être finalement dénaturés au nom de l'efficacité technocratique.

Comités de citoyens et groupes populaires furent aussi un lieu important d'apprentissage pour bon nombre de femmes et d'hommes qui consacrèrent de longues et précieuses heures à travailler à leur libération et à celle de leurs concitoyens. Si, au départ, ces personnes se rassemblaient autour d'un animateur professionnel, elles en vinrent à assumer elles-mêmes la responsabilité de leurs organisations. Les A.D.D.S. témoignent de cette évolution.

Autre conséquence de l'existence des Comités de citoyens et groupes populaires : l'émergence de nouveaux leaders. Que ce soit à Saint-Jérôme ou dans le Bas-Saint-Laurent, dans le Nord-Ouest québécois, sur la Côte-Nord ou dans les quartiers populaires de Montréal et Québec, nombreux furent celles et ceux qui prirent des responsabilités et acquirent des connaissances qui leur permirent de parler « d'égal à égal » avec les représentants du Pouvoir. Ces gens constituent, pour beaucoup, la masse des intervenants non salariés ou, s'ils le sont, c'est sur la base de salaires extrêmement faibles consentis par l'État par le biais de ses différents programmes de création d'emplois.

Les conséquences de ce dynamisme furent nombreuses et nous ne pourrons les souligner toutes. Sur le plan social, comme nous l'avons mentionné précédemment, les comités de citoyens et groupes populaires furent très souvent les laboratoires où s'effectuèrent à bon compte les expériences sur l'à-propos de certaines mesures sociales. Le développement spectaculaire de l'éducation des adultes, et particulièrement tout le champ de l'éducation populaire, est lié à l'action de ces nouveaux regroupements humains. C'est presque un lieu commun que de reconnaître la maternité des C.L.S.C. aux cliniques populaires de santé. Les coopératives de logements, les coopératives dans le domaine de l'alimentation, y compris les Cooprix, l'intérêt nouveau de l'État pour la santé et la sécurité des travailleurs, sont autant de domaines qui portent l'empreinte des comités de citoyens et des groupes populaires. Aujourd'hui, certains de ces groupes sont à la fine pointe des luttes pour la protection de l'environnement, pour l'accès au loisir, pour la reconnaissance des droits des personnes âgées, ceux des accidentés du travail et des handicapés. Le combat pour la paix devient de plus en plus une des préoccupations du mouvement populaire. Enfin, et cela mériterait d'être souligné d'un triple trait, ce sont, dans une proportion nettement majoritaire, les femmes qui constituèrent, et constituent toujours, l'élément moteur de ce dynamisme populaire.

L'histoire de ce que nous nommons le mouvement populaire est aussi celle de la vie démocratique au Québec ces vingt dernières années.

Sur le plan externe, les comités de citoyens et groupes populaires ont toujours dû affronter le pouvoir : celui de l'État. Les spéculateurs fonciers et leurs alliés dans les hôtels de ville ont eu la vie moins facile à partir du moment où ils ont dû légitimer leurs actions face à des populations mieux informées de la signification de la dégradation du tissu urbain, en particulier dans les quartiers populaires. Des gens se sont mobilisés dans la Petite-Bourgogne, à Pointe-Saint-Charles, dans Hochelaga-Maisonneuve, à Québec, à Hull et à Trois-Rivières. Ils ont lutté, souvent farouchement, pour conserver leurs maisons et l'intégrité de leurs quartiers. Parfois, ils réussirent à faire reculer les spéculateurs. En d'autres occasions ils connurent la défaite ou la frustration des demi-victoires. Les assistés sociaux ont mené des luttes épiques contre le ministère des Affaires sociales : qu'on se souvienne de la lutte pour le maintien des besoins spéciaux et celle contre l'imposition de la taxe d'eau. Le Mouvement des garderies populaires, malgré ses succès, se bat encore pour conserver certains acquis. C'est le cas par exemple des garderies qui, à Montréal, sont logées dans les locaux de la C.E.C.M. Les Associations coopératives d'économie familiale ont permis à des milliers de Québécois de se soustraire aux griffes de créanciers voraces quand il ne s'agissait pas de celles de fraudeurs patentés.

Qu'il s'agisse de faire valoir la nécessité d'un feu de signalisation au coin d'une rue achalandée et dangereuse pour la sécurité des enfants, qu'il s'agisse d'arracher à l'administration d'une ville le budget nécessaire à l'établissement d'un parc, nous retrouvons souvent la présence d'un comité de citoyens ou d'un groupe populaire. C'est donc dire l'importance qui est la leur. C'est aussi exprimer une conception de la démocratie qui n'est pas nécessairement partagée par les détenteurs du pouvoir.

Sur le plan interne, le mouvement populaire témoigne d'une vitalité démocratique qui ne s'est jamais démentie. Bien entendu, il ne s'agit pas de verser ici dans l'angélisme ou dans un idéalisme béat, mais bien plutôt de reconnaître que de façon générale, l'histoire du mouvement populaire, c'est aussi celle d'une conception de la démocratie.

Le mouvement étant composé d'êtres humains, il s'en est à l'occasion trouvé pour chercher à assumer plus de pouvoir, à contrôler l'information, à verser dans le favoritisme... Cependant, la souplesse des structures, la volonté de chercher le consensus sur la base des intérêts réels, l'importance accordée aux membres, le respect des décisions de l'assemblée générale, la formation de comités de travail, sont autant d'aspects de la démocratie telle qu'elle est vécue dans la plupart des comités de citoyens et groupes populaires.

Parler de l'histoire du mouvement populaire, c'est aussi dire que le Parti québécois, pour ne nommer que lui, n'aurait peut-être pas pris le pouvoir en 1976 n'eût été de l'action des comités de citoyens et des groupes populaires, depuis l'aube des années soixante. Et, à qui le R.C.M. doit-il son succès...? Lorsque ce parti aura conquis le pouvoir sur la scène municipale, se souviendra-t-il des hommes et des femmes qui lui auront préparé le terrain ou, à l'exemple du Parti québécois, fera-t-il comme si les choses arrivaient sans que personne, nulle part, ne les fasse arriver ?

Le mouvement populaire fut et est encore un des lieux privilégiés où s'expriment la sagesse et la ténacité de notre peuple. Loin d'être épuisé, le dynamisme de ce mouvement pourrait bien être une source de changements encore plus importants et surtout, plus significatifs.

Les groupes populaires actuels, au Québec, trouvent leurs ancêtres dans les premiers comités de citoyens ; ceux qui se formèrent dans la première moitié des années soixante.

Jusqu'en 1970, le nombre de ces comités n'a cessé d'augmenter et leur action a porté sur un ensemble de questions sociales telles que le chômage, le logement, la construction d'écoles, de cliniques de santé et d'hôpitaux, ainsi que divers autres services jugés essentiels. Jusqu'à récemment, ils ont été en grande majorité concentrés dans les centres urbains et plus spécialement dans les quartiers populaires. C'est ainsi que les principaux comités de citoyens sont nés à Montréal et à Québec ; cependant, il s'en est aussi formé à Saint-Jérôme, Trois-Rivières, Rimouski, Hull, Sherbrooke et ailleurs en province.

Précisons tout de suite que la plupart de ces groupes n'existent plus aujourd'hui ; certains sont morts des suites du désintéressement de ceux qui y participaient, d'autres se sont tout simplement fait hara-kiri afin de laisser la place à des formes nouvelles et plus appropriées de regroupement.

Rétrospectivement, on peut dire que ce qui fut et demeure essentiel dans le phénomène des comités de citoyens, c'est qu'ils témoignèrent de l'émergence d'une nouvelle mentalité, d'un nouvel état de la conscience : bon nombre d'individus voulaient passer à l'action ; aux attitudes de passivité se substituaient une volonté de prise en charge de ses problèmes et un désir de participation.

Si les revendications des milieux populaires ont traditionnellement porté sur l'amélioration de certains types de services tels la santé, le logement et les loisirs, on note que l'évolution des comités de citoyens s'accompagne d'un élargissement sensible des sujets de revendication : le travail, l'éducation, l'accès aux services d'un avocat, la consommation et l'aménagement urbain deviennent de plus en plus de nouveaux terrains de lutte.

Vers 1970, l'expression « groupe populaire » fait son apparition et remplace très rapidement « comité de citoyens » dans le langage des intervenants.

Il semble y avoir consensus chez les analystes concernant les étapes du développement des groupes populaires au Québec. On retrouve sensiblement la même chronologie chez la plupart des auteurs. Pierre Hamel et Jean-François Léonard identifient trois étapes principales dans le temps : l'animation sociale, de 1960 à 1968 ; la reconnaissance des limites de l'animation et alternatives, de 1969 à 1972 et la période contemporaine, de 1973 à 1978.

Donald McGraw, pour sa part, reprend sensiblement la même division dans le temps. Il évoque le début et le développement des comités de citoyens dans les quartiers montréalais de Saint-Henri et de Pointe-Saint-Charles, à partir de 1963 ; le développement des groupes populaires, coïncidant avec l'extension de l'animation sociale dans les quartiers Hochelaga-Maisonneuve et Centre-Sud, à partir de 1968 ; la phase politique des groupes populaires avec l'organisation du Front d'action politique (F.R.A.P.) en 1970 et la période des comités d'action politique sur des bases résidentielles et d'entreprises, de 1971 à 1973.

Dans un ouvrage collectif signé par M. Désy, M. Ferland, B. Lévesque et Y. Vaillancourt, les auteurs résument les phases historiques du mouvement populaire de la façon suivante : « Au milieu des années soixante, ils émergent timidement ; de 1968 à 1974, ils se multiplient et tentent progressivement de conquérir leur autonomie par rapport à l'État et de s'organiser sur le plan politique par, entre autres, la création de liens organiques entre eux et les syndicats. De début 1975 à fin 1976, ils traversent une crise (interruption des activités régulières dans certains cas, disparition et liquidation dans d'autres...). Cette crise est la conséquence d'une polarisation et d'une radicalisation des luttes amorcées précédemment. De 1977 à 1979, plusieurs groupes populaires ayant connu antérieurement des difficultés sérieuses, reprennent avec une conviction nouvelle leurs tâches spécifiques. »

Comme on le voit, ces différentes « chronologies » se recoupent l'une l'autre et se complètent.

L'histoire du développement des groupes populaires étant aussi celle des animateurs sociaux, ceci nous invite maintenant à considérer le rôle des intellectuels.

Les intellectuels au sein des groupes populaires

Comme nous l'avons déjà souligné, la question du rôle des intellectuels au sein des groupes populaires n'a pas toujours été posée dans les mêmes termes. L'analyse de leurs interventions a évolué au même rythme que la conjoncture socio-politique. Une brève allusion historique peut être utile, car c'est au début de l'animation sociale qu'est posée la question de la place et du rôle des intellectuels. Vouloir situer le développement des comités de citoyens dans son contexte historique permet aussi de démystifier un phénomène considéré par certains comme « une œuvre messianique », ou par d'autres, comme un complot ourdi au Kremlin, à la Havane ou à Pékin.

On sait que le terme d'animateur social est apparu au Québec vers le milieu des années soixante. Malgré les efforts pour le préciser, il n'a jamais correspondu à un statut ou à une profession bien déterminés. Peùt-être que ce caractère nébuleux du métier d'animateur est dû au fait que ceux qui s'y adonnèrent provenaient souvent de milieux professionnels différents. Nous pouvons cependant dire que, de façon générale, l'animation sociale était plutôt confondue avec le travail social.

Malgré la diversité des définitions formelles de l'animation, on s'est entendu, vers la fin des années soixante-dix, pour dire que cette forme d'intervention vise à rationaliser l'action des groupes, c'est-à-dire à faire en sorte que les moyens adéquats soient utilisés pour atteindre un objectif donné.

Selon l'idéologie véhiculée par ce type d'animation, les objectifs du groupe ne sont pas définis par l'animateur, mais par les membres du groupe ou leurs représentants mandatés. Le champ d'action spécifique de l'animation se situe alors essentiellement au niveau des facteurs d'ordre culturel et/ou éthique : valeurs, normes, sous-thèmes de légitimation, cadres idéologiques... qui empêchent le groupe de rationaliser sa stratégie en fonction des objectifs visés.

Ce type d'animation pouvait conduire celui qui le pratiquait à jouer trois rôles principaux : agent d'intégration, agent de transformation, agent de politisation.

Après 1970, l'animation est partiellement récupérée par l'État, tant dans ce qu'elle a produit que dans ce qu'elle représente comme activité spécialisée. Apparaît alors une vague d'animateurs qui ressemblent plus à des agents de relations publiques et de mise en marché des politiques sociales qu'à de dangereux révolutionnaires.

Les groupes issus de la dynamique des comités de citoyens ne vont pas moins continuer de se développer, ajoutant parfois à leur champ d'action, des luttes contre des institutions qu'ils ont contribué, malgré eux, à créer. C'est le cas des contestations de Multi-media en éducation populaire et de l'implantation des C.L.S.C. dans les quartiers où existaient déjà des centres communautaires et des cliniques de santé. D'autres fronts de lutte vont aussi être ouverts dans des secteurs comme l'information, l'éducation populaire, les coopératives alimentaires et de logements, etc.

Après la débandade du F.R.A.P., nous assisterons à un processus de radicalisation idéologique et de ralentissement des pratiques. Même si certaines organisations importantes mènent des luttes qui ne le sont pas moins (nous pensons ici à la lutte des A.D.D.S. contre la taxe d'eau, à celle des garderies populaires, à certaines actions des A.C.E.F.), il n'en demeure pas moins qu'un grand nombre d'intervenants se plongeront dans une démarche de bilans et de remises en question radicales. Ce phénomène, débordant les intellectuels et les intervenants salariés, atteindra même plusieurs des éléments du prolétariat, actifs tant dans le mouvement des assistés sociaux que dans les garderies, les comptoirs alimentaires, les associations de locataires et d'autres groupes locaux. Certains secteurs tels que la recherche et l'information— nous parlons ici de groupes liés au mouvement populaire — se verront littéralement décapités par la guillotine de l'intégrisme m.-l. C'est le passage d'un grand nombre d'intervenants des quartiers aux usines et, surtout, l'alignement sur le modèle du militant révolutionnaire. C'est dans cette conjoncture qu'apparaissent les groupes de formation politique, les comités d'action politique et de soutien aux luttes ouvrières. Ces groupes qui font surtout appel à un membership de militants, visent avant tout l'information, la formation et la politisation des membres.

Vers 1975 s'amorce l'époque de l'offensive des groupes marxistes-léninistes vers les groupes populaires. Après s'être repliés pendant un an ou deux en usine, ces militants entreprennent la conquête de plusieurs groupes et organisations populaires en vue d'en faire des instruments de lutte de classes. Ce mouvement de prise de contrôle donna lieu à maintes luttes idéologiques internes et sabota plusieurs organisations.

Les intellectuels ont donc assumé divers rôles et de multiples fonctions dans les groupes populaires. Les façons d'intervenir correspondent à des conceptions de l'action sociale. Dans la tradition marxiste-léniniste, c'est le Parti ou l'organisation politique qui est l'instance déterminante. L'intervention dans le mouvement populaire vise à faire progresser les objectifs du Parti, lesquels sont fixés par les membres de celui-ci. Ceci n'est pas sans poser quelques problèmes en ce qui concerne un sain exercice de la démocratie dans les groupes et organisations populaires.

Dans la perspective réformiste, les groupes et organisations populaires sont vus comme des moyens de pression utilisables politiquement pour favoriser des aménagements à l'intérieur des paramètres établis par l'État. Dans cette perspective, il ne faut pas s'étonner de constater que plusieurs personnages politiques aient fait l'apprentissage de leur métier au mouvement populaire.

Finalement, l'optique autogestionnaire voit les groupes et organisations comme autant de lieux à partir desquels les intervenants travaillent directement avec les gens et en fonction des intérêts que ces derniers auront eux-mêmes identifiés.

À chacune de ces perspectives correspond aussi une conception particulière du rôle des intellectuels et de leur place dans les groupes. On sait, par exemple, que dans la tradition léniniste, les « révolutionnaires professionnels » assument le rôle de porte-parole des travailleurs et des milieux populaires en général. Pour le courant réformiste, les intellectuels sont des « cadres techniques » capables de rendre les cahiers de revendications opérationnels et négociables. Dans la perspective autogestionnaire, les intellectuels mettent leurs analyses et leurs concepts directement à la disposition du groupe avec lequel ils se solidarisent. Bien que simplifiée, cette typologie permet de voir les tendances que l'on retrouve au Québec et ailleurs.

Pour mieux comprendre le rôle des intervenants, il apparaît utile de situer l'origine et l'évolution de ceux que l'on traitera d'« intellectuels décrochés », de « pelleteux de nuages », d'agitateurs, de petits-bourgeois, etc. Au gré des époques, les épithètes ont varié, mais un fait demeure : ces intellectuels ont marqué profondément les pratiques d'intervention communautaire et ont joué un rôle appréciable et mal connu dans l'histoire du Québec moderne.

Faire l'analyse du rôle des intervenants, c'est aussi parler de la rencontre de deux mondes ; d'une part des individus (ouvriers, ménagères, assistés sociaux, chômeurs) qui n'ont pas été touchés par les corps intermédiaires existants, d'autre part les animateurs sociaux, dont nous allons voir plus précisément les origines.

Dans l'ensemble, de nombreuses recherches ont montré que les membres des premiers comités de citoyens reflétaient assez bien le niveau socio-économique de leur milieu, celui d'ouvriers, spécialisés ou non, de cols blancs et de ménagères, mais aussi de chômeurs et d'assistés sociaux. Dans plusieurs cas, on a également pu noter une certaine « corrélation » entre le dynamisme de l'animateur et celui du comité. Cependant, il serait plus délicat de laisser entendre que les comités de citoyens étaient en quelque sorte les « créatures » des animateurs. Ce qui peut le mieux exprimer la vérité, c'est de dire que les comités de citoyens regroupaient, dans la grande majorité des cas, des individus peu mobilisés par les corps intermédiaires existant à cette époque.

Quant aux animateurs sociaux, les observateurs s'entendent pour souligner que la plupart ne sont pas issus du même milieu que les membres des groupes avec lesquels ils travaillent. C'est précisément ce que souligne F. Lamarche en 1968. Provenant pour la plupart du milieu universitaire, parfois du monde syndical et des différents mouvements de jeunesse, ils sont au départ beaucoup plus intégrés à cette société dont les pauvres sont exclus. Ils n'ont évidemment pas à faire face aux difficultés financières énormes que rencontrent une bonne partie de ceux et celles qui sont membres des comités de citoyens. Mais surtout, vivant, étant nés, avec ce monde de production et de consommation dirigées, ils en sentent beaucoup plus les grandes orientations et les multiples contradictions. Paradoxalement, ils sont les enfants choyés de l'après-guerre.

C. Larivière a bien situé l'origine des premiers animateurs sociaux : elle se situe dans le prolongement des espoirs suscités par la « Révolution tranquille ». Les années soixante, dans le monde occidental, sont marquées par une profonde volonté de changement chez la jeunesse de l'après-guerre. Cette jeunesse, éduquée sur la base d'une éthique humaniste, sevrée des principes chers à l'idéologie libérale, découvre les injustices et sort de sa passivité. L'animation sociale au Québec coïncide avec ce moment historique et le début d'un processus de sécularisation accéléré des institutions.

Par ailleurs, l'influence religieuse — qu'il s'agisse de convictions personnelles, d'une participation à l'action catholique ou du fait d'avoir été membre d'une communauté religieuse — est manifeste chez plusieurs de ces animateurs. C'est dans un tel contexte politique et idéologique que l'on commence à vouloir organiser et animer les populations dites « défavorisées » à Montréal.

L'idéologie de la « Révolution tranquille » anime les premiers intervenants que l'on retrouve dans les Chantiers étudiants, les Fils de la charité, les Disciples d'Emmaüs, les Travailleurs étudiants du Québec. Dans un courant activiste et réformiste, on veut absolument faire quelque chose pour changer des situations inacceptables dans cette période de croissance et de richesse apparente.

Les animateurs ont une analyse assez sommaire de l'État, dont ils font un levier de développement au service du peuple, dans la mesure où celui-ci joue le jeu des groupes de pression et des corps intermédiaires. Le mouvement syndical, par exemple, connaît une véritable lune de miel avec le gouvernement libéral.

Les jeunes animateurs issus des collèges classiques, connaissent les moyens de se faire entendre au nom des « sans-voix » et croient sincèrement au « pouvoir ouvrier ». Paradoxalement, leur origine et leur instruction leur assurent un pouvoir important sur les groupes qu'ils animent. En effet, ils possèdent, pour la plupart, une formation universitaire en sciences sociales et sont issus de la « classe moyenne », de sorte qu'ils sont très intégrés à la société et en connaissent bien les rouages. Si les animateurs ont influencé fortement le style d'organisations et de revendications de l'époque, les pratiques, et surtout les échecs des actions, ont aussi forcé la réflexion et un changement chez les animateurs.

L'année 1968, marquée par le grand mouvement de contestation étudiante, annonce la fin réelle des années soixante. La Crise d'octobre donne le ton aux années soixante-dix. La réunion historique des groupes populaires en mai 1968 marque le départ des animateurs sociaux et la fin de leurs illusions. Les C.E.G.E.P., occupés en octobre 68, vont aussi produire des animateurs plus radicaux et moins marqués par l'illusion de l'idéologie libérale ; la cogestion est morte. C'est l'époque du « participer c'est se faire fourrer ». La réflexion politique — qu'il faut encore une fois situer dans le contexte occidental et plus spécifiquement européen — va marquer les pratiques d'animation de la décennie des années soixante-dix. Le F.R.A.P. est le résultat de cette réflexion d'animateurs mûris par quelques années d'expérience et de contacts avec un certain nombre de permanents et de militants syndicaux stimulés par l'idée du « deuxième front » mise de l'avant par Marcel Pepin, alors président de la C.S.N.

Confrontée à la radicalisation du mouvement populaire et syndical, la répression de l'État se fait sentir de façon de plus en plus tangible. La Crise d'octobre constitue le point culminant de cette période et une tentative délibérée du gouvernement libéral, tant à Ottawa qu'à Québec, pour briser les reins des forces indépendantistes et progressistes. Ces événements permettent aux intervenants de mieux comprendre les fonctions des appareils d'État. La tolérance et l'ouverture au changement a des limites !

À la période de répression « musclée » succède une période de répression « douce ». Le gouvernement canadien ouvre les écluses financières à un tas de projets « d'initiatives locales » et de « perspectives jeunesse ». Les P.I.L. et les P.J., comme on les nommait à l'époque, vont provoquer une autre vague d'activisme, de 1971 à 1973. La Compagnie des jeunes Canadiens complétera la panoplie des programmes d'intervention directe de l'État dans le champ du communautaire.

Cette manne entraînera la mise sur pied de quelque vingt Associations de locataires plus ou moins bidons à Montréal, de la Fédération des associations de locataires du Québec. On retrouve quelque trente volontaires de la C.J.C. à l'A.C.E.F.

Avec les coupures et les non-renouvellements de projets, la critique des animateurs plus expérimentés prend une nouvelle signification.

Évitant de critiquer les personnes qui ont bénéficié de cette « corne d'abondance étatique », les intervenants peuvent reprendre la situation en main : c'est la période des bilans.

En effet, la période 1973-78 en est une d'inactivité relative au profit des bilans. C'est le contexte dans lequel les groupes m.-l. vont se développer : En lutte en 1973 et la Ligue communiste (marxiste-léniniste) du Canada, en 1975.

Les premiers intervenants ont atteint la trentaine et les nombreux échecs de l'action politique entraînent une certaine désillusion (F.R.A.P., P.Q.). Les groupes m.-l. ont récupéré plusieurs éléments de grande valeur qui cherchaient un encadrement politique à leur action communautaire. La réponse marxiste-léniniste aux nombreux problèmes de stratégie et d'analyse du rapport de forces avec l'État et la bourgeoisie fut très attirante pour ceux qui ont été formés à la logique cartésienne. Les groupes populaires vont donc subir l'assaut des animateurs devenus « militants révolutionnaires et professionnels de la ligne juste ». On fait table rase et on accuse de vieux animateurs d'« être des ennemis du peuple qui ont erré dans le réformisme et l'opportunisme pendant dix ans ». C'est une période où les intervenants se déchirent entre eux au cours de débats houleux.

Si pour certains intervenants les groupes m.-l. constituent une réponse aux contradictions de leur pratique, pour d'autres, ce sont des ennemis qu'il faut renverser, au risque de sombrer dans la chasse aux sorcières et les comportements antidémocratiques. Cette lutte idéologique s'est faite essentiellement sur le dos des organisations et des membres. L'effet de ces débats sur les groupes en fut un de déstabilisation, lequel n'a profité qu'à l'État et aux forces de la réaction.

Que retenir de cette évolution ? Certains des intervenants qui ont vécu ces années de débats ont « décroché » pour rejoindre un milieu de travail pour lequel leur formation académique les préparait : l'enseignement, les institutions du réseau des Affaires sociales, la technocratie étatique... d'autres sont partis pour la campagne. Ce « décrochage » des groupes n'implique pas nécessairement un abandon du militantisme politique, mais plutôt un changement d'air par rapport aux groupes, devenus moins populaires à leurs yeux.

Cette période de retrait qui marque la fin des années soixante-dix ne signifie nullement que l'intervention communautaire est une pratique agonisante. Nous pensons plutôt que l'on assiste à un déplacement de cette forme d'intervention vers certaines institutions (les C.L.S.C., par exemple) et à une redéfinition des *praxis* en fonction de nouvelles aires d'intervention et de modifications substantielles des modes de vie, imposées par la révolution technologique et informatique. Dans le domaine de l'intervention communautaire, certains indices nous permettent de croire que la décennie actuelle sera sûrement très fertile en développements.

2

L'action communautaire : ceux et celles qui la font

D'abord, un *a priori* idéologique

S'engager dans l'action communautaire suppose un minimum de conscience quant à la réalité de l'exploitation et de l'oppression.

L'étudiant en travail social qui choisirait d'orienter son plan de carrière en direction de l'intervention communautaire ferait une regrettable erreur s'il n'avait au préalable une certaine dose de cette conscience. Il découvrirait bien vite que ce travail possède des exigences parfois fort lourdes et que le métier d'organisateur communautaire n'est pas une sinécure.

Confronté à certains principes de réalité, il détellerait rapidement lorsqu'il constaterait que là comme ailleurs, rien n'est jamais facile.

En fait, sur le plan idéologique, on peut distinguer deux groupes majeurs d'intervenants. Le premier est constitué de militants chrétiens qui considèrent que la misère, l'oppression et l'exploitation sont incompatibles avec l'idéal évangélique. Ce groupe comprend des individus qui ont une approche plutôt révolutionnaire du changement. Ces derniers s'inspirent largement des thèses défendues par les tenants de l'évangile de la libération telle qu'exprimée entre autres et plus particulièrement par le théologien sud-américain G. Guttierrez.

L'autre groupe serait plutôt composé d'individus qui ne se réclament d'aucune religion mais s'identifient au courant socialiste.

Nous croyons qu'une majorité de ceux et celles que l'on peut qualifier d'intervenants peut être située idéologiquement dans l'un ou l'autre de ces grands groupes. Naturellement, il existe toute une gamme de nuances lorsque l'on parle de l'idéologie des individus et il serait tout à fait ridicule de ne pas en tenir compte. C'est ainsi que beaucoup de chrétiens se réclament du socialisme et que plusieurs socialistes s'entendent fort bien avec les chrétiens progressistes. La même « division » apparaît aussi lorsque l'on considère les intervenants qui sont impliqués dans l'action communautaire à titre volontaire.

Si on poursuit l'identification des courants idéologiques auxquels se réfèrent les intervenants, on se rend compte qu'il en existe qui justifient leur intérêt pour l'action communautaire par des motifs plutôt nationalistes. Ceux-là pensent que la question nationale prime sur les questions sociales et qu'il faut d'abord réaliser l'indépendance, pour ensuite, s'il y a lieu, s'attaquer aux inégalités. Les tenants de ce courant sont, règle générale, identifiés au Parti québécois. Enfin, il existe un fort courant féministe qui rallie plusieurs intervenantes autour de l'idée que la lutte contre l'oppression des femmes est la condition préalable à toute transformation sociale d'importance. Il ne nous appartient pas d'élaborer sur les différentes tendances qui s'expriment dans ce qu'il est convenu de nommer le Mouvement autonome des femmes. Cependant, il nous semble important de souligner qu'historiquement, ce sont surtout les femmes qui se sont le plus engagées dans la lutte pour l'amélioration des conditions de vie. L'importance de leur apport est considérable et les revendications qu'elles mettent de l'avant quant à leur oppression spécifique touchent un grand nombre de militantes et de militants, dans tous les milieux.

Un fait demeure certain : la première des motivations que l'on retrouve chez les intervenants est d'ordre idéologique. Ceci n'est évidemment pas sans causer quelques problèmes puisque l'intolérance aidant, il peut se produire à l'occasion des heurts assez pénibles entre intervenants d'idéologies différentes.

Nous suggérons à ceux et celles que la chose intéresse de lire quelques bilans produits par des groupes et organisations populaires. Il pourrait leur être fort utile de connaître les effets des luttes idéologiques sur les groupes.

Un choix de vie

L'action communautaire implique, règle générale, des modifications profondes de son genre de vie. En premier lieu, nous devons en quelque sorte prisonniers de la dynamique de l'action. Les réunions sont nombreuses et à des heures qui sont souvent incompatibles avec une vie sociale normale. Travaillant en situation de conflit, les tensions sont parfois très grandes. Les victoires sont rarement spectaculaires et les défaites souvent cuisantes. Il faut une bonne dose d'équilibre psychologique pour supporter un rythme de travail brisé. Si on veut être efficace, il faut être là. Les gens avec qui nous travaillons ne supportent pas longtemps ceux et celles qui viennent «tripper» dans leur milieu. À la limite, ils s'en iront ou c'est vous qui devrez partir. C'est pourquoi il faut être le plus honnête possible envers les autres et envers soi-même lorsqu'il s'agit de décider de s'impliquer là où on croit pouvoir être utile.

Un autre facteur de difficulté réside dans le fait que, très souvent, les intervenants ne sont pas issus du milieu où ils interviennent. Ceci pose des problèmes d'adaptation culturelle qui ne sont pas toujours faciles à résoudre.

Parmi les critères qui devraient guider le choix d'un lieu d'intervention, la compatibilité d'un individu avec un milieu en est un des plus importants. Le travail communautaire n'est pas une autre forme de missionnariat et il est aussi important pour l'intervenant d'être bien dans sa peau que d'être efficace dans le groupe.

La pratique de l'intervention communautaire implique aussi certaines exigences quant à la vie familiale. Nombreux sont les couples qui n'ont pu résister au genre de vie imposé par l'action communautaire. Nombreux sont aussi ceux qui découvrirent un jour que leurs enfants grandissaient sans même qu'ils ne s'en aperçoivent.

Avant de s'engager dans cette pratique, il est non seulement nécessaire mais indispensable d'en parler avec celui ou celle avec qui nous vivons, d'évaluer les conséquences sur la vie des enfants. Si on est incapable de vivre la solidarité avec ses proches, comment la vivre ailleurs...?

Certains diront que nous exagérons, que cette conception de l'intervention communautaire renvoie à des pratiques qui ressemblent plutôt à de l'activisme, qu'il y a moyen d'intervenir dans une communauté sans que cela ne change grand-chose à notre train-train quotidien. Nous le voudrions bien... Cependant, la pratique et l'analyse du développement de certains groupes révèlent que ce n'est pas entre «9 et 5» que l'on peut favoriser la participation des travailleurs et travailleuses à l'action des groupes et des organisations. La disponibilité d'un intervenant doit être différente de celle d'un professeur d'université ou d'un fonctionnaire.

C'est donc dire que si on veut favoriser la participation d'un maximum de personnes à nos activités, il faut consentir à des réunions le soir, à des activités de fin de semaine, à un horaire de travail qui n'est pas forcément orthodoxe... Combien de fois n'avons-nous pas entendu des intervenants et des travailleuses communautaires faire état des difficultés qu'ils connaissaient avec leur conjoint! Combien de femmes de militants n'ont-elles pas fait état de leur agacement, puis de leur dépit de voir leur conjoint abandonner les tâches domestiques et leurs responsabilités dans l'éducation des enfants au profit de l'activité au sein du mouvement populaire, syndical et politique! Faut-il alors préconiser une bureaucratisation de l'intervention communautaire? Évidemment, nous croyons que non. Cependant, nous croyons qu'il est tout aussi ridicule de croire qu'il sera possible de travailler au changement social si on est incapable de solutionner les problèmes que cette pratique occasionne sur le plan privé. Il faut donc qu'il y ait explication et entente; il faut que les intervenants comprennent la nécessité de se donner une forme d'organisation de leur vie privée qui soit en accord avec l'idéologie et les valeurs qu'ils professent dans le cadre de leur intervention. À ce niveau comme à d'autres, il n'existe pas de recettes.

Un projet de société

Intervenir dans un milieu implique nécessairement que l'on est insatisfait, voire même révolté de ce qui s'y passe. Règle générale, c'est la révolte contre la misère, la pauvreté, l'inégalité, l'oppression sous toutes ses formes qui nous incitent à « faire quelque chose pour que ça change ».

Au minimum, ceux et celles qui interviennent dans un milieu croient qu'il est nécessaire de procéder à des réformes importantes. Bon nombre d'intervenants pensent même que seule une transformation radicale des rapports sociaux peut permettre une modification significative d'un état de fait qui génère tant d'oppression et d'exploitation.

C'est donc dire que tous ceux qui interviennent dans un milieu sont porteurs d'un projet de société qui s'oppose plus ou moins radicalement à l'organisation sociale existante.

Il est donc important que l'intervenant en action communautaire précise, raffine le projet social qui est le sien. Il est tout aussi important de se rendre compte que les choses ne changent pas nécessairement au rythme souhaité et que ce qui a pu être réalisé ailleurs n'est pas automatiquement transportable ici. En d'autres termes, il faut se méfier de l'idéalisme; il faut aussi se méfier des modes et de la propagande, d'où qu'elles viennent. Rien n'est jamais absolu et il faut apprendre à relativiser.

Combien d'entre nous ont été séduits par les expériences yougoslave, cubaine, chinoise, suédoise...! S'il faut se sentir solidaire de l'effort entrepris par le Nicaragua, si nous pouvons certes apprendre de ce qui se fait ailleurs, il n'en demeure pas moins évident que la stratégie du changement chez nous, au Québec, doit s'élaborer en fonction des impératifs géographiques, sociaux, économiques, culturels et historiques qui nous sont propres.

S'aimer soi-même et aimer les gens

Si vous vous sentez l'âme d'un grand dirigeant, si vous croyez que les gens ne sont que du matériel politique à utiliser, si c'est l'opportunisme qui vous guide, si, pour vous, l'intervention communautaire est une « job » comme une autre, restez chez vous! Il faut en effet aimer les gens pour intervenir dans un milieu.

Nous ne voulons pas, par cette affirmation, verser dans un romantisme à l'eau de rose. Nous voulons plutôt préciser qu'il est nécessaire de partager les préoccupations de ceux et celles avec qui nous travaillons. Il faut que leurs intérêts soient aussi les nôtres.

Comme nous l'avons précisé en introduction, l'intervention communautaire n'est pas une technique, encore moins une méthode de manipulation des foules. Il fut une époque où l'animation était conçue comme un ensemble de techniques pouvant s'appliquer indistinctement à une rencontre de gérants de banque ou à l'organisation d'un groupe d'assistés sociaux. Si les méthodes de travail en groupe sont importantes — nous y reviendrons d'ailleurs plus loin — elles ne sont qu'instrumentales. Beaucoup plus importante est cette qualité d'empathie qui nous permet de comprendre ce que l'autre ressent et d'en tenir compte dans nos jugements et dans notre pratique. Les intervenants ne doivent pas être des « monstres froids » insensibles à la douleur des autres.

Les groupes féministes et les groupes d'assistés sociaux accordent une très grande importance aux rapports affectifs. Prendre le temps d'écouter, exprimer comment on se sent, tenir compte des obligations familiales des membres, y compris les nôtres; ne pas oublier les anniversaires, manifester sa sympathie lors d'un décès ou lorsqu'un membre est hospitalisé, sont autant de moments où non seulement se vérifie la qualité des rapports entre les membres d'un groupe, mais aussi l'hypothèse selon laquelle il est possible de croire que les rapports sociaux peuvent être autres que ceux qui sont proposés par la logique d'un système basé sur l'exploitation et l'oppression.

Un parti-pris pour la démocratie

La qualité de la vie démocratique dans un groupe est déterminante pour son développement et sa survie.

Il arrive très souvent que l'intervenant possède des connaissances qui le mettent objectivement en situation de pouvoir et ce, à plusieurs niveaux. Par exemple, on s'adressera à lui pour formuler les demandes de subventions, bâtir les programmes de formation, encadrer les groupes de travail, être l'interlocuteur des technocrates. Il saute aux yeux qu'une telle situation peut conduire à des abus de pouvoir et compromettre le développement d'un groupe. Il faut donc être conscient de cette situation et trouver des moyens pour la corriger.

Ces moyens sont de deux ordres : structurels et éducatifs. Sur le plan structurel, il faut proposer au groupe une formule de gestion qui tienne compte de la réalité de classe des membres. Par exemple, il serait absurde qu'une association d'assistés sociaux soit dirigée par un professeur d'université. Il serait tout aussi ridicule que le comité directeur d'une telle association soit formé d'autant d'organisateurs communautaires que de membres. Le principe démocratique le plus valable, à notre avis, c'est que tout organisme soit dirigé, à tous les niveaux, par des membres représentatifs de la composition de classe du groupe. Nous reviendrons plus loin sur cet aspect.

Même si ce sont des gens représentatifs qui dirigent une organisation, la démocratie ne peut être que formelle si un ou deux individus contrôlent le « know how » et l'information. C'est pourquoi les intervenants doivent s'assurer qu'il existe des mécanismes qui permettent l'acquisition par les membres des connaissances nécessaires. Encore là, il s'agit d'être cohérent avec le projet de société auquel nous adhérons. Il s'agit aussi de tendre à ce que le groupe devienne le plus vite possible autonome par rapport aux « experts ».

Tout ceci n'est pas aussi simple ni aussi évident qu'il y paraît et nombreux sont les groupes qui n'ont pu survivre au départ d'un animateur duquel ils dépendaient de façon excessive.

Ce parti-pris en faveur de la démocratie s'inscrit dans le cadre des exigences, des prérequis à toute intervention dans un milieu. Les exemples ne manquent pas pour illustrer certaines formes que peut prendre l'antidémocratisme dans certaines organisations. Il ne faudrait pas que les acquis tirés de la critique de ces pratiques restent lettre morte.

Les intervenants

Ceux qui sont payés

Parmi ceux et celles qui interviennent dans un milieu, plusieurs sont salariés. L'intervention communautaire est donc pour eux un métier au sens plein du terme. Que l'on soit organisateur communautaire à l'emploi d'un C.L.S.C., travailleuse sociale pour le compte du C.S.S., employé d'un service d'éducation des adultes ou tout simplement permanent d'un organisme populaire, le fait d'être payé pour faire ce travail entraîne nécessairement des implications par rapport aux autres, les militants, bénévoles et volontaires.

Cette situation se double parfois d'une autre, soit celle qui découle de notre formation académique. Posséder un diplôme nous confère des avantages certains par rapport à d'autres salariés qui n'en possèdent pas. Entre autres choses, l'organisateur communautaire et la travailleuse sociale auront certainement plus de mobilité et de facilité sur le marché du travail que l'intervenant salarié autodidacte.

Par contre, l'intervenant salarié originaire du milieu est fort probablement plus apte à communiquer avec des gens qu'il connaît bien.

La première implication qui découle du statut de salarié, c'est une plus grande disponibilité. Il est donc normal que la charge de travail de ces personnes soit plus élevée que celle des militants et des bénévoles. La deuxième implication, c'est que ces intervenants seront fort probablement mieux informés de la vie du groupe et, conséquemment, mieux placés pour orienter les décisions; ce dont ils devront toujours se méfier. La troisième implication, c'est que les membres auront une certaine tendance à se décharger de leurs responsabilités sur le dos des employés salariés. Le fameux «t'es payé pour faire ça!» peut vous être servi au moment où vous vous y attendez le moins. La quatrième implication, c'est le risque, toujours présent, que vos activités visent plus à justifier votre salaire que les intérêts réels du groupe pour lequel et avec lequel vous travaillez. Nous pouvons facilement imaginer qu'en période de crise économique, cette tendance peut être encore plus développée. Il ne s'agit évidemment pas de poser de jugement moral sur les motivations des intervenants mais bien plutôt de souligner quelques traits propres au statut de salarié dans un groupe.

Il faudrait aussi établir une distinction entre ceux et celles qui reçoivent leur salaire d'une institution ou d'un employeur autre que le groupe où ils exercent leur activité et les autres, payés directement par le groupe.

Dans le premier cas, les intervenants seront toujours un peu ou beaucoup coincés entre les exigences de leur employeur et celles du groupe avec lequel ils travaillent. C'est pourquoi il est très important, lorsqu'on est employé d'un service étatique, de clarifier le mieux possible la nature de son travail avec le groupe et les limites qu'on ne pourra franchir. Les gens sont ordinairement capables de comprendre les contradictions inhérentes à un statut d'employé de l'État. N'hésitez pas à leur faire part de ces contradictions et fiez-vous à leur jugement.

Plusieurs groupes et organisations obtiennent des fonds leur permettant d'engager des permanents. Règle générale, les groupes et organisations populaires sont des employeurs qui ne chercheront pas à vous exploiter. Il nous apparaît néanmoins utile de considérer quelques aspects de la réalité du travail salarié dans un groupe populaire.

En premier lieu, vous ne disposez pas de la sécurité d'emploi. Les groupes et organisations populaires obtiennent leurs fonds d'organismes étatiques ou d'institutions de charité comme Centraide. C'est donc dire que d'une année à l'autre, leurs disponibilités financières peuvent être radicalement modifiées. En second lieu, accepter d'être à l'emploi d'un organisme du mouvement populaire, c'est s'engager à travailler pour un salaire plutôt faible et des avantages marginaux limités à leur plus simple expression. Ceci n'est évidemment pas dû à l'avarice des membres des groupes, mais bien plutôt à celle des bailleurs de fonds. En troisième lieu, ce travail implique une disponibilité assez grande. Pas question de faire du « 9 à 5 » et la semaine de trente-cinq heures ne fait, règle générale, pas partie des conditions de travail. En fait, il n'existe qu'un horaire de travail lorsqu'on est payé pour faire de l'action communautaire et c'est celui qui est nécessaire à l'accomplissement des tâches. Enfin, il vous faudra apprendre à maintenir le délicat équilibre entre militants et permanents.

Bien entendu, le travail de permanent d'une organisation populaire comporte une foule d'avantages qui compensent largement pour les inconvénients. Par exemple, votre liberté d'organiser votre temps sera plus grande. Le sentiment de votre utilité sociale plus réel. La solidarité vécue dans le cadre des activités et des luttes sera parfois fort stimulante.

Les militants

Les militants occupent, dans le mouvement populaire, une place particulière, jouent un rôle central. À la limite, on peut dire qu'aucune organisation ne peut vivre sans eux. Le prix de leur absence, c'est la dissolution du groupe ou sa transformation en une structure qui ressemblera beaucoup plus à un service de l'État qu'à une organisation populaire. Nous n'aborderons pas ici l'aspect politique du militantisme ou, dit plus justement, le militantisme politique. Cependant, il est probablement utile de rappeler que le militantisme politique dans le mouvement populaire a soulevé, au cours de ces dernières années, grand nombre de polémiques. Nous reviendrons sur ce sujet plus loin.

Que serait le mouvement syndical sans militants? Que serait le mouvement populaire sans militants? Ni l'un ni l'autre n'existeraient sans ces hommes et ces femmes qui donnent une partie de leur temps et de leur énergie pour accomplir gratuitement les tâches que commande l'action des groupes et organisations.

Militer, c'est agir et lutter pour des valeurs auxquelles on adhère. C'est accepter de sacrifier une partie de sa tranquillité et de son confort au profit des autres. C'est un acte de générosité.

L'importance des militants commande que la structure de pouvoir d'une organisation ou d'un groupe soit conçue de telle manière que ces derniers puissent y détenir une autorité proportionnelle à ce qu'ils représentent.

Naturellement, militer dans le mouvement populaire, ce n'est pas comme être actif dans le mouvement syndical ou dans un parti politique. C'est souvent accepter d'accomplir des tâches relativement effacées, comme par exemple répondre au téléphone et tenir la permanence d'un local une journée par semaine, participer à des comités de travail dans une foule de domaines tels l'éducation, l'information, le développement des stratégies, les bilans, les finances, etc. C'est aussi participer à des comités de coordination, des conseils d'administration, des comités exécutifs. C'est enfin participer à l'action-terrain, comme par exemple, des manifestations, des occupations et d'autres activités qui font partie des tactiques de lutte.

La lutte contre la taxe d'eau menée par les A.D.D.S., les manifestations des comités de travailleurs et travailleuses accidentés, les occupations de bureaux de députés et de ministres par des fronts communs contre la pauvreté, les manifestations visant à dénoncer la pornographie, les mobilisations larges comme celles que menèrent les Opérations dignité en Gaspésie et dans la région du Bas-Saint-Laurent, sont autant d'exemples de luttes menées par des militants et des militantes.

Il faut donc, dans le cadre de l'intervention communautaire, penser à développer des outils de lutte qui favorisent le militantisme. Il faut aussi que les ressources disponibles soient prioritairement consacrées à soutenir l'intervention militante. Certaines organisations, faute d'avoir compris cela, se sont vues presque transformées en institutions ressemblant plus à un service public qu'à une organisation populaire.

En fait, la meilleure chance de survie et de développement d'un groupe populaire réside dans sa capacité de se doter d'un bon réseau de militants. C'est aussi un bon antidote contre la répression qui frappe parfois les groupes qui sont trop combatifs au goût du Pouvoir.

Les membres

Les membres, c'est l'ensemble de ceux et celles qui acceptent de faire partie d'un groupe ou d'une organisation. Ils ne sont pas tous militants, mais leur nombre témoigne de la vitalité du groupe et illustre, jusqu'à un certain point, sa force politique.

La règle veut que dans le cadre démocratique du mouvement populaire, ce soient les membres réunis en assemblée générale qui soient souverains. Ce sont eux qui fixent les orientations, approuvent les stratégies, entérinent les rapports, autorisent les modifications à la charte, etc.

Si certains membres ne sont pas particulièrement militants, il n'en demeure pas moins vrai que c'est parmi eux que ces derniers se recrutent. D'ailleurs, un membre peut fort bien ne pas militer à un moment donné, pour finalement devenir disponible et résolument engagé dans les activités du groupe un peu plus tard.

Ce qu'il importe de retenir, c'est que les membres doivent être les premiers informés de tout ce qui se passe dans l'organisation. Tous les efforts doivent être faits pour les mettre dans le coup car, en demandant son admission comme membre d'un organisme, un individu indique ainsi son intérêt pour un champ d'activités particulier. Demander à devenir membre de l'A.C.E.F., c'est indiquer son intérêt pour les questions qui touchent les consommateurs. Adhérer à la Ligue des droits et libertés, c'est une façon de souligner sinon sa disponibilité, du moins son appui aux luttes en faveur des droits de l'être humain.

Non seulement les membres doivent-ils être le plus souvent possible consultés, mais leurs opinions doivent être respectées et leurs décisions suivies.

Dans les organisations larges, il peut parfois être frustrant de constater que les membres refusent d'entériner les propositions qui leur sont présentées par les permanents et les militants. Plutôt que de se questionner sur la qualité de la communication et de la diffusion de l'information au sein de l'organisme, certains pourraient être tentés de passer outre à la volonté populaire. Ceci serait une grave erreur qui risquerait d'hypothéquer sérieusement la crédibilité d'un organisme.

Bref, les membres sont la raison d'être d'un organisme populaire. Il faut savoir les respecter et apprendre à communiquer avec eux.

La communauté

Nous intervenons toujours au cœur d'une communauté, c'est-à-dire dans un groupe d'individus qui partagent un certain espace territorial et ont un certain nombre d'intérêts communs. La réalité des classes sociales existe à l'intérieur d'une communauté, de même qu'un certain nombre de regroupements chargés d'en véhiculer les préoccupations.

Les activités d'un groupe populaire ne sont pas le fait des seuls membres, militants et permanents. En réalité, c'est la communauté tout entière qui est visée et appelée à participer. C'est pourquoi nous devons considérer la communauté comme étant non seulement une spectatrice, mais aussi une actrice. L'exemple des activités dans le cadre de la Journée internationale des femmes témoigne éloquemment de cette réalité. Dans telle région, une collective féministe décide d'organiser le 8 mars. Les membres seront consultés et donneront leur aval à cette initiative. Les militantes se réuniront, formeront des comités de travail et, s'il y a une permanente, celle-ci se verra confier un certain volume de tâches que les militantes ne peuvent, à cause de leurs engagements, accomplir. Dès lors, le succès de l'activité dépendra de la réponse de la communauté, en particulier de ses institutions.

Quelques semaines après la réalisation de l'activité, la collective se réunit pour dresser un bilan. On y constate les faits suivants : 227 femmes se sont rendues sur les lieux où se déroulaient les activités. La plupart sont restées la majeure partie de la journée. L'A.F.E.A.S., le Mouvement pour la paix, le Centre d'accueil pour femmes violentées, l'Association des parents d'enfants handicapés et l'Association des femmes collaboratrices ont présenté leurs activités et monté un kiosque d'information. La partie récréative fut assumée par quelques femmes du milieu dont une monologuiste remarquable. Une pétition contre la pornographie a recueilli près de 150 signatures ; une autre contre l'essai des missiles « Cruise » en territoire canadien, presque autant. Finalement, cinq personnes se sont montrées intéressées à une rencontre d'information sur la collective. Peut-être que deux ou trois deviendront membres.

Voilà une illustration d'une activité générée par un groupe et assumée par la communauté. Le court bilan qui vous est présenté à titre d'illustration n'est pas le produit de l'imagination des auteurs. Il s'agit du compte rendu à peu près exact d'un travail bien fait, effectué par un groupe de femmes de la région de Cowansville.

La notion de communauté tant en intervention communautaire qu'en service social et en sociologie, est fondamentale à plusieurs points de vue. C'est d'ailleurs pourquoi on retrouve une réflexion sur ce concept dans la plupart des manuels traitant d'organisation communautaire.

Il faut souligner que la communauté locale constitue le premier niveau à partir duquel, le plus souvent, s'effectue l'appréhension et la définition des problèmes sociaux. La communauté locale demeure encore de nos jours le terrain privilégié de l'intervention collective.

Certes, plusieurs auteurs ont suggéré que le développement de l'industrialisation, de l'urbanisation, la bureaucratisation, la « massification », sont autant de facteurs qui ont pu contribuer à un affaiblissement notable de la communauté.

Sans nier la pertinence de ces analyses, il nous apparaît cependant évident que toute intervention communautaire ne pourra se réaliser qu'à partir d'une collectivité identifiée vivant dans un espace territorial qui ne l'est pas moins. La communauté locale véhicule une culture qui, si elle peut, de façon générale, s'identifier à celle des autres communautés locales environnantes, n'en demeure pas moins particulière à de multiples niveaux. Par exemple, il nous semble bien évident qu'une communauté locale en milieu rural sera différente de celle qui habite un quartier ouvrier en milieu urbain. De la même façon une communauté locale dont l'économie repose sur l'industrie touristique sera fort différente probablement de celle qui tourne autour d'un pôle industriel.

C'est pourquoi nous suggérons que le concept de communauté locale n'a rien perdu de son importance. Ceci dit, nous devons néanmoins admettre que les communautés locales peuvent et subissent nécessairement, au rythme de leur histoire, des modifications parfois fort substantielles; dans certains cas, nous pourrions même parler de mutation.

Qui pourrait nier que la communauté locale des îles de la Madeleine sera transformée par son passage d'une économie axée principalement sur la pêche à une économie marquée de façon très substantielle tant par l'afflux touristique que par le développement de l'industrie basé sur l'extraction du sel. Ajoutons à cela les expériences menées par l'Hydro-Québec sur de nouvelles formes d'énergie, à savoir : la construction d'éoliennes sur le territoire des îles. Ce seul exemple nous convaincra facilement que si le territoire ne change pas, si la population demeure relativement stable, certaines nouvelles données peuvent modifier la culture de la communauté locale.

À cet effet, nous pouvons abonder dans le même sens que R.L. Warren (1967) lorsque ce dernier aborde la communauté comme un système social composé à la fois de forces internes et externes. À ce sujet, nous croyons qu'il faut comprendre que les forces internes sont constituées à partir des rapports, de l'interrelation entre les membres de la communauté; les forces externes seront celles qui découlent de l'intervention d'instances extra-communautaires dans le développement de la communauté. Le développement de l'État s'accompagne d'un accroissement de l'intervention de ce que l'on a nommé « les forces externes ». Cet interventionnisme étatique peut sembler miner le tissu communautaire; cependant, il serait peut-être plus juste de parler d'une influence qui contribue non pas à une destruction de ce tissu mais à sa transformation.

L'expérience du travail, particulièrement en milieu urbain, exprime d'une façon suffisamment explicite le rôle des forces externes dans la transformation d'une collectivité locale. Nous pouvons constater que si la rénovation urbaine, par exemple, a modifié de façon substantielle la composition d'un quartier comme Centre-Sud, elle n'a néanmoins pas fait disparaître la communauté locale.

Nous croyons que l'intervenant communautaire doit tenir compte des multiples facteurs qui interviennent dans le processus de développement historique d'une communauté locale. Encore une fois l'étape de l'enquête sera à ce niveau d'une extrême importance. En effet, c'est à ce stade du travail d'intervention que l'intervenant découvrira ce qui constitue les éléments de stabilité de la communauté au cœur de laquelle il travaillera. Il découvrira aussi les sources du changement et pourra vérifier les contradictions qui apparaissent lorsque les forces externes viennent bousculer la dynamique interne d'une communauté.

À ce propos et sur le plan pratique, Warren (1967) a proposé un cadre de référence permettant d'identifier et d'analyser divers aspects de la vie communautaire. Certains analystes québécois (M. Poulin, 1978) se sont inspirés de ce modèle pour analyser diverses communautés au Québec. Bien que discutables (voir plus loin), ces outils permettent à l'intervenant d'évaluer une communauté dans sa totalité. Cela permet rapidement à l'intervenant de se faire une idée sur les informations qui existent (ou n'existent pas) dans la communauté.

Bref, il nous apparaît important de ne pas nier la pertinence de ce lieu de travail qu'est la communauté locale. S'il ne faut pas oublier les changements qui peuvent survenir à cause du développement accéléré de l'industrialisation, de l'urbanisation et de la révolution technologique, il ne faut pas non plus en exagérer l'importance au point où l'on nierait l'intérêt stratégique du lieu de résidence, du territoire où habite la population avec laquelle nous travaillons.

Le territoire

La notion de territoire se confond souvent avec celle de communauté. Pourtant, il s'agit de deux concepts différents mais complémentaires.

Le territoire est un lieu physique précis, avec ses particularités : un quartier, un village, une région, un pays, sont des réalités qui ont une saveur, si ce n'est une odeur particulière. L'importance du territoire se vérifie dans le langage courant : nous travaillons « dans Saint-Henri », « dans le Bas-Saint-Laurent », « dans Hochelaga-Maisonneuve ».

Lorsqu'on parle de communauté, on ajoute à la notion de territoire, celle de population. C'est la population d'un territoire qui forme la communauté. Tout se passe comme si le terme de communauté synthétisait les deux autres. Cette notion de communauté est fondamentale en sciences humaines et on retrouve une réflexion sur ce sujet dans la plupart des manuels traitant d'action communautaire.

Dans ce texte, nous référerons plutôt à la notion de communauté locale, celle-ci ayant l'avantage de lier les dimensions humaine et géographique d'un lieu d'intervention.

Il faut souligner que la communauté locale constitue le premier niveau à partir duquel, le plus souvent, s'effectuent l'appréhension et la définition des problèmes sociaux. Il existe aujourd'hui une tendance à considérer les questions qui concernent l'intervention communautaire d'un point de vue un peu moins localiste. C'est ainsi que le Mouvement autonome des femmes, l'Association pour la défense des droits sociaux, Le Mouvement d'Action Chômage et de nombreuses autres organisations, abordent la problématique qui leur est propre de façon large, du point de vue de la couche sociale concernée.

Cependant, et malgré cet heureux dépassement du localisme, il n'en demeure pas moins vrai que l'intervenant aura à travailler dans un milieu précis, avec une communauté humaine s'identifiant à un territoire. C'est pourquoi il nous apparaît important d'expliquer brièvement ce qui caractérise les principales aires d'intervention.

Les quartiers populaires

La réalité du quartier fut très bien illustrée par le concept de « petite patrie », popularisé par l'écrivain Claude Jasmin et repris avec succès par Jacques Couture lors de sa campagne à la mairie de Montréal.

Il s'agit d'une réalité multiforme qui nous renvoie à l'histoire, à la géographie et à la culture locale. En partie objective et en partie subjective, la notion de quartier est, malgré les vicissitudes de la spéculation foncière, solidement ancrée dans la vie de ceux et celles qui habitent en milieu urbain.

Curieusement, alors qu'on croyait que la vie de quartier allait s'effriter sous les assauts répétés des spéculateurs, il semble bien qu'elle est au contraire en train de connaître une ferveur nouvelle.

L'intervenant aurait tout intérêt, préalablement à son insertion dans une communauté, à prendre connaissance de l'histoire du quartier, à s'assurer qu'il comprend la logique territoriale qui détermine les frontières du milieu physique. Ceci est d'autant plus important que les quartiers ne sont pas tous du même type. Voyons ce qui caractérise un quartier populaire.

En fait, la notion de quartier populaire est relativement récente. Il n'y a pas si longtemps, on disait plutôt quartier « défavorisé ». Cette modification dans la terminologie est liée à un déplacement dans l'idéologie des animateurs sociaux. En effet, « quartier défavorisé » possède un petit quelque chose de chrétien qui illustre bien la base idéologique de l'intervention communautaire. On fonctionne au niveau des « gros et des petits », des « favorisés et des défavorisés ». La critique de l'animation sociale en milieu urbain qui précéda la mise sur pied du F.R.A.P. entraîna aussi le passage de « quartier défavorisé » à quartier populaire, ce dernier terme étant chargé autrement sur le plan idéologique et plus approprié sur le plan politique.

Une définition lapidaire des quartiers populaires pourrait être : ceux où habite le peuple. Nous sommes ici en présence d'un concept marxiste ; la notion de quartier populaire s'opposant à celle de quartier bourgeois. Elle exprime la réalité des classes sociales et annonce la réalité de deux cultures.

Malgré leurs particularités, les quartiers populaires ont ceci en commun d'être le lieu où vivent une forte partie de la classe ouvrière, les assistés sociaux, bon nombre de chômeurs, beaucoup de retraités, beaucoup de jeunes et une minorité petite-bourgeoise parmi laquelle on retrouve des artistes et des intervenants sociaux. Ce sont aussi des lieux physiques caractérisés par une forte densité de population, la rareté des espaces verts, la proximité des autoroutes et des artères à grande circulation.

Les quartiers populaires possèdent leur histoire. Ainsi, Hochelaga-Maisonneuve fut une municipalité autonome avant d'être intégrée à Montréal. Saint-Henri et la pointe Saint-Charles furent des villages. On comprendra alors que ces « petites patries » ne peuvent être exactement pareilles puisque certaines particularités ont historiquement contribué à les distinguer. Il faut comprendre aussi en quoi le développement de l'industrialisation a contribué à faire de ces quartiers ce qu'ils sont.

Saint-Henri fut en son temps reconnu pour ses tanneries, la construction du canal Lachine a fait du sud-ouest de Montréal, en une période historique pas si lointaine, un des principaux centres industriels du Canada. L'est de Montréal s'est développé en fonction des industries lourde et pétrolière. Tous ces faits ont profondément marqué la culture des communautés humaines de ces milieux et déterminé dans une large mesure leurs particularités.

Dans la seconde partie de ce livre, nous aborderons la question de l'enquête; nous soulignons cependant immédiatement la nécessité de connaître ces faits pour pouvoir intervenir correctement dans une communauté.

Les quartiers populaires se caractérisent aussi par leurs traditions, parmi lesquelles celles qui touchent l'intervention communautaire.

C'est en effet dans les quartiers populaires que furent expérimentées les premières formes d'intervention communautaire. Certains noms, individus et organismes, marquent la pratique de l'intervention communautaire d'une empreinte si forte qu'il est difficile de ne pas y référer.

Michel Blondin fut le premier animateur engagé par le Conseil des œuvres qui devait devenir plus tard le Conseil de développement social. Le nom de cet animateur est associé au travail communautaire dans les quartiers du sud-ouest de Montréal, à savoir: Pointe-Saint-Charles, Saint-Henri et la Petite-Bourgogne. Il fut le premier à systématiser la pratique de l'intervention en milieu populaire. Nous lui devons des monographies importantes sur l'analyse de ces types de quartiers. Blondin fut aussi un des premiers à insister sur la nécessité de faire un relevé des ressources existantes dans un milieu d'intervention. Il souligna la nécessité de bien connaître l'organisation du pouvoir pour intervenir de façon efficace. Déchiffrer les intérêts du pouvoir en place par rapport aux problèmes qui affectent la communauté constitue un des principes fondamentaux de l'action communautaire.

Blondin ne fut pas le seul; il fut suivi d'une foule d'animateurs engagés par le Conseil de développement social. Ceux-ci, les animateurs sociaux, intervinrent dans plusieurs autres quartiers: Centre-Sud, Hochelaga-Maisonneuve, Villeray, Rosemont... D'autres organismes offrirent à des étudiants frais émoulus de l'université, la possibilité d'intervenir en milieu populaire. Mentionnons, à titre d'exemples: University Settlement, les Travailleurs-étudiants du Québec, la Compagnie des jeunes Canadiens au sujet de laquelle Pierre Elliott Trudeau a dit qu'elle était « la conscience des Canadiens... » Évidemment, il faut ajouter à cette liste d'intervenants les centaines de personnes engagées dans des Projets d'initiative locale, Perspectives-jeunesse, Canada au travail et autres programmes de création d'emplois gérés par le gouvernement du Canada.

Tout ceci pour dire que les quartiers populaires, ce sont aussi ces lieux qui ont vu passer des cohortes d'intervenants, jusqu'au point de saturation. Ceux et celles qui interviennent dans ces milieux doivent tenir compte de cette réalité.

Les quartiers populaires sont aussi des territoires qui ont subi de profondes mutations, pouvant même aller jusqu'à une quasi-disparition sous le pic du démolisseur. Par exemple, le Centre-Sud s'est vu amputé d'un large quadrilatère connu sous le nom de « faubourg à m'lasse », pour faire place à Radio-Canada. L'établissement de l'U.Q.A.M. et de quelques complexes immobiliers a aussi fortement perturbé ce quartier. Cette transformation sur le plan physique en a entraîné une autre du tissu humain lequel, d'homogène qu'il était, est devenu hétérogène.

Le Centre-Sud, tout en conservant une partie de sa population originale, s'est vu envahir par les étudiants de l'Université du Québec, les artistes et bureaucrates de Radio-Canada et de Radio-Québec, de même que par les employés qui travaillent dans les grands complexes commerciaux comme celui de la Place Desjardins. Ce quartier demeure un quartier populaire, même s'il a subi une profonde mutation.

Le même phénomène se produit à Québec depuis la construction des grands édifices gouvernementaux comme le Complexe G. Nous pourrions trouver le même modèle à Hull ou à Trois-Rivières et Sherbrooke. Bref, le développement anarchique des villes sous l'influence des spéculateurs et de leurs alliés au pouvoir à l'hôtel de ville et ailleurs, a profondément modifié l'espace et le tissu social de certains quartiers populaires.

Ceci eut comme conséquence une prolétarisation plus accentuée de certains autres milieux. C'est le cas, entre autres, de Mercier, Rosemont, Villeray, Saint-Michel, Rivière-des-Prairies et une partie d'Ahuntsic. Cette situation est causée par un déplacement des populations vers la périphérie du centre-ville. On a beau sortir d'autorité les gens de leur milieu, il faut quand même les loger. Cette présentation des quartiers populaires nous permet de constater que leur réalité n'est pas statique et que depuis l'établissement du fameux « T » de la pauvreté par le Conseil des œuvres vers le milieu des années soixante, les choses ont changé.

Il fut un temps où les quartiers « défavorisés » étaient circonscrits à une bande de terre qui s'étalait de l'est à l'ouest, en bas de la rue Sherbrooke et du nord au sud, le long de la rue Saint-Laurent. Aujourd'hui, ces quartiers demeurent populaires, mais il faut leur en ajouter plusieurs autres.

L'analyse de la transformation du tissu urbain doit aussi tenir compte de l'évolution des classes sociales. La crise que nous traversons ainsi que la révolution technologique ont pour effet de prolétariser certaines couches sociales qui étaient jadis identifiées à la petite bourgeoisie. Le chômage prolongé chez un grand nombre de diplômés universitaires, la mise en disponibilité de nombreux enseignants, les fermetures d'usines, l'accroissement du nombre de familles mono-parentales, sont autant de facteurs qui peuvent jouer dans la structuration de la communauté. Si une certaine aristocratie ouvrière se sent chez elle parmi la petite bourgeoisie qui habite les banlieux résidentielles, il se pourrait fort bien que certaines fractions de cette même petite bourgeoisie soient éventuellement refoulées vers les quartiers populaires, ce qui ne sera pas sans conséquences.

Les quartiers populaires sont donc une réalité bien vivante. Leur spécificité commande une adaptation des approches dans le domaine de l'intervention communautaire.

Les autres quartiers

L'intervention communautaire n'est plus orientée que vers les quartiers populaires. Elle en touche aussi d'autres que l'on pourrait qualifier de mixtes. Des quartiers comme Notre-Dame-de-Grâce et Outremont sont dans ce cas.

La rénovation urbaine, par exemple, ne frappe pas que les milieux où vivent les prolétaires. Il suffit de voir les outrages que l'on fait subir à l'environnement montréalais de Pierre Elliott Trudeau pour s'en convaincre... Mais passons outre aux misères des pauvres riches pour considérer la réalité des quartiers qui, sans être populaires, n'en demeurent pas moins des milieux potentiels d'intervention.

Ces milieux se caractérisent par leur richesse relative : belles maisons, espaces verts en quantité, tranquillité du voisinage, absence de commerces dans les aires d'habitation, institutions de qualité dans les domaines de la santé, de l'éducation et des services sociaux, etc. ; naturellement, nous n'y retrouvons pas d'usines.

La population est règle générale composée des fractions supérieures de la petite bourgeoisie et d'une moyenne bourgeoisie qui tire ses revenus du commerce de la finance et de la gestion des P.M.E. On y retrouve aussi les cadres supérieurs de l'État, des politiciens et un certain nombre d'artistes à succès.

Une lecture approfondie de ces quartiers nous ferait cependant découvrir des secteurs où vivent des gens qui ont les caractéristiques de ceux qu'on retrouve en milieu populaire. Une autre caractéristique

que l'on retrouve dans les quartiers de ce type tient de l'intérêt plus marqué de la population pour certains champs de lutte tels la dégradation de l'environnement et le Mouvement pour la paix.

La ville d'Outremont constitue un bon exemple de ce genre de milieu.

La campagne

La campagne se caractérise par l'existence de zones semi-rurales et rurales. La composition sociale de ces régions, de même que l'organisation du territoire, commandent aussi une adaptation des stratégies d'intervention communautaire. De façon générale, les deux lieux territoriaux d'intervention seront la ville ou le village et la région.

Si les préoccupations des gens qui habitent la campagne peuvent être du même ordre que celles de ceux qui habitent les grands centres urbains, il existe aussi des différences notables.

Par exemple, il est évident que les assistés sociaux sont confrontés, dans les campagnes, aux mêmes problèmes que ceux des villes. Cependant, sur certains plans, ces problèmes seront moins aigus. C'est le cas de l'alimentation où, pour ceux des campagnes, il est plus facile de faire un jardin, de cueillir les fruits et légumes sauvages, d'aller à la pêche et à la chasse. Par contre, au niveau du transport, les handicaps sont souvent très lourds.

La composition sociale du milieu rural est aussi quelque peu différente : en plus des classes et couches sociales qui vivent en milieu urbain, on y retrouve des producteurs agricoles, des pêcheurs, des travailleurs de la forêt, des employés saisonniers qui œuvrent dans les domaines agricole et touristique.

Il n'est pas rare, en milieu rural, de rencontrer des familles vivant sous le seuil de la pauvreté, mais qui sont néanmoins propriétaires de leur maison. Ceci est beaucoup moins fréquent en milieu urbain.

La faible densité de la population et les distances, parfois fort grandes, entre les agglomérations, constituent aussi d'autres différences notables entre les deux milieux.

Différentes sur le plan du découpage du territoire et sur le plan du tissu social, villes et campagnes le sont aussi au niveau de certains centres d'intérêt. Pour illustrer cette situation, nous donnerons l'exemple de la mobilisation des femmes de producteurs agricoles autour de la lutte pour se faire reconnaître le statut de « femmes collaboratrices ». Il s'agit, dans ce cas, de femmes qui ont cette particularité d'être directement associées à l'exploitation d'une entreprise familiale. Elles sont, au même titre que leurs maris, associées à un processus de production. Cette lutte, menée par des femmes du milieu

rural, mobilise énormément de monde, attire une très forte participation, force des organismes comme l'U.P.A. à s'interroger et surtout,
remet radicalement en question une partie du droit « mâle » à la
propriété. Sans élaborer davantage, il est clair que ce genre de lutte ne
peut se réaliser qu'en dehors des villes. Il est clair aussi que si ces
femmes réussissent à faire reconnaître leurs droits, cela pourrait avoir
de profondes répercussions sur le statut des femmes en général.

Les mobilisations autour des terres expropriées pour la construction
de l'aéroport de Mirabel, la lutte contre le harnachement de la rivière
Jacques-Cartier par l'Hydro-Québec, les Opérations dignité en Gaspésie
et dans le Bas-Saint-Laurent, sont autant d'illustrations de luttes
spécifiques à la campagne.

Intervenir en milieu rural suppose donc des stratégies d'intervention
adaptées à la réalité.

Même l'action communautaire dans des organisations que l'on
retrouve dans tous les milieux, ne peut se faire de la même façon. Il faut
savoir s'adapter à la culture régionale. En milieu rural, les gens courent
moins. Ils sont aussi plus proches de leurs employeurs puisque la
plupart du temps, les propriétaires de P.M.E. et de commerces habitent
dans le même village. Ceci n'est pas sans avoir un certain impact sur les
possibilités de mobilisation.

Le pouvoir, en milieu rural, est souvent une chose qui est beaucoup
plus tangible. Dans certains villages, la même famille contrôlera l'essentiel de la vie économique et sera présente partout où s'exprime la vie
sociale (clubs sociaux, paroisse, Caisse populaire, etc.) et la vie politique
(organisateurs de députés, conseillers municipaux et maire, président
et commissaires à la Commission scolaire...). Cette situation particulière entraîne des conséquences non négligeables, que l'intervenant se
doit de connaître et de prendre en sérieuse considération.

Enfin, à la campagne, ce que l'on fait se sait très rapidement et prend
parfois une importance étonnante. Beaucoup de choses qui passent
inaperçues en ville, prennent du relief à la campagne : la façon de se
vêtir, la pratique religieuse, la façon d'éduquer les enfants, les relations,
etc. ... Tous ces éléments pour expliquer que le milieu rural possède des
caractéristiques, une culture, qui lui sont propres. Cela commande,
pour l'intervenant, une certaine adaptation sans laquelle toute forme
d'intervention communautaire risque de se solder par un cuisant échec.

Les groupes d'intérêts

Il nous apparaît important de souligner quelques caractéristiques des principaux groupes sociaux qui peuvent être impliqués dans toute démarche d'intervention communautaire.

Nous n'entendons pas développer une thèse sur la réalité des classes sociales. D'autres l'ont déjà fait et nous vous invitons à consulter la bibliographie pour obtenir les références appropriées.

Cependant, nous croyons qu'il peut vous être utile d'avoir dès maintenant quelques indications concernant les groupes d'intérêts.

Les exclus du monde productif

La crise économique que nous traversons augmente l'importance de ce groupe, lui donnant par le fait même un poids politique beaucoup plus grand que celui qui est le sien en période de prospérité.

Les assistés sociaux se comptent par centaine de milliers. Parmi eux, on retrouve des familles monoparentales, beaucoup de jeunes, des personnes âgées en attente de leur pension de vieillesse, un grand nombre de femmes... Dans certains quartiers des villes et dans certaines régions, ils sont numériquement le groupe le plus important.

Jusqu'à la fin des années soixante, les animateurs sociaux ne croyaient pas à l'importance politique de la population qui vit des prestations de l'aide sociale. Quelques échecs sur le plan organisationnel confirmèrent leur statut de «sous-prolétaires». La situation changea avec la mise sur pied des premières A.D.D.S. dans la pointe Saint-Charles et dans la Petite-Bourgogne.

Il ne nous appartient pas de faire l'historique de ce qui est devenu une organisation importante du mouvement populaire. Nous ne pouvons qu'espérer qu'un jour, l'histoire de l'organisation des assistés sociaux sera écrite. Nul doute que nous pourrions en tirer de riches enseignements.

Nous voudrions cependant souligner que les succès remportés par les A.D.D.S. témoignent des faiblesses de l'analyse qu'avaient faite les animateurs sociaux. Ceci illustre aussi toute l'importance que nous devons accorder à l'enquête et à l'analyse du milieu. Nous aborderons de façon détaillée cette dernière question dans la deuxième partie de ce livre.

Les chômeurs constituent le deuxième grand groupe identifié aux exclus de la production. Il leur reste encore un échelon à descendre pour rejoindre les assistés sociaux au premier rang de la pauvreté.

Il est beaucoup plus difficile de travailler à l'organisation des chômeurs que ce ne l'est pour ceux qui « sont sur l'aide sociale ». Cela est sans doute dû au fait que celui ou celle qui retire des prestations de l'Assurance-chômage vit avec l'espoir que le travail reprendra bientôt. Pourtant, dans la période actuelle, les titres des journaux sont très révélateurs quant aux possibilités réelles d'emploi. On en est rendu au point où les jeunes ingénieurs et administrateurs, de choyés qu'ils étaient il y a quelques années, deviennent à leur tour membres du club des sans-emploi. Si difficile à mobiliser qu'il soit, ce groupe réussit néanmoins à se donner une organisation et des services, comme en témoigne le Mouvement d'Action Chômage, le Syndicat des chômeurs et chômeuses de la C.S.N. et des groupes comme Au bas de l'échelle.

Lors de la grande crise des années trente, les chômeurs et les chômeuses constituèrent une force politique importante et les marches qu'ils organisèrent sont restées célèbres. Un écrivain de la région de Rimouski, Gilles Raymond, a témoigné de leur misère, dans une collection de photos qu'il met à la disposition des groupes et organisations du mouvement populaire par l'entremise du Centre populaire de documentation de Montréal.

Les retraités

On oublie souvent, en intervention communautaire, de considérer ce groupe d'hommes et de femmes envers qui nous sommes en dette. Pourtant, ils constituent une partie importante de la population et représentent une des couches les plus pauvres et les plus opprimées de notre société.

À quoi tient ce désintéressement ? Peut-être au fait que les personnes âgées, à cause de notre organisation sociale, sont considérées comme quantité négligeable puisqu'elles sont improductives. Peut-être aussi parce que les partis politiques traditionnels les considèrent, sur le plan électoral, comme une clientèle captive qu'on peut soit faire chanter — comme cela s'est vu lors du référendum sur la souveraineté-association — ou qu'on peut acheter à coup de promesses électorales.

L'expérience et la réalité actuelle prouvent que les retraités ont une conscience très vive de la marginalisation dans laquelle on les tient et qu'il est possible de les mobiliser dans des groupes et organisations qui défendent leurs intérêts. À titre d'exemple, nous citerons l'A.Q.D.R. qui est une organisation certainement aussi dynamique que bien d'autres tant dans le mouvement populaire que syndical. Un article paru dans le numéro 9 du magazine *La Vie en rose* exprime aussi de façon claire jusqu'à quel point les femmes retraitées peuvent être conscientes et dynamiques.

Depuis le début des années soixante-dix, il se manifeste un intérêt accru pour les retraités et les préretraités. Plusieurs organisateurs communautaires sont intervenus dans des organismes comme A.S.T.A. dans Hochelaga-Maisonneuve et Place Vermeille dans Centre-Sud. Il est à noter que le développement du réseau des centres d'accueil pour personnes âgées s'est probablement fait à la suite de ces expériences. Il s'agit encore là d'un exemple de récupération par l'État d'initiatives populaires.

Mais, il ne s'agit pas de proposer aux intervenants de n'agir auprès des personnes âgées que pour les regrouper. Bien au contraire. De l'avis même de ces personnes et de leurs organisations, la marginalisation est précisément une de leurs plus grandes sources d'oppression. Pourtant, l'expérience prouve que c'est bien souvent les personnes âgées qui sont parmi les éléments les plus dynamiques des groupes et organisations populaires, en particulier dans le travail en quartier. Nous devons tenir compte de ces acquis et favoriser la participation des personnes âgées à la vie du mouvement populaire. Il ne fait aucun doute que nous pourrions tirer parti de leurs connaissances et de leur grande capacité d'empathie.

Les femmes

C'est presque un lieu commun de dire que le mouvement populaire est majoritairement composé de femmes. Il fut un temps où, malgré ce fait, les groupes et organisations étaient surtout encadrés par des hommes. Quant au mouvement syndical, tout le monde sait qu'elles sont largement minoritaires au niveau des structures de représentation.

Heureusement, les choses ont tendance à changer!

Cela signifie que la pratique de l'intervention communautaire doit tenir compte de cette réalité. Entre autres, les groupes et organisations doivent penser à se donner des mécanismes qui favorisent la participation des femmes. Organiser une garderie lors des activités, tenir compte de la double tâche de la femme qui exerce un métier dans le domaine de la production des biens et des services, sont quelques éléments absolument essentiels à la vie et au dynamisme des groupes.

Il ne nous appartient pas d'élaborer ici sur les multiples revendications mises de l'avant par le Mouvement autonome des femmes et par celles qui militent tant dans le mouvement syndical que populaire. Il nous apparaît cependant fondamental de souligner l'apport particulier et exceptionnel des femmes à la construction des forces du progrès social.

Il ne fait aucun doute que cette réalité commande déjà et commandera encore plus dans l'avenir, des ajustements de taille dans la pratique des intervenants.

Les jeunes

Il ne se passe pas une seule journée sans qu'on parle des jeunes, de leurs difficultés, de leurs problèmes. Comme pour les personnes âgées, il existe une très forte tendance à les marginaliser, à les refouler dans « leur monde ». Une bonne partie de l'univers des jeunes est constitué de structures mises en place par les aînés. Les valeurs qui leur sont proposées sont celles des plus vieux et on les invite à s'intégrer à un monde qu'instinctivement, ils rejettent.

Il y a beaucoup de mépris dans l'attitude des sociétés par rapport aux jeunes générations. On sera tour à tour paternaliste et répressif. Ainsi, le problème de la consommation de la drogue n'est pas perçu comme le résultat d'une société répressive, d'une société de classes où règne la loi du profit. Si les jeunes consomment des drogues, c'est parce qu'ils sont « fous, paresseux, pervers, etc. »

Rares sont ceux et celles qui s'interrogent sur la place qu'on fait aux jeunes dans notre société, sur les responsabilités qu'on se refuse à leur confier et sur la situation de dépendance dans laquelle on les tient. On bouge quand ils se révoltent, et encore...

Dans la période que nous traversons, ils sont, avec les femmes, les principales victimes de la crise.

Plusieurs intervenants sont actifs dans des organisations qui visent à défendre les intérêts des jeunes, comme par exemple le Bureau de Consultation-Jeunesse (B.C.J.), les centres d'aide aux toxicomanes et les groupes qui se préoccupent de la délinquance.

On constate cependant la faiblesse numérique des jeunes dans les différentes instances du mouvement populaire. Tout se passe comme si les jeunes ne s'identifiaient pas aux préoccupations des groupes et organisations populaires, comme s'ils étaient étrangers aux problèmes de consommation, de chômage, de la vie « sur l'aide sociale »... Pourtant, comme nous l'avons souligné précédemment, ils en sont les principales victimes.

C'est donc dire que le milieu des jeunes est un champ d'intervention très important et qu'il faut développer des approches adaptées à leur réalité.

Certaines initiatives de groupes comme les A.D.D.S. et le Mouvement Action Chômage visant à les mobilier autour de luttes contre la pauvreté, méritent d'être soulignées. Par contre, d'autres initiatives, telles celles des gouvernements, visant à les mobiliser dans des programmes de travail volontaire et sous-payé, commandent à tout le moins de sérieuses réserves.

La classe ouvrière

La classe ouvrière n'est pas un bloc monolithique et si tous ceux et celles qui en font partie ont objectivement les mêmes intérêts, il n'en demeure pas moins évident que subjectivement, il existe des différences importantes.

Il arrive souvent que des intervenants faisant preuve d'un certain idéalisme succombent au « charme discret » de la classe ouvrière. Tout se passe comme si le seul fait de produire des biens accordait aux ouvriers et aux ouvrières un certificat de vertu.

Le manque de discernement dans l'évaluation de la réalité de cette importante classe sociale peut conduire à des erreurs qui pourraient pourtant être évitées. En premier lieu, il est nécessaire de souligner que la fraction supérieure de la classe ouvrière, celle que les marxistes nomment « l'aristocratie ouvrière », est particulièrement sensible au mirage bourgeois. Si sociologiquement et économiquement, ils sont exploités dans leur travail, leur conscience de cette exploitation est plutôt faible. Cette faiblesse est d'autant plus évidente qu'elle se dissout dans « l'american way of life », ce concept bourgeois qui semble résumer une bonne partie de leurs aspirations.

Cette fraction de la classe ouvrière fait partie du secteur de la population qui est proportionnellement la plus taxée. Ceci constitue certes une forme d'oppression et peut être une source de mobilisation fort intéressante, comme l'a démontré l'action entreprise en Californie il y a quelques années et les tentatives d'organisation de « Taxe-action » au Québec. Cependant, ce fait entraîne aussi comme conséquence une tendance assez marquée à la réaction par rapport aux couches sociales les plus opprimées.

Il s'en trouve beaucoup chez l'aristocratie ouvrière pour considérer les assistés sociaux comme des parasites, des alcooliques invétérés, des moins que rien. Les chômeurs seront spontanément traités de sans-cœur et de paresseux et les jeunes proposés pour le service militaire ou toute autre forme d'embrigadement.

Ceci ayant été dit, il faut cependant souligner et insister sur le fait que ces travailleurs et travailleuses sont aussi exploités et subissent différentes formes d'oppression. En période de crise, par exemple, le chômage peut aussi les frapper et avec d'autant plus de force qu'ils ont beaucoup plus à perdre que la majorité des autres travailleurs.

Enfin, la plupart de ces ouvriers sont syndiqués et, règle générale, fort combatifs lorsqu'il s'agit de défendre leurs intérêts économiques contre les grandes corporations qui les emploient.

La majorité de ceux et celles qui composent la classe ouvrière travaillent pour des salaires relativement bas, ou très faibles, dans des entreprises souvent anémiques. Beaucoup, dans certains secteurs comme le textile et la confection, sont payés au salaire minimum. Un grand nombre exerce un emploi à caractère saisonnier. La menace du chômage est toujours suspendue au-dessus de leur tête et en période de crise, cette menace est d'autant plus efficace que la main-d'œuvre disponible abonde. Les travailleurs qui composent la majeure partie de la classe ouvrière seront d'autant plus exploités et opprimés qu'ils sont ou non syndiqués.

Le groupe d'intérêts représenté par la partie de la classe ouvrière qui est syndiquée est extrêmement important. C'est celui dont le niveau de conscience est le plus élevé et celui avec lequel les autres couches sociales opprimées ont le plus d'intérêt à se lier.

Tout travail d'organisation communautaire doit tenir compte des liens naturels qui unissent le mouvement populaire et le mouvement syndical. Ces liens ne s'expriment pas que lors des grands rassemblements, comme le Sommet populaire, mais aussi dans une foule de petites circonstances et lors de manifestations politiques d'envergure comme la Marche contre la pauvreté.

Dans notre travail en action communautaire, nous devons considérer le mouvement ouvrier organisé comme notre meilleur allié.

Enfin, la classe ouvrière regroupe aussi une multitude de travailleurs et travailleuses non syndiqués. Ce sont les plus mal pris. Économiquement, beaucoup ont à peine plus de ressources qu'un assisté social. Il arrive même qu'après avoir soustrait les dépenses qu'il faut consentir pour travailler, plusieurs se retrouvent encore plus pauvres qu'une personne « sur le Bien-Être ». C'est donc dire que cette fraction majoritaire de la classe ouvrière est particulièrement exploitée. Plusieurs de ces travailleurs et surtout travailleuses, participent aux activités des groupes et organisations populaires. Ils trouvent là un lieu où exprimer leur volonté de s'inscrire dans une démarche collective en vue d'un changement. Comme pour les bénéficiaires de l'Aide sociale, des prestations de l'Assurance-chômage et les personnes âgées, ils viendront d'autant plus participer à la vie des groupes et organisations populaires qu'ils y trouveront matière à satisfaire leurs intérêts.

Parmi les groupes les plus susceptibles d'intéresser ces travailleurs et travailleuses, nous pouvons signaler les associations de consommateurs et de locataires ainsi que le Mouvement autonome des femmes.

La petite bourgeoisie

Il fut un temps — peut-être pas encore révolu — où se faire traiter de petit-bourgeois était considéré comme une insulte. Notre appartenance de classe était portée comme une tare lorsqu'on intervenait dans le champ de l'action communautaire. Curieusement, la plupart des intervenants venaient précisément de cette catégorie sociale qu'est la petite bourgeoisie. D'ailleurs, la situation n'a pas tellement changé et s'il n'est plus à la mode de s'en prendre au statut de classe des intervenants, la réalité de ce statut demeure.

L'action communautaire est encore un des champs d'intervention des diplômés en travail social ou autres disciplines des sciences humaines. Il ne faut certes pas s'en scandaliser, bien au contraire. En effet, il est heureux que des hommes et des femmes ayant reçu une formation qui pourrait leur garantir une place plus confortable dans la société, choisissent d'œuvrer en fonction du changement. Ce choix implique nécessairement une remise en question de ses privilèges et manifeste un niveau de conscience qui mérite le respect. Les gens, de façon générale, apprécient le fait qu'une avocate, un travailleur social, une organisatrice communautaire, un artiste ou une architecte, fasse le choix de la solidarité avec les couches opprimées de la société. Ils ne s'en formalisent pas et profitent du savoir-faire de ces petits-bourgeois.

Cependant, il faut constater que la tendance normale de la petite bourgeoisie, c'est de défendre ses propres intérêts, lesquels ne sont pas toujours compatibles avec ceux des femmes et des hommes qui luttent dans les mouvements populaire et syndical.

La fraction minoritaire de la petite bourgeoisie qui défend les intérêts populaires, est un peu l'envers de la fraction minoritaire de la classe ouvrière qui s'aligne sur ceux de la bourgeoisie. Des auteurs comme Gramsci ont étudié ces phénomènes et nous n'entendons pas répéter ici ce qu'ils en ont dit.

Nous pouvons néanmoins préciser que la petite bourgeoisie se retrouve à tous les niveaux de l'État, tant ceux de la société politique que ceux de la société civile. Dans le cadre de tout travail communautaire, nous sommes fatalement amenés à négocier avec eux. C'est pourquoi il faut apprendre à les connaître, pour ensuite évaluer jusqu'où une certaine collaboration est possible. Il ne faut surtout pas oublier la tendance récupératrice de la petite bourgeoisie. Combien d'initiatives ont germé dans les jardins des milieux populaires, pour ensuite être cueillies par l'État au profit de ces petits-bourgeois que sont les technocrates et les bureaucrates!

De mentalité plutôt corporatiste, la petite bourgeoisie peut, dans certaines circonstances, s'avérer une alliée des groupes et organisations du mouvement populaire.

L'élite locale

Michel Blondin accordait beaucoup d'importance à cette petite élite composée, règle générale, de petits marchands, de professionnels, de clercs, d'organisateurs d'élections et de politiciens locaux. Très souvent, c'est contre ce groupe social qu'il faudra lutter.

Leur importance est d'autant plus grande que nous les retrouvons en situation de contrôle dans des organismes desquels nous pouvons, jusqu'à un certain point, dépendre pour notre financement et notre légitimité.

L'histoire du mouvement populaire est riche en luttes qui opposèrent des populations locales à cet « establishment ». Tel fut le cas à Lachute et à Saint-Jérôme vers le milieu des années soixante, à Pointe-Saint-Charles au début de la dernière décennie, à Rimouski en 1982...

Si l'élite locale est l'alliée naturelle de la bourgeoisie, elle peut aussi, à l'occasion, faciliter le développement de certains groupes. Cependant, les alliances avec ce groupe d'intérêts sont toujours extrêmement fragiles et commandent une bonne dose de tact et de diplomatie de la part d'un intervenant. Nous reviendrons sur l'importance de ces individus dans la partie du livre qui traite de l'enquête et de l'analyse du milieu.

Les détenteurs des moyens de production

Les vrais « boss », ce sont eux. Ils représentent objectivement la force principale à laquelle s'opposent et le mouvement syndical et le mouvement populaire. Leurs intérêts sont — soyons généreux — difficilement conciliables avec ceux des gens avec qui nous travaillons et, par conséquent, les nôtres.

Il nous suffit de lire les déclarations des dirigeants patronaux pour se convaincre de l'éthique qui les anime. D'ailleurs, dans le débat entourant la désormais célèbre *Lettre des évêques* canadiens concernant les choix économiques de l'État, ils ont clairement exprimé leur foi absolue dans l'appropriation privée du fruit du travail des autres (profits et plus-value).

Les détenteurs des moyens de production sont les vrais maîtres de la société. Ils ont tous les droits, y compris celui à une justice particulière. Ils orientent les décisions du législateur dans le sens qui leur convient. L'idéologie qui les anime les conduit à exiger des coupures dans les mécanismes de redistribution des revenus, des ponctions dans les régimes sociaux, le maintien à son niveau le plus bas du salaire minimum, la conscription des jeunes, des assistés sociaux et des chômeurs, le harnachement des revendications des femmes et la limitation de l'accès de ces dernières au travail salarié.

Nous savons qu'ils sont la force principale à laquelle nous nous attaquons chaque fois que nous revendiquons le respect d'un droit ou son élargissement; à plus forte raison lorsqu'il s'agit de la reconnaissance d'un nouveau droit. De leur côté, ils savent très bien que la force organisée des travailleurs dans les syndicats et celle des couches opprimées du peuple dans le mouvement populaire constitue la seule menace réelle à leur contrôle du Pouvoir. Cette constatation, qu'il est très facile de vérifier sur le terrain, doit toujours être présente à la conscience de l'intervenant.

Les politiciens

Tôt ou tard, celui ou celle qui s'adonne au travail communautaire aura à rencontrer un politicien ou, à tout le moins, à négocier avec lui par personne interposée. Par conséquent, il est utile que nous abordions rapidement ce que représente ce groupe d'intérêts particulier.

En premier lieu, il faut savoir que de façon générale, la principale préoccupation des politiciens, c'est de se faire élire ou réélire. Cette constatation indique comme il est important qu'il sache jusqu'à quel point votre groupe est représentatif de la population de sa circonscription électorale et jusqu'à quel point vos membres ont un rayonnement et de l'influence dans le milieu.

Tout contact avec un politicien ou un de ses représentants commande du tact et de la diplomatie. Inutile de brûler vos vaisseaux avant même d'avoir navigué.

Les politiciens sont souvent sensibles aux arguments simples, du genre de ceux qu'ils pourraient eux-mêmes utiliser pour convaincre leurs électeurs. La plupart ont les intellectuels en sainte horreur.

Les politiciens dans leur ensemble ont aussi comme caractéristique de ne pas répugner au patronage. Cette pratique colle à leur fonction et entretient leur petit côté paternaliste. Demander un service à un politicien, c'est lui accorder quelque importance et ils aiment se sentir importants.

Il faut aussi considérer que la plupart des politiciens ne sont pas des universitaires, pas plus qu'ils ne sont des millionnaires. Ce sont très souvent des éléments de la petite bourgeoisie (notaires, avocats, commerçants, ex-permanents syndicaux, ex-enseignants, etc.). Ils sont normalement simples députés, le Conseil des ministres étant réservé à une élite choisie.

Vous en rencontrerez qui considèrent les intervenants de tout poil comme de dangereux agitateurs; ils sont minoritaires. Les autres savent que vous n'êtes pas bien dangereux et qu'à tout prendre, vous contribuez à maintenir une certaine harmonie dans un monde en crise.

La plupart du temps, vous les contacterez à propos d'une demande de subvention; ils seront charmants, serviables, compréhensifs et, à la limite, prêts à vous l'accorder. Dans ce cas, ils insisteront pour que ça se sache. Dans le cadre du conflit Québec-Canada, ils voudront même que la source de la subvention soit clairement indiquée sur les murs, à l'entrée de votre local.

Il est possible aussi que vous rencontriez votre député lors de circonstances plus difficiles: l'occupation de son secrétariat, par exemple. Dans ce cas, le politicien sera nerveux, vous fera des promesses et surtout, retiendra votre nom.

Quels que soient les motifs qui vous incitent à prendre contact avec votre député ou quelque autre politicien, ne le rencontrez jamais seul; faites-vous accompagner d'un ou de quelques membres de votre groupe. Les engagements d'un politicien ont plus de valeur s'ils sont pris devant plusieurs personnes.

Les technocrates

Les technocrates sont ceux qui assument la gérance réelle de l'État. On peut grossièrement les diviser en deux groupes: ceux qui font partie du personnel politique, c'est-à-dire ceux qui sont directement liés au parti au pouvoir et qui perdront probablement leur emploi à la suite d'une défaite électorale et les autres, beaucoup plus nombreux et présents dans la vie sociale, soit les cadres supérieurs de l'appareil d'État. À titre d'exemples, les directeurs de C.L.S.C., les patrons du Service d'éducation des adultes, les directeurs de Centres de services sociaux, sont des technocrates.

Ce qui caractérise ce groupe d'intérêts, avec cependant des nuances pour le premier sous-groupe, c'est qu'eux n'ont pas de comptes à rendre à l'électorat. Ils sont donc moins sensibles à certains types d'arguments et plus à d'autres. Les arguments qui les touchent le plus sont d'ordre rationnel. Ils aiment bien qu'on leur parle de chiffres, qu'on leur fasse des démonstrations. Ils savent apprécier le sérieux d'une démarche et parfois, ils auront un niveau de conscience sociale qui les poussera à prendre certains risques avec des gens qu'ils considèrent comme compétents.

Par compte, les technocrates ont horreur des intervenants qui ne respectent pas la hiérarchie.

Lors de vos contacts avec des technocrates, assurez-vous que vous maîtrisez bien votre dossier car eux, la plupart du temps, maîtrisent bien le leur.

Il arrive aussi que les technocrates se replient derrière le paravent des directives ministérielles. Cela s'est vu, entre autres lors de certaines luttes menées par les assistés sociaux. Si tel est le cas, il peut être utile de connaître la teneur de cette directive et préférablement d'en obtenir copie. Qui sait ? cela pourra peut-être servir...

Comme pour les politiciens, il est toujours préférable d'être accompagné lors de vos contacts avec un des représentants de ce groupe d'intérêts.

Des lieux et des bases d'intervention

Les institutions

Les Centres locaux de services communautaires

La « Révolution tranquille », cette expression maintes fois utilisée pour identifier le tournant des années soixante au Québec, marque effectivement une rupture, une période de profondes transformations structurelles de l'appareil étatique. C'est la réforme dans le champ de l'éducation qui fut le pivot des autres changements. Ceci est tout à fait normal si on considère que les autres réformes ne pouvaient avoir lieu qu'à partir du moment où l'État pouvait compter sur une main-d'œuvre qualifiée, capable de prendre en main l'administration des nouveaux services et des anciens, dorénavant servis à la moderne.

La deuxième réforme qui a marqué et qui marque encore la vie collective, fut celle qui affecta le réseau de la santé et des Affaires sociales. Elle se fit au nom de la rationalité et de la participation. Le volet participatif de cette réforme indique déjà le rôle qu'étaient appelés à y jouer les intervenants sociaux.

L'ouverture des premiers C.L.S.C. au début des années soixante-dix fut précédée d'un intense travail de mobilisation autour des questions touchant la santé, les services sociaux et l'organisation de la vie communautaire. Dans plusieurs quartiers populaires des centres urbains, on assista à l'organisation de Centres communautaires et de Cliniques populaires de santé. Ce fut le cas, par exemple, dans Saint-Jacques, Pointe-Saint-Charles, Saint-Henri et Hochelaga-Maisonneuve.

Ce type de services à la communauté avait ceci de particulier et de profondément démocratique qu'ils étaient contrôlés par la population et gérés par des individus représentatifs et élus. L'assemblée générale des usagers pouvait orienter la vie de ces Centres communautaires de santé. On pouvait décider de mettre l'accent sur certains types de services plutôt que d'autres. À titre d'illustration, la plupart de ces centres fournissaient gratuitement les médicaments. Cette pratique était légitimée par le fait que la population étant économiquement pauvre, elle devait gruger sur l'essentiel pour se procurer ce qui lui était prescrit par les médecins.

On accordait aussi beaucoup d'importance à la prévention : tout ce qui touche à l'alimentation était jugé prioritaire. C'est pourquoi on engageait des diététiciennes à qui on confiait des tâches d'éducation.

Les gens s'impliquaient dans ces centres qui étaient alors considérés comme des groupes populaires. Ils faisaient partie des multiples comités qui s'activaient à améliorer le sort des habitants du quartier.

Un autre aspect remarquable de ces institutions du mouvement populaire était le haut niveau de conscience de la plupart de ceux qui y travaillaient. Pour permettre aux centres de boucler leur budget tout en donnant des services tels que la gratuité des médicaments, les professionnels acceptaient d'être rémunérés au salaire moyen d'un travailleur. Plusieurs médecins, entre autres, ont volontairement remis des centaines de milliers de dollars qu'ils auraient autrement empochés. Ceci mérite d'être souligné d'un double trait.

Dans ces centres, l'action communautaire revêtait une importance particulière. En fait, tout le monde était plus ou moins impliqué soit dans des démarches d'éducation populaire, soit dans des stratégies de lutte. Les centres communautaires étaient liés à leur milieu et appuyaient les combats des autres groupes et organisations.

Tout ceci ne pouvait durer et encore moins croître.

La récupération ne se fit pas sans peine. Les milieux résistèrent. L'État rétorqua par des menaces de coupures de budget. Finalement, les centres cédèrent les uns après les autres ; certains réussissant néanmoins à conserver une certaine originalité.

Sensibles au discours du ministère des Affaires sociales quant à sa volonté de confier la gestion des C.L.S.C. à des citoyens représentatifs de leur milieu et intéressés par les nouvelles perspectives de travail qu'ils offraient, bon nombre d'intervenants en action communautaire entreprirent de mobiliser les gens dans des comités d'implantation des nouveaux C.L.S.C. Ce fut le cas, entre autres, dans certains quartiers populaires comme Centre-Sud à Montréal.

Beaucoup de groupes acceptèrent d'être représentés sur ces comités. Ils y voyaient l'occasion de donner une dimension nouvelle à leurs efforts, d'offrir à la population des services dont elle avait désespérément besoin. On fit enquête sur enquête. On établit, chiffres et diagrammes à l'appui, que les gens vivant en milieu populaire étaient beaucoup plus sensibles à certaines maladies, la tuberculose, par exemple. Tant d'efforts méritaient récompense. On obtint des budgets et entreprit l'établissement de l'institution.

Les C.L.S.C. constituent un des plus beaux exemples de récupération de l'initiative populaire par l'État. Ils sont aussi une illustration de l'idéalisme de beaucoup d'intervenants qui crurent à une possible participation populaire à la gestion de certains des services mis en place par l'État. L'aventure des intervenants dans l'implantation des C.L.S.C. est riche de plusieurs enseignements et ce, malgré le fait que nous pensons qu'effectivement, les Centres locaux de services communautaires constituent une initiative heureuse dans le champ de la santé et des services sociaux.

Le premier de ces enseignements, c'est la nécessité de connaître le mieux possible la nature de l'État, son rôle et les limites qu'il impose au travail communautaire. Deuxièmement, un travail de soutien aux initiatives de l'État doit toujours s'accompagner de franches explications aux personnes avec lesquelles nous travaillons. Parmi les gens qui furent mobilisés dans des comités d'implantation de C.L.S.C., beaucoup acceptèrent de croire au mirage de la participation et au contrôle populaire. Leur désenchantement, lorsqu'ils virent le pouvoir leur échapper au profit des technocrates, eut un effet extrêmement négatif sur leur volonté de s'engager dans d'autres activités de type communautaire. Leur déception fit place à la désillusion et au cynisme lorsqu'ils comprirent que ceux et celles qui les avaient mobilisés se retrouvaient employés de ces institutions, à des salaires auxquels ils n'auraient même pas rêvé. Ceci explique sans doute l'extrême méfiance qui habite les membres et militants des groupes populaires face aux intervenants salariés de l'État. On récolte généralement ce qu'on a semé.

Ceci dit, tournons la page sur ces heures difficiles de l'histoire du mouvement populaire et considérons la réalité actuelle.

Un grand nombre d'intervenants sont aujourd'hui salariés d'un C.L.S.C. Plusieurs sont engagés comme organisateurs communautaires, d'autres comme travailleurs sociaux, quelques-uns sont des professionnels de la santé. On peut même dire que la majorité des intervenants salariés proviennent de ces institutions. Les limites à leur intervention sont fixées par la direction de l'établissement qui leur verse un salaire. Dans ce cadre, et à la condition d'être conscient des limites imposées, il demeure possible de rendre de précieux services à la communauté. C'est ainsi que certains groupes populaires luttant pour la défense des travailleurs et travailleuses accidentés, doivent leur existence à l'initiative d'organisateurs communautaires engagés par un Centre local de services communautaires. D'autres travailleurs sociaux interviennent auprès de Comités de logements. On en retrouve qui sont actifs dans des groupes de femmes. Le travail avec les jeunes, les personnes âgées, la protection de l'environnement, la consommation, sont autant de champs d'intervention qui sont ouverts aux travailleurs communautaires salariés des C.L.S.C. Nous reviendrons, dans la deuxième partie de cet ouvrage, sur les implications du statut de salarié de l'État lorsqu'il s'agit de mener des luttes.

Les Centres de services sociaux

Ceux qui sont familiers avec le travail social connaissent les contradictions inhérentes à ce métier, la principale étant que faire : du « patchage » ou de l'organisation ?

Lorsqu'on travaille dans un centre de service social, on peut être engagé soit pour faire du travail communautaire — ce qui est de moins en moins fréquent — soit pour faire du travail de cas, ce qui est la règle. Si on fait du travail communautaire, on est placé dans la même situation, à peu de chose près, qu'un organisateur communautaire de C.L.S.C. Si on est engagé dans le travail de cas, ce qui relève de l'intervention communautaire sera marginalisé et notre engagement devra être volontaire.

Quelle que soit la nature de notre tâche, une chose demeure néanmoins certaine, c'est qu'étant donné la particularité du travail social, nous sommes des témoins privilégiés de la misère humaine. À ce titre, ce que nous savons peut être très utile à des groupes et organisations populaires. Par exemple, une travailleuse sociale intervenant auprès de femmes victimes de sévices corporels et autres formes de violence, aurait tout intérêt à se lier à un groupe autonome de femmes luttant contre l'oppression. Tout dépend, à ce niveau, de votre degré de conscience sociale.

Le Service d'éducation des adultes (S.E.A.)

Comme dans le cas des C.L.S.C. et des C.S.S., les S.E.A. peuvent, avec les mêmes réserves, constituer des bases d'intervention possibles.

Encore là, il ne s'agit pas de remplacer une organisation volontaire en éducation des adultes (O.V.E.P.), mais plutôt de fournir un appui technique aux groupes qui interviennent sur le terrain.

Action communautaire et éducation populaire sont deux champs d'intervention historiquement liés. Les personnes qui travaillent pour des S.E.A. peuvent rendre de précieux services aux groupes, en leur facilitant l'accès aux subventions et aux ressources techniques. Elles peuvent aussi les embêter en multipliant les tracasseries administratives. Nous n'insisterons pas davantage sur ce lieu d'intervention puisque nous en reparlerons lorsque nous aborderons les questions de financement.

Le terrain

Le lieu réel d'intervention, c'est le terrain : c'est-à-dire un milieu où vit une communauté. Plus précisément, celui ou celle qui intervient dans un milieu le fera à partir d'un groupe ou d'une organisation. À ce sujet, il est possible d'identifier trois types de lieux d'intervention : le comité de citoyens, le groupe populaire et l'organisation populaire. À ces trois instances du mouvement populaire, nous pourrions en ajouter une quatrième dont nous ne parlerons pas de façon spécifique dans ce livre : les syndicats.

Les Comités de citoyens

Nous avons vu, dans la partie historique de ce livre, d'où tire son origine la notion de comité de citoyens. Cette appellation recouvrait la réalité d'un regroupement d'individus encadrés par un animateur. Les Comités de citoyens se structuraient sur la base de l'identification d'un problème précis : par exemple, la nécessité de procurer un terrain de jeux aux enfants. Plusieurs Comités de citoyens s'organisèrent à partir de revendications liées à la question du logement. Un des plus connus, dans les années soixante, fut le Comité des îlots Saint-Martin, dans la Petite-Bourgogne.

Originellement, les Comités de citoyens visaient des objectifs plutôt limités et fonctionnaient sur des bases qu'on peut qualifier de localistes. Tout se passait au niveau du quartier et on n'avait pas encore le réflexe de se trouver des alliés ailleurs. De la même manière, on avait tendance à refuser de partager ses acquis avec les autres groupes.

Nous retrouvons là une espèce de mécanisme de défense face à « l'étranger ». Cette attitude ne fut pas suffisamment combattue par les animateurs sociaux.

En milieu urbain, les Comités de citoyens furent les premières bases de travail des intervenants communautaires. Essentiellement voués à la défense des intérêts des citoyens d'un quartier, voire même d'une paroisse, les Comités de citoyens étaient non seulement influencés par les premiers animateurs professionnels, mais ils l'étaient aussi par un bas clergé parfois revendicateur.

L'intérêt du clergé pour cette forme de regroupement trouva une de ses plus belles expressions dans le « Projet d'organisation populaire, d'information et de regroupement », dans les quartiers populaires du sud-ouest de Montréal, ainsi que dans certains investissements consentis par l'Archevêché dans Centre-Sud, via le Comité social. Le clergé fut aussi fort actif à Saint-Jérôme (Jacques Grand'Maison) et dans le Bas-Saint-Laurent (Opérations dignité).

Aujourd'hui, lorsque nous parlons du même type d'organisations, nous les nommons plutôt groupes populaires. Ceci indique une modification dans la perception du rôle et des objectifs de cette forme de regroupement ; nous y reviendrons. Mais, qu'en est-il maintenant des Comités de citoyens ? Quels intérêts défendent-ils ? Le problème avec l'appellation « Comité de citoyens », c'est qu'elle ne renvoie pas nécessairement à la réalité d'un regroupement d'individus socialement homogènes. Elle indique l'appartenance à un État beaucoup plus qu'à la réalité sociale de ceux et celles qui composent un peuple. En d'autres termes, avec le temps, la charge politique de cette expression s'est atténuée ; elle a perdu de sa signification originale.

Pour illustrer cette affirmation, nous pouvons mentionner que lors de la dernière grève dans les services étatiques, le moraliste Maurice Champagne-Gilbert était le porte-parole de ce qui fut décrit comme « un comité de citoyens éminents » qui revendiquait, entre autres choses, l'abolition du droit de grève dans le réseau des Affaires sociales.

Est-ce donc dire que les Comités de citoyens ne sont plus des lieux privilégiés d'intervention ? À notre avis, la réalité est beaucoup plus complexe.

Nous pouvons suggérer qu'aujourd'hui, un Comité de citoyens est un regroupement d'individus qui se mobilisent à propos d'un problème particulier, lequel concerne l'ensemble d'une communauté. Ce peut être le cas d'un regroupement large de personnes préoccupées par la pollution d'un lac. Que l'on soit riche ou pauvre, on a intérêt à s'assurer de la meilleure qualité possible de l'environnement. Il ne s'agit pas là d'un groupe populaire, mais d'un Comité de citoyens. Aussitôt que le problème aura trouvé une solution satisfaisante pour la majorité, le groupe se dissoudra.

Un tel exemple permet de voir qu'il y a là matière à intervention, tant sur un plan militant que professionnel.

Les groupes populaires

La notion de groupe populaire date du début des années soixante-dix et illustre, d'une part, l'affermissement de certains acquis tirés de la pratique des Comités de citoyens et, d'autre part, un certain nombre de ruptures. Parmi les acquis, il y a cette certitude que seule la force collective peut être motrice de changement. Il y a aussi la découverte par les intervenants de la grande capacité des gens à se mobiliser lorsque leurs intérêts sont menacés. En troisième lieu, on assiste à une remise en question du postulat selon lequel seule la classe ouvrière constitue une force de changement digne d'intérêt. Quatrièmement, la preuve est faite de la nécessité de constituer des groupes où le pouvoir sera effectivement entre les mains de gens représentatifs du milieu. Cinquièmement, éducation populaire et organisation communautaire sont définitivement reconnues comme les deux activités principales : des prérequis aux luttes.

La rupture principale est certainement celle qui touche au localisme. Les groupes populaires, contrairement aux comités de citoyens, développent une vision plus large de l'action. Leurs principales préoccupations sont liées à des problèmes auxquels est confronté l'ensemble d'une couche sociale. Deuxièmement, on admet maintenant beaucoup plus volontiers la nature politique des problèmes et la nécessité de s'organiser politiquement pour les résoudre. Troisièmement, les intervenants professionnels se verront fortement contester le leadership par de nouveaux chefs de file issus des milieux populaires. Quatrièmement, la nécessité de se lier à d'autres groupes devient de plus en plus admise. Cinquièmement, on assiste à une spectaculaire prise de conscience de l'oppression spécifique des femmes et de la forme qu'elle prend dans le travail militant.

Le développement des groupes populaires fut grandement marqué par l'effervescence politique des années soixante-dix. Ce fut d'abord le F.R.A.P. et les désormais célèbres événements d'octobre 1970. Puis, il y eut les Comités d'action politique de la période post-F.R.A.P. et l'émergence du Mouvement marxiste-léniniste, caractérisé particulièrement par En lutte et le P.C.O. Sur le plan municipal, on assista, à Québec et à Montréal, à la formation et au progrès de partis formés essentiellement d'éléments de la petite bourgeoisie liés au mouvement populaire et syndical. Enfin, le Parti québécois s'empara du pouvoir d'un demi-État en 1976, ce qui devait entraîner des conséquences parfois pénibles pour les groupes et organisations populaires.

Ce bref rappel historique pour souligner l'importance politique des groupes populaires. Cette importance ne se mesure pas seulement au fait qu'ils sont le seul lieu, hors le mouvement syndical, où peuvent s'exprimer de larges secteurs de la population ; elle se mesure aussi au fait que ces groupes ont constitué et constituent encore une école de formation pour bon nombre de politiciens. À titre d'illustration, mentionnons Jacques Couture, candidat étonnant à la mairie de Montréal et ministre dans le premier gouvernement péquiste ; Pierre Marois, coordonnateur de la Fédération des A.C.E.F. jusqu'en 1974 ; Jean Doré, chef du R.C.M., ancien coordonnateur de la Fédération des A.C.E.F. et de la Ligue des droits et libertés. Si le mouvement populaire produit un certain nombre de politiciens, un plus grand nombre de cadres politiques et de technocrates de haut rang sont aussi sortis de ses rangs.

Ces faits illustrent de façon claire que les groupes populaires constituent des lieux d'intervention privilégiés. Ils démontrent aussi le caractère profondément démocratique de ces groupes qui n'ont jamais refusé à qui que ce soit le droit de venir participer à leurs activités. Ce démocratisme peut d'ailleurs, à l'occasion, se retourner contre les groupes ; car il peut favoriser les tactiques d'« entrisme » et de manipulation.

Voyons maintenant quels sont les grands axes autour desquels s'articulent les activités des groupes. Aborder ce sujet, c'est établir une typologie des groupes populaires en fonction de deux grands champs de pratique. En premier lieu, il y a les groupes où l'accent est mis sur la revendication : ce sont en général ceux qui luttent contre des formes précises d'oppression et qui accordent beaucoup d'importance à la formation. Les regroupements d'assistés sociaux, les groupes de femmes, les associations de chômeurs, les associations de locataires font partie de ce type de groupes. La deuxième catégorie serait constituée de groupes dont l'activité principale serait orientée vers le service. Les comptoirs alimentaires, les garderies populaires, les groupes d'alphabétisation, les A.C.E.F. sont représentatifs de cette catégorie.

Nous devons cependant reconnaître que ces typologies n'existent pas à l'état pur. Avec plusieurs autres auteurs, nous sommes prêts à admettre que services et revendications sont très souvent des activités complémentaires chez la plupart des groupes. Il est certain que les A.C.E.F. sont aussi des organismes de lutte. Ne pas reconnaître le caractère combatif des garderies populaires ferait aussi preuve d'une lecture pour le moins curieuse de la réalité.

Notre intention n'est donc pas d'établir des catégories arbitraires, mais de souligner qu'à cause de leur composition et de leur spécificité, certains groupes sont, de par leur nature même, continuellement en situation de lutte. Il est facile de vérifier qu'assistés sociaux, chômeurs locataires et femmes sont souvent impliqués aux toutes premières lignes du front.

Nous ne pouvons non plus passer sous silence une troisième catégorie de groupes que nous qualifierons d'appoint. Il s'agit des Centres d'éducation populaire, d'organismes de formation, tels le Centre de formation populaire, de l'I.C.E.A., la Ligue des droits et libertés, etc. De la même manière, il existe maintenant tout un volet culturel lié au mouvement populaire ; ce sont des artistes dans des domaines comme la musique, le théâtre et la littérature et des organismes comme Servart.

Les organisations populaires

Il nous a semblé important et pertinent d'établir une distinction entre groupes et organisations populaires. Cette distinction s'appuie sur notre pratique dans les uns et les autres et nous l'expliquerons par quelques exemples.

Nous considérons comme organisation populaire une structure qui encadre, coordonne et entretient l'activité de groupes populaires, lesquels peuvent être tout à fait autonomes ou, plus directement soumis aux décisions du centre. L'organisation populaire marque une étape dans l'histoire du mouvement populaire. Elle témoigne d'une maturité nouvelle et est l'expression concrète d'un refus du localisme. Il fut un temps, vers la fin des années soixante, où il était admis qu'un comité d'assistés sociaux, localisé dans un quartier particulier, ne se préoccupe pas, voire même refuse de recevoir des gens provenant d'un autre quartier, fut-il voisin. C'est avec la mise sur pied d'un regroupement d'assistés sociaux dans la Petite-Bourgogne que s'amorça la structuration de l'actuelle A.D.D.S.

La Fédération des A.C.E.F. illustre aussi le même phénomène d'élargissement des groupes populaires. Nous pourrions mentionner plusieurs autres organisations telles le F.R.A.P.R.U., le Regroupement des garderies populaires, etc.

L'intérêt de tels regroupements est évident. Ils permettent, entre autres, de donner une dimension pouvant même être nationale, à une lutte. Ils témoignent aussi de l'importance des niveaux d'oppression en démarginalisant ceux et celles qui en souffrent. Ils favorisent la construction d'un rapport de forces plus favorable au mouvement populaire. Quel poids aurait chacun des organismes volontaires en éducation des adultes s'il n'était représenté par une organisation. L'organisation populaire permet aussi de saisir l'ampleur et les particularités d'une situation d'oppression. Par exemple, les assistés sociaux qui vivent en milieu rural témoigneront des problèmes de transport qui sont les leurs alors que ceux des milieux urbains mettront l'accent sur leur incapacité à payer certaines taxes telles que la taxe d'eau à Montréal. Le regroupement dans une organisation populaire permet de bâtir un cahier de revendications beaucoup plus complet, d'illustrer de façon beaucoup plus magistrale l'ampleur d'un problème. Il est toujours plus stimulant de savoir qu'ailleurs on se bat pour défendre les mêmes intérêts. Il est aussi fort utile de pouvoir compter sur les acquis des groupes qui, en d'autres régions, ont les mêmes préoccupations. L'organisation populaire peut donc multiplier l'impact des groupes populaires.

Il ne faut cependant pas négliger les aspects négatifs, les dangers qui menacent les organisations. Nous en mentionnerons quelques-uns. En premier lieu, il peut se produire que des guerres de factions au niveau de l'organisation immobilisent les groupes pendant une période plus ou moins prolongée. Autant la solidarité est essentielle aux groupes populaires, autant les luttes intestines peuvent les miner. Deuxièmement, il peut se développer une dynamique centralisatrice qui tôt ou tard déstabilisera les groupes. Troisièmement, les secrétariats d'organisations sont des lieux de prédilection pour les intervenants professionnels salariés. Par opposition, ce n'est pas particulièrement l'endroit où les militants pourraient se sentir très à l'aise. Un secrétariat d'organisation est, règle générale, un interlocuteur privilégié pour l'État et les bailleurs de fonds. Tout se passe comme si ceux qui y travaillent étaient reconnus comme étant l'équivalent populaire des technocrates à l'emploi des gouvernements. Cette situation peut entraîner des conséquences néfastes, dans la mesure où les permanents d'une organisation se laissent séduire par une certaine impression de pouvoir qui découle de leur maîtrise des dossiers, de leurs rapports privilégiés avec le Pouvoir, de leur identification en tant que « vedettes » et porte-parole officiels.

Le travail de permanent d'une organisation nécessite certaines qualités telles une grande force d'analyse et de synthèse, une forte aptitude à un travail sous tension, un sens profond de la démocratie, une excellente connaissance des dossiers, une bonne capacité d'empathie et une habileté politique qui ne s'acquiert que par une pratique soutenue de l'intervention communautaire.

L'actuel homme fort chinois, Teng Xiao Ping, avait l'habitude de dire que l'important pour un chat, ce n'était pas sa couleur mais son habileté à attraper les souris. Par ce mot, l'éminent homme d'État voulait indiquer que la compétence d'un individu était plus importante que son idéologie. Même si nous reconnaissons volontiers la nécessité de la compétence, nous croyons que le travail de permanent d'une organisation populaire exige aussi une certaine couleur. Les Chinois ne confieraient sûrement pas l'administration de leur pays à Rockefeller. Si, à la limite, n'importe qui peut être consulté à titre d'expert par une organisation populaire, un permanent doit, en plus, être en accord avec l'analyse que font les membres de la réalité et avec le sens qu'ils donnent à leurs luttes.

DEUXIÈME PARTIE

Connaître un milieu : l'enquête

Intervenir dans une collectivité locale ou dans un milieu plus large, comme une organisation représentant les intérêts d'une classe sociale, constitue la raison d'être d'un travailleur communautaire. L'intervention est toujours une entreprise délicate et il importe d'en connaître les principaux mécanismes. L'improvisation en matière d'intervention communautaire peut s'avérer fatale. C'est pourquoi, dans la deuxième partie de cet ouvrage, nous entendons développer des thèmes liés à la préparation de l'intervention.

Nous traiterons d'abord de la recherche. Cette étape de tout processus d'intervention est capitale. On prête à Mao Tsê-Tung le mot suivant : « Pas d'enquête, pas de droit de parole ! » Nous pourrions peut-être ajouter que faute d'enquête, le travailleur communautaire ou le militant devrait s'abstenir d'intervenir. La nécessité de connaître un milieu, d'en comprendre la réalité objective et d'en saisir la dynamique, vous paraîtra sans doute évidente ; néanmoins, sur la base des pratiques passées et sans doute aussi de celles qui ont cours actuellement, nous nous sentons obligés d'insister sur cet aspect de l'intervention communautaire.

Une recherche bien réalisée permet d'amorcer un processus d'intervention sur des bases solides. Elle favorisera les choix de « fronts de lutte » en faisant apparaître les niveaux et les lieux d'oppression les plus évidents. Elle vous permettra de connaître vos alliés potentiels, de même que les individus auxquels vous vous opposerez. Donnant un visage à cette bête qu'est le pouvoir, elle vous permettra d'évaluer les armes qui vous seront nécessaires pour la combattre. Bref, l'enquête vous évitera beaucoup d'erreurs et vous fournira des indications précieuses quant à la stratégie que vous devrez élaborer.

C'est parce que nous accordons beaucoup d'importance à l'enquête que nous y consacrons la deuxième partie de ce livre.

Si la recherche est une condition préalable à toute intervention, l'analyse de ses résultats en est le corollaire logique et indispensable.

Nous verrons, dans les pages qui suivent, les différentes façons de lire les données obtenues. Nous porterons aussi notre attention sur la diffusion de ces connaissances.

3

La recherche

C'est devenu un lieu commun que d'affirmer que pour pouvoir transformer la réalité, agir sur elle, il faut bien la connaître. En effet, la connaissance est absolument indispensable à toute action-transformation d'une réalité, qu'elle soit naturelle ou sociale. Dans ce sens, nous reprendrons ce qu'a précisé L. Beaudry quant aux connaissances préalables nécessaires à l'action quelle que soit par ailleurs la nature de cette action.

L'auteure précitée souligne qu'il faut connaître : a) l'origine des problèmes ou de l'insatisfaction, b) les objectifs à atteindre, c) l'ordre dans lequel on doit poursuivre chacun des objectifs, d) les alliés et les moyens dont on dispose, e) ceux qui s'opposent ou s'opposeront à nous ; les moyens dont ils disposent pour faire obstacle. Voilà, précise L. Beaudry, « ce qui permet de connaître et préciser une recherche bien faite, en même temps qu'elle rapproche militants et chercheurs, qu'elle les habitue à travailler ensemble et consolide leur formation réciproque ». À ce propos, l'auteur a bien précisé que trop souvent, quand on pense à la recherche, on croit tout de suite qu'il s'agit de vastes enquêtes, nécessitant des budgets, du personnel adéquat et des moyens matériels énormes ; que ce champ d'activités est réservé à des experts : les chercheurs professionnels.

Cette conception a pour effet d'éloigner tout travailleur et toute personne vivant en milieu populaire de la préoccupation de bien connaître son milieu de travail et de vie; l'empêchant ainsi de travailler à la transformation de ces lieux en fonction de leurs intérêts.

Dans cette perspective, la recherche devrait être: toute activité qui permet à un individu et à un groupe d'acquérir par lui-même des connaissances précises concernant la réalité sociale vécue quotidiennement que ce soit à l'usine ou dans son milieu de vie.

Cependant, savoir que la recherche consiste à accumuler des connaissances sur la réalité n'a de sens que si les données fournies par les activités de recherche ne restent pas entre les mains du groupe de chercheurs, mais servent à l'ensemble d'une collectivité. Il importe donc qu'effectivement, la recherche ou l'enquête soit liée à ces trois préoccupations que sont a) la formation, b) l'information, c) l'intervention et/ou l'action.

Le texte de L. Beaudry insiste aussi sur la nécessité d'intégrer les trois niveaux de la connaissance de la réalité sociale, à savoir: la connaissance sensible, la connaissance théorique et la connaissance pratique. La connaissance sensible nous permet de constater les problèmes immédiats: elle réfère à notre vécu quotidien. La connaissance théorique est celle qui met en ordre, systématise les données accumulées au stade de la connaissance sensible. C'est aussi celle où on s'interroge sur les causes pour leur donner une signification plus large, plus universelle. Ainsi, par exemple, certains éléments du vécu d'un travailleur ne sont pas propres à sa situation particulière, mais s'appliquent à un grand nombre d'autres travailleurs. Finalement, la connaissance pratique est celle qui implique une transformation de la réalité sociale à partir d'un problème constaté et expliqué: c'est la pratique des luttes menées par les travailleurs et les couches opprimées de la population, pour promouvoir leurs intérêts.

De son côté, F. Lamarche a bien montré comment ces trois niveaux de connaissance sont au centre de la conception marxiste du Savoir. Il souligne notamment que l'acquisition de connaissances résulte de l'extraction de l'essence des éléments concrets sous forme de concepts et de leur articulation dans la pensée selon leur logique interne. Il cite l'exemple concret d'un intervenant communautaire qui se promène dans un quartier populaire dans lequel il intervient. Ce dernier pourra noter l'emplacement des grands magasins, le délabrement des édifices à logements, la pauvreté des gens qui y habitent, les zones démolies, le tracé des autoroutes, la situation du quartier par rapport au centre-ville, la présence d'un groupe populaire, l'activisme de certains notables locaux, etc. De retour à sa table de travail, il classera ses observations selon des catégories comme l'âge et l'importance des bâtiments; les fonctions pour lesquelles on les utilise; l'occupation, le revenu, la scolarité des habitants du quartier; les objectifs et les moyens des organisations qui y militent; etc.

À ce stade, il aura acquis une connaissance descriptive du quartier, basée sur les apparences des choses observées. S'il veut approfondir cette connaissance superficielle, il devra étudier la structure interne de chacun des éléments observés et leur enchaînement logique. À ce deuxième stade, il dépassera les apparences et leurs liens purement formels, pour en saisir la logique interne. À ce niveau, le travail s'effectuera essentiellement au niveau de la réflexion; il s'agit pour l'observateur d'aller au-delà de ce qui aura pu apparaître « évident » à l'œil. Par exemple, quel lien peut-on établir entre l'expansion du secteur commercial et le délabrement progressif des édifices à logements? L'intervenant ne pourra le préciser que s'il dégage la logique interne de l'activité commerciale et son lien avec les autres secteurs de l'économie; celle qui caractérise la construction et la propriété d'édifices à logements; les modalités de leur rapport qui font que, par exemple, l'expansion de commerces favorise la spéculation sur les fonds de terrains, ce qui provoque à son tour une dépréciation des immeubles, lesquels feront tôt ou tard place à des espaces commerciaux ou à des habitations de luxe, aux dépens de la population résidante.

Il est évident qu'un tel enchaînement de faits, articulés selon un principe qui serait, dans ce cas, une meilleure rentabilité des investissements immobiliers, n'apparaît nullement dans la simple observation de la réalité concrète. Dans ce sens, l'appréciation de cet enchaînement est le produit d'une réflexion théorique appliquée à des phénomènes vérifiables.

Si, souvent, l'intervenant communautaire n'arrive pas à se servir des connaissances apprises à l'université, c'est possiblement parce qu'elles ont été élaborées à partir d'une problématique abstraite et non en vue d'une action concrète. La théorie est importante en autant qu'elle est un guide pour l'action. La nécessité de lier théorie et pratique est donc indispensable au travail de l'intervenant communautaire. Le travail que l'intervenant doit accomplir est à la fois un travail de praticien et d'intellectuel; son objet est un problème concret; son outil, une problématique, c'est-à-dire une somme de connaissances acquises; son produit est une action planifiée qui vise à la mise sur pied d'un service, d'un groupe de travail, d'une opération de lutte, d'une action concertée visant à faire intervenir l'État dans le sens des intérêts réels d'une communauté. Tel est, rapidement esquissée, notre conception du travail communautaire ainsi que la conception de la recherche qui lui est implicite.

Fondement théorique et méthodologique
de la recherche

D'abord, la recherche bibliographique. Sauf exception, les idées de recherche ont souvent été pensées par d'autres et des projets d'intervention similaires ont parfois été expérimentés ailleurs. Il est généralement utile de rendre compte brièvement de cette documentation et de situer la pertinence de notre démarche par rapport à ses acquis.

Un travail de recherche exige donc habituellement l'élaboration d'une bibliographie minimale sur le sujet ; s'il fallait que nous réinventions le monde à chaque jour, nous n'avancerions pas d'un millimètre. Toutefois, pour ce qui est de la recherche bibliographique et de l'utilisation des acquis, les praticiens de l'intervention communautaire sont loin de faire l'unanimité. On redoute la contagion des idées déjà émises ; certains peuvent se sentir moins libres d'émettre de nouvelles hypothèses...

Quoi qu'il en soit, on s'entend pour affirmer qu'il est généralement utile et prudent de prendre brièvement connaissance de la littérature sur le sujet qui nous intéresse et de consulter des bilans d'interventions similaires avant de se lancer tête baissée dans un projet d'envergure. De même, afin d'améliorer l'utilité et la pertinence d'un projet, il est aussi recommandé de solliciter l'avis de personnes compétentes, provenant de milieux différents.

Une fois l'inventaire bibliographique terminé, la précision des objectifs est évidemment fondamentale. En effet, il importe de déterminer clairement dès le début quel est le résultat escompté par la recherche. On ne peut se contenter de répondre qu'il s'agit d'abord de connaître la réalité et qu'ensuite on verra ce qu'il faut faire car cela risque de placer la recherche et l'action sur des voies parallèles. Il faut donc être précis dans la définition des objectifs. Généralement, un processus de recherche est amorcé pour favoriser la solution d'un problème. La situation problématique est liée à l'objectif de l'enquête. Il faut donc chercher à réduire un problème général à certains éléments essentiels, les plus importants ; ceux desquels dépend la solution. La même logique vaut pour un objet d'intervention ; il s'agit alors de préciser les buts et le plan d'intervention. Les buts doivent être réalisables et le mieux identifiés possible.

Le problème général identifié et ses principales composantes bien circonscrites, on passe à la phase de formulation des hypothèses et de raffinement d'un cadre théorique. L'élaboration d'un cadre théorique se résume, pour une bonne part, à l'identification des variables principales susceptibles d'exercer une influence sur le phénomène étudié, à l'analyse de leurs interrelations respectives ainsi que des éléments d'explication disponibles pour rendre compte de ces relations. Il ne s'agit cependant pas de simplement résumer les conclusions des études antérieures sur la question. Encore faut-il en faire une analyse critique, intégrer ces éléments de façon à former un tout, un véritable ensemble théorique. Idéalement, le modèle théorique doit répondre aux critères suivants: pertinence, enhaustivité, amplitude et utilité. Un modèle théorique est pertinent et exhaustif s'il permet d'analyser l'ensemble des données recueillies. L'amplitude du modèle fait référence à la variété des situations auxquelles il est applicable. Un modèle est utile s'il nous permet, sur le plan théorique, de donner une signification à un grand nombre de faits et, sur le plan concret, s'il nous oriente vers la solution des problèmes sociaux. D'une façon générale, tout projet fait appel, plus ou moins explicitement, à un modèle conceptuel qui correspond *grosso modo* à la façon dont le chercheur conçoit le phénomène qu'il veut étudier ou encore, à la façon qu'a l'intervenant de justifier son intervention.

À partir de ses connaissances personnelles des recherches antérieures, le chercheur formule une hypothèse qu'il cherchera à vérifier. Cette hypothèse est souvent une intuition, une réponse appréhendée à une question. Les hypothèses sont essentiellement des pistes de recherche ou des tentatives d'explication de certains faits. Il importe de les formuler avant la phase-terrain car elles favoriseront une plus grande précision dans la cueillette des informations.

Habituellement, on est tenté par plusieurs hypothèses de départ; d'autres surgiront peut-être en cours de route. Il faudra cependant s'astreindre à vérifier non pas toutes, mais seulement quelques-unes des hypothèses possibles.

Concrètement, il est préférable d'énoncer ses hypothèses sous forme de questions simples, appelant des réponses précises. Toutefois, il n'y a pas de honte à ce que les données recueillies ne concordent pas avec les hypothèses de départ; cela ne peut que forcer le chercheur à en formuler de nouvelles. La formulation d'hypothèses permet d'introduire une certaine logique dans le processus; un fil conducteur sans lequel la recherche ne serait qu'un amas de documents et de faits, une bouillie indigeste. C'est d'ailleurs H. Poincaré qui disait « qu'une accumulation de faits ne peut constituer une science, pas plus qu'une accumulation de pierres ne constitue une maison ».

Après avoir précisé le cadre théorique, il reste à suggérer les instruments de cueillette des informations. Il faut aussi une description des procédures étape par étape, une définition opérationnelle des variables, une description de l'échantillonnage de même qu'une description et une explication de l'utilité et de la fonction de chacun des instruments de cueillette d'informations. Dans cette partie du rapport, il faut donc s'assurer que les techniques utilisées sont adaptées au problème, que l'échantillonnage, dans le cas d'une étude statistique, ou le terrain, dans le cas d'une étude qualitative, sont représentatifs de la population étudiée et que la recherche tout entière peut être reprise par d'autres chercheurs qui désirent, soit en vérifier, soit en récuser les conclusions.

En ce qui concerne plus précisément les méthodes de cueillette d'informations, on doit signaler que le chercheur a le choix entre plusieurs techniques, les principales étant : l'entrevue, l'observation, l'analyse de contenu et l'analyse du milieu. Conséquemment, on doit en finir avec une image caricaturale de la recherche empirique qui se résume trop souvent au recours presque magique au questionnaire, le soi-disant outil objectif par excellence ; ou encore, dans l'utilisation, pour ne pas dire l'obsession, de la quantification avec les tests de l'écart type, la fameuse corrélation, etc.

R. Zuniga et surtout J.P. Deslauriers ont récemment évoqué, et même dénoncé, les ravages d'une telle conception du rôle de la recherche en service social. L'intervenant social a accès à un matériel qualitatif très riche, d'où l'importance d'en tirer le maximum de profit. Par exemple, les entrevues, les journaux personnels, les autobiographies, les correspondances, les registres officiels, peuvent permettre, quand ils sont bien utilisés, d'enrichir les recherches de façon fort pertinente. L'analyse du contenu permet alors d'étudier de façon objective, systématique et quantitative, les matériaux et de les interpréter en relation avec l'objectif de la recherche. Finalement, l'essentiel c'est de se rappeler que les techniques d'enquête sociale ne sont que des instruments. Derrière toute démarche de recherche, il y a une certaine conception des faits de la part de l'enquêteur. L'honnêteté ne consiste pas tant à nier notre subjectivité qu'à chercher à la harnacher, voire même à s'en servir utilement dans notre démarche.

Les principales étapes du processus de recherche et/ou d'intervention

Tout intervenant est confronté un jour ou l'autre à la préparation d'un projet de recherche ou d'une enquête quelconque, ne serait-ce que pour mieux connaître son milieu d'intervention ou encore aller chercher le financement de certains projets d'intervention. À ce propos, la majorité des «experts» souligne d'abord que bien des recherches avortent au cours de leur élaboration, faute d'avoir été pensées et planifiées dès le départ. C'est pourquoi il est important, avant même que ne débute une étude, de dresser les grandes étapes qu'il faut parcourir afin de la mener à bon terme. Toutefois, en dépit de la diversité, chaque recherche, grande ou petite, sauf quelques rares exceptions, se déroule en quatre phases principales : a) la préparation ; b) la collecte des faits ; c) l'analyse des résultats ; d) la rédaction d'un rapport. Ces auteurs rappellent au chercheur inexpérimenté la nécessité d'accorder une importance égale à chacune de ces étapes ; son penchant naturel le poussant à raccourcir le temps de préparation d'une recherche. De plus, une préparation hâtive a souvent pour conséquence une augmentation du délai prévu pour les opérations suivantes. Par ailleurs, dans la majorité des cas, le document à rédiger suit sensiblement la même logique : 1) l'énoncé du problème ; 2) l'analyse du milieu ; 3) la description de la méthodologie de recherche et/ou d'intervention ; 4) la présentation et l'interprétation des résultats ; etc. On ajustera donc le « tir » en développant certaines parties selon qu'il s'agit d'un projet d'intervention et/ou de recherche, un rapport préliminaire et/ou un rapport final, ou une demande de subvention pour une intervention.

Chacun sait qu'il y a plusieurs voies pour amorcer une recherche-terrain ou pour engager une intervention, toutes plus ou moins efficaces les unes que les autres. Par exemple, A. Nison (1975) voit le rôle de l'enquête en travail social comme une « opération tactique », une sorte « d'aventure », une « rencontre », un « dialogue », bref un va-et-vient sans cesse renouvelé entre quelqu'un qui regarde, qui s'interroge et une réalité qui peut susciter des questions imprévues ou donner des réponses jamais closes. Pour sa part, M. Séguier (1976), à partir d'une longue expérience avec de nombreuses organisations populaires, a souligné que trop souvent on se lance dans des enquêtes, on improvise des évaluations sans avoir bien défini ce que l'on cherche et comment on pourra le vérifier. Pour ce faire, il propose un schéma d'opérationalisation qui comprend la précision des éléments suivants : l'objectif, le problème, l'hypothèse, les indicateurs, l'instrumentation et la théorie. Comme on peut le constater ces réflexions se recoupent sans être identiques. C'est pourquoi on ne saurait prendre les réflexions qui suivent comme des « recettes ». Il s'agit plutôt de « guide lines » ou de points de repère qu'on ne saurait suivre à la lettre, car les groupes sont un peu comme les personnes, ils ont leur personnalité propre avec une infinité de possibilités de démarches ou de réactions. Ceux qui vivent des expériences de ce type depuis longtemps se méfient d'un asservissement à des méthodes rigides, à des guides stéréotypés. Néanmoins, le constat répété à propos des difficultés vécues tant par les intervenants communautaires que par les étudiants (A. Jacob, 1982) vis-à-vis de tout travail de recherche, justifie amplement, croyons-nous, le rappel de ces quelques règles élémentaires à propos de l'élaboration d'un travail de recherche au sens large du terme (*i.e.* rapport de stage, demande de subvention, rédaction d'un dossier, etc.).

Par ailleurs, il faut insister sur l'analogie entre le processus d'intervention et le processus de recherche, car par le passé on a trop souvent dissocié ces deux processus. Car il est clair que l'homme d'action et le chercheur sont tous deux confrontés à des situations problèmes qu'ils doivent analyser, à la nécessité d'établir une problématique, à celle de formuler des objectifs et des hypothèses susceptibles, au moyen d'interventions appropriées, de modifier des situations, de résoudre ces problèmes (J. Rhéaume, 1982). En travail social, recherche et intervention sont également intimement liées dans la mesure où les étapes servant à l'étude (recherche et constatation des faits) au diagnostic (analyse) et au traitement (action) sont essentiellement les mêmes (F. Ouellet-Dubé, 1979). Cela vaut également pour le travail social communautaire qui implique habituellement (M. H. Bousquet, 1965) un processus dont les principales étapes sont les suivantes : 1) étude de la communauté (dans le temps et l'espace) ; 2) analyse du (ou des) problème(s), il s'agit de répondre aux questions classiques : quoi ? où ? quand ? pourquoi ? comment ? ; 3) évaluation des difficultés ; 4) mise en œuvre et exécution d'un plan d'action ; 5) finalement, évaluation du chemin parcouru.

La phase préparatoire à la recherche

Les projets de recherche sont parfois admissibles à un financement tant de la part de l'État que de certains organismes privés. C'est pourquoi le lecteur d'un document est en droit de savoir de quoi il s'agit, et ce le plus tôt et le plus clairement possible. Les préposés à la lecture de projets en lisent une quantité chaque semaine et disposent de peu de temps pour chacun. Il est donc nécessaire que l'introduction comprenne un bref résumé du projet et une brève description du contenu du document. Le tout devrait être précédé d'une table des matières.

Quant à l'analyse du milieu — dont nous reparlerons en détail un peu plus loin — cette partie comprend habituellement un bref historique et un portrait socio-économique axé surtout sur le secteur d'activités que veut toucher le projet. La partie sur l'énoncé du projet doit énoncer clairement son objet, en soulignant son importance. Il ne faut pas oublier de rendre compte des recherches antérieures, s'il y a lieu. Concrètement, l'énoncé du problème doit répondre aux questions suivantes : qui sera responsable de la démarche ? quel en sera l'objet ou les objectifs ? où aura-t-elle lieu ? et pourquoi est-elle nécessaire ?

Les précisions quant à l'échéancier et au budget sont importantes, surtout dans le cas d'une demande de subvention. Il s'agit alors de préciser clairement l'échéancier et le budget pour tout le projet. Le budget devrait notamment inclure : les salaires à payer, les coûts de consultation, les frais de déplacement, le loyer du local, l'équipement, les meubles, les frais d'impression, les frais divers.

Il est donc nécessaire de prévoir le temps requis pour la détermination précise des objectifs à atteindre et des moyens à mettre en œuvre. Ce premier travail conduira peut-être à retarder le début de l'enquête, mais ce temps n'est pas perdu s'il a permis de mieux circonscrire les problèmes. Ainsi, il convient de pouvoir mener le travail à son terme en limitant au besoin ses ambitions. Avant de commencer la recherche, il est indispensable, dans une phase préliminaire, de a) préciser les objectifs recherchés ; b) limiter le champ d'étude ; c) faire l'inventaire des moyens disponibles. Comme le soulignait L. Fabre : « Quand on ne sait pas ce que l'on cherche, on ne sait pas ce que l'on trouve. » Cette première phase peut donc s'articuler autour de trois questions : quels problèmes étudier et pourquoi ? avec qui ? et comment ?

Toutefois, il ne faut pas exagérer cette phase d'analyse car il y a toujours le risque que notre projet se dilue en quelque sorte dans sa phase de recherche. C'est le drame de combien d'initiatives sociales sans lendemain ! Les initiateurs, pour éviter une action aveugle, sans fondement scientifique, passent à l'excès contraire et s'embarquent dans des enquêtes coûteuses et très longues. Les résultats se font attendre, la réalité a changé plus ou moins considérablement et on conclut qu'il faut refaire une nouvelle enquête. Caricature, sans doute ; mais vérité, de fait trop évidente.

Plusieurs auteurs ont formulé un certain nombre de conseils pratiques, souvent à partir de leur propre expérience, pour assurer l'organisation et le succès d'une expérience de recherche, qu'elle soit individuelle ou collective, comme ce peut être le cas lorsque les membres d'un groupe populaire sont activement impliqués. Ces auteurs soulignent que l'équipe doit alors élaborer son programme de travail et se répartir les tâches. Le travail de recherche en groupe implique un certain nombre de contraintes qui ne peuvent se résoudre que par un respect scrupuleux de l'échéancier et une discipline stricte en ce qui concerne le processus de compilation des rapports et de rédaction de leur synthèse.

A. Jacob, se préoccupant de l'organisation du travail des étudiants en service social, énonce un certain nombre de principes de base qu'il importe de respecter, tant au niveau du travail en équipe qu'à celui du travail individuel. Au niveau du travail en équipe, il souligne notamment que les membres du groupe doivent avoir un intérêt commun pour le travail à faire. De plus, chaque membre de l'équipe doit se rendre disponible pour les réunions de synthèse et contribuer régulièrement au travail du groupe. L'équipe doit aussi se doter d'un plan de travail structuré avec un échéancier réaliste. Il peut s'avérer utile que le groupe se nomme un coordonnateur et un secrétaire. Finalement, il importe que l'équipe procède à une évaluation régulière de son travail, tant au niveau du processus qu'à celui du contenu. Les mêmes règles valent également pour le travail individuel: choisir un travail inté-ressant, travailler régulièrement, se faire un plan de travail, etc. et, en cas de difficulté, consulter des pairs, des professeurs ou d'autres personnes-ressources; il paraît que ça peut aider!

Le cas de la recherche auprès des groupes populaires est un peu différent, comme l'ont montré les expériences de L. Ramsey et de J. Grand'Maison. Ces derniers soulignent d'abord que toute collectivité a ses chercheurs, animateurs et leaders naturels mais il est rare qu'ils puissent émerger et s'exprimer dans la société actuelle. De la même façon, un groupe populaire a aussi ses propres principes d'organisation et sa propre logique d'opération; en ce sens, il faut se garder de donner un cadre trop rigide, des structures trop formelles au groupe. Toutefois, il faut un peu d'organisation pour que le travail progresse et qu'il soit efficace dès les premiers jours.

À ce propos, ces auteurs précisent qu'après avoir formé le groupe de travail initial, on doit s'efforcer de déterminer ensemble les priorités d'enquête. Selon eux, il est préférable de retarder le début de la démarche tant qu'une certaine unanimité ne s'est pas faite dans le groupe, sinon on risque de voir constamment mis en doute les objectifs choisis et les résultats obtenus. En somme, même si les multiples expériences ont emprunté des chemins divers, un dénominateur commun subsiste: celui de l'importance de la formation d'un premier noyau de départ. Dans cette phase préparatoire, il importe que ceux qui travailleront ensemble apprennent à se connaître, qu'ils s'entendent sur un processus de consultation, de discussion et de décision. Nous devons viser le consensus le plus large, tout en respectant la person-nalité de chacun, son apport particulier à la démarche et l'espace de liberté nécessaire à tout travail de recherche.

Toutefois, un projet de développement communautaire ne se programme pas à la façon d'un ordinateur. Ceux qui manquent de souplesse sont vite acculés à l'échec. Des réunions mal dirigées, des recherches trop peu structurées, des objectifs mal définis, découragent les gens sérieux et soucieux d'efficacité. Il en va de même de la continuité du travail d'une réunion à l'autre. Faire le point régulièrement, s'assurer de l'évolution et des perceptions des membres, approfondir les valeurs et les motivations convergentes du groupe, exiger la révision tout autant que la prévision des pistes d'action, voilà des démarches impératives. Cependant, le groupe initial, par souci d'efficacité, s'accroche parfois, monopolise les principaux leviers de pouvoir et de direction. Nous savons maintenant que la qualité de l'intérêt, de la participation et de l'action des autres membres diminue en réponse à cette centralisation. En effet, beaucoup de gens se désintéressent de la plupart des associations volontaires de leur milieu parce que celles-ci ne comportent ni tâches, ni objectifs précis et valables. Toutefois, le souci de résultats tangibles, d'une division efficace et rationnelle des tâches, ne doit pas aller sans celui d'une démocratisation plus large. Les succès, surtout rapides, arrêtent parfois le mouvement de façon plus décisive que le découragement qui suit les premiers échecs. En outre, l'organisation obéit à d'autres facteurs ; par exemple, d'excellents initiateurs se révèlent en certaines circonstances de piètres continuateurs ; conséquemment, des équipes diversifiées et assez nombreuses offrent une possibilité de complémentarité et de stabilité.

Malgré ces précautions, les premières réunions risquent d'être pénibles car les problèmes sont souvent nombreux et il faut cerner les réalités ainsi que tracer les lignes d'action possibles. Malgré les tâtonnements, le consensus et la solidarité peuvent néanmoins s'approfondir. Le groupe peut se vouloir, au départ, libre de toute attache institutionnelle et politique, quitte à créer des liens progressivement avec les autorités officielles, les organismes et l'ensemble de la population. Quels que soient nos choix, il faut chercher à éviter tant les discussions interminables que la précipitation. Il importe que les membres du groupe puissent saisir les fondements historiques de la situation et ses prolongements dans les événements actuels. Mais, faut-il faire une enquête qui échouerait, comme tant d'autres, dans les dossiers de l'administration ? Il importe d'associer le plus grand nombre possible de gens à la recherche, à l'élaboration des projets et à leur réalisation. Mais, ne risque-t-on pas d'éterniser le processus, de décourager les bonnes volontés et de négliger les urgences de l'heure ? L'expérience des groupes populaires au Québec montre que l'on s'entend le plus souvent sur un mémoire provisoire qui peut servir à la fois de moyen de sensibilisation et de participation et d'objectif de négociation avec les autorités.

Finalement, il ressort très clairement de ces expériences concrètes qu'en développant l'esprit de recherche et d'observation systématique, on acquiert fréquemment en même temps l'aptitude à une action et à une organisation plus rationnelles. Conséquemment, il ressort aussi que l'on ne doit pas trop séparer les préoccupations de recherche, d'action et d'organisation.

La recherche militante

La recherche militante se veut d'abord plus engagée idéologiquement et politiquement. Comme l'a précisé Y. Vaillancourt, la recherche militante est une forme de recherche-action qui vise à s'inscrire en solidarité avec les classes populaires afin de modifier les rapports sociaux d'exploitation et de domination. La marque de commerce de la recherche militante, c'est son parti-pris en faveur des mouvements populaires et syndicaux. Sur ce, les « beaux esprits » et les gens bien intentionnés vont facilement tomber d'accord. Toutefois, une précision s'impose. Il semble en effet de plus en plus évident — plusieurs chercheurs l'ont signalé — que les sciences humaines s'orientent vers l'étude des groupes dominés et plus particulièrement des groupes en lutte contre diverses formes de domination. Cela pose tout l'enjeu politique de la recherche de même que celui du rôle de chercheur.

Le chercheur doit être conscient que le résultat de ses minutieuses recherches peut s'avérer précieux pour ceux qui exercent le pouvoir et qui ont besoin de savoir ce qui se trame à la base pour dominer et contrôler plus efficacement. Quoi qu'il en soit de ce débat, une chose nous semble très claire : le pouvoir ne peut plus, ne doit plus être à l'abri des enquêtes. De plus, la recherche sociale ne doit plus se contenter, comme par le passé, de faire circuler les informations du bas vers le haut ; elle doit dorénavant s'efforcer d'inverser le sens de cette circulation.

On a parfois tendance à confondre la recherche militante au service des classes populaires avec une démarche de recherche qui invite le chercheur militant à se cantonner au terrain des classes populaires et à se servir essentiellement de matériaux recueillis uniquement sur ce terrain. Il y a déjà suffisamment de chercheurs « experts » qui vivent — fort bien — de la pauvreté. La recherche militante susceptible de contribuer efficacement à la promotion des classes populaires et au progrès de leurs luttes, passe aussi par l'enquête sur le terrain de l'ennemi. Concrètement, cela veut dire que tout en étant conscient des biais et des limites de l'information et de la propagande « officielle », le chercheur militant doit être capable de trouver des munitions du côté d'organismes gouvernementaux et patronaux.

Ceci étant dit, il faut préciser davantage le « comment faire ». À ce propos, Y. Vaillancourt a suggéré quelques idées guides. Il ne s'agit pas d'un « petit catéchisme », ni de recettes, mais simplement d'idées de base afin de rendre la recherche militante plus efficace et plus pertinente. Nous nous permettons ici, avec l'accord formel de l'auteur, d'y emprunter de larges extraits.

Il y a d'abord lieu de noter que les difficultés de la recherche militante ne sont pas toujours associées aux conditions matérielles ou financières, loin de là, car il se produit que sous ce rapport, certains projets de recherche sont fort avantagés. Nous nous référons ici aux conditions institutionnelles qui confèrent un sens social et politique à la recherche. En effet, nombre de projets sont subventionnés par les sources gouvernementales ou privées. De ce fait, la recherche a souvent valeur de prestige ou doit éventuellement servir de pièce justificative aux politiques gouvernementales. De plus, de par son support institutionnel, elle est souvent vouée, à plus ou moins brève échéance, à garnir les fonds de tiroir des fonctionnaires ou, ce qui n'est guère plus reluisant, à meubler les conversations de quelques intellectuels de salon. Conscients de ce piège qui caractérise nombre de projets de recherche, certains chercheurs tentent de faire de leur travail, un instrument de compréhension et d'action pour les gens directement concernés par les situations étudiées, à savoir : les travailleurs québécois. Intention fort louable en vérité, mais comment une recherche coupée de toute pratique peut-elle en même temps prétendre fournir des réponses adéquates aux exigences d'action ? Ne risque-t-elle pas plutôt de se refermer sur elle-même, de pousser sa propre logique tellement loin qu'elle perde de vue la question qu'elle a amorcée ?

C'est du moins la principale leçon que tirent certains chercheurs militants de leur expérience. Lénine disait : « Il n'y a pas de lutte révolutionnaire sans théorie révolutionnaire. » Le corollaire de cet énoncé est tout aussi vrai : il n'y a pas de théorie révolutionnaire sans lutte révolutionnaire. Pour être juste, limpide, incisive, la recherche doit s'alimenter directement aux questions posées par l'action et les connaissances produites doivent être en retour instruments de transformation. Sans ce rapport constant, immédiat, organique, entre pratique et théorie, celle-ci ne peut être au maximum qu'un texte de plus dans les bibliothèques universitaires. Bref, de plus en plus de chercheurs militants savent que la recherche n'a de sens qu'en dehors d'elle-même... d'où l'importance de lui donner un sens individuel, mais surtout collectif. Pour ce faire, il faut réussir à établir des liens organiques avec des militants et des organismes impliqués concrètement dans des luttes (F. Lamarche, 1972).

Toutefois, il ne faut pas oublier que la contribution du chercheur se situe bien... au niveau de la recherche. Ce dernier, en effet, doit d'une part pouvoir participer aux activités du groupe sans constamment ressentir le remords de peut-être voler du temps qui devrait être consacré à la recherche et, d'autre part, effectuer son travail de recherche sans se culpabiliser de n'être pas sur la barricade. Les chercheurs militants liés à des groupes ou organismes tels le C.C.R.P.S., le C.D.S., le C.F.P. ont parfois connu ce genre de contradiction. Pour notre part, nous croyons que ce genre de problème peut se résoudre par une distribution claire des tâches et une attitude cohérente par rapport aux contraintes qui sont celles du chercheur militant. Il nous semble nécessaire d'insister sur le fait que le chercheur militant doit faire la preuve de ses capacités, sans quoi, il risque d'accentuer la méfiance des milieux populaires et ouvriers par rapport aux «intellectuels» et surtout, il risque de donner raison à ceux qui ne se gênent pas pour dire que les chercheurs militants sont incapables de faire de la «vraie» recherche.

En somme, même si la recherche militante se situe de plain-pied au cœur des luttes populaires, elle exige, pour être efficace, un respect minimal des compétences. Le chercheur doit effectivement s'efforcer de faire avancer la recherche alors que d'autres militants sont plutôt, comme nous le disions, sur la ligne de feu. Pour le chercheur, cela exige évidemment une bonne qualité d'adaptation.

En effet, et sans vouloir jouer aux martyrs, il faut se rendre à l'évidence, la situation du chercheur n'est pas toujours facile et il est souvent placé dans une situation ambivalente. D'un côté, il est évident que le chercheur ne veut pas être perçu comme un «corps étranger»; d'autre part, il ne peut taire ou masquer la spécificité de sa tâche et les exigences qu'elle implique. Le chercheur militant doit vivre constamment une tension entre le risque de l'identification totale avec le groupe ou l'organisme et la nécessité d'une certaine distance qui permet le regard critique.

Dans le cas de la recherche militante, le chercheur ne fait pas de la recherche isolément; il a quitté sa tour d'ivoire pour participer à sa façon et à sa mesure aux luttes populaires. Toutefois, il n'est pas non plus un militant à plein temps. Il participe à l'action mais sans se laisser absorber par elle. Par ailleurs, tout en conservant et en développant ses liens avec le milieu, le chercheur n'en est pas le mercenaire; sa contribution se situe en appui, non en soumission.

Tout cela n'est certes pas facile à réaliser, nous en convenons tous. À ce propos, il faut d'abord donner la permission et le temps aux chercheurs militants de s'améliorer à travers leur pratique. On ne s'improvise pas chercheur militant, même avec la meilleure formation de chercheur et la meilleure volonté du monde. On ne devient pas chercheur militant du jour au lendemain. Les chercheurs militants et les personnes qui les encadrent doivent faire preuve de patience. Il faut du temps, des essais et des erreurs dans la recherche comme dans d'autres activités militantes pour devenir compétent et utile. La recherche militante implique un long processus de rééducation à travers lequel on se débarrasse des ambiguïtés livrées à l'acculturation au mode universitaire. C'est souvent au bout de quelques années de pratique que le chercheur militant commence à bien maîtriser son rôle.

Il faut aussi du temps pour apprendre les diverses facettes du métier, faire le tour du jardin, car contrairement à ce qu'on pense habituellement, il n'y a pas qu'un seul modèle, qu'une seule méthode de recherche militante; celle-ci peut être appliquée, théorique, fondamentale, quantitative, qualitative, liée à des projets d'intervention à court ou à long terme. Tout cela exige bien sûr compétence et expérience. Le chercheur militant doit se tenir à l'écart d'un certain perfectionnisme empêchant de réaliser un travail et de le soumettre à la critique des destinataires, sous prétexte que cette production n'est pas encore parfaite. Il ne s'agit pas ici de plaider en faveur des recherches bâclées, mais il nous semble important de tenter d'acquérir la discipline et l'humilité permettant de produire avant d'avoir atteint la perfection. À cet égard, le chercheur militant qui prétendrait attendre d'avoir affiné un cadre théorique parfait avant de procéder à des analyses appliquées choisirait précisément le meilleur moyen de s'enliser dans le théoricisme stérile, lequel offre le meilleur alibi pour reporter aux calendes grecques l'analyse des processus concrets.

Ainsi, la recherche militante se situe entre le théoricisme abstrait et l'empirisme étroit; elle donne un sens à l'action sans se laisser emprisonner par l'observation. De la même manière, elle développe des idées sans se laisser emporter par le symbolisme des concepts.

Finalement, il faut bien avouer l'évidence: la tradition de recherche militante au Québec est encore relativement mince et pauvre. Présentement, les chercheurs militants sont souvent isolés les uns des autres et travaillent dans des contextes plutôt difficiles et ingrats. Cette situation d'isolement représente une faiblesse qui contribue à miner la motivation, favorise des dédoublements inutiles. Il serait important que dans les prochaines années, un nombre croissant de chercheurs militants partageant des orientations politiques convergentes, trouvent des lieux et des mécanismes simples pour se solidariser, échanger des informations, parler des projets dans lesquels ils sont impliqués ou veulent s'impliquer.

Plus que toute autre forme de recherche, la recherche militante exige des lieux où le chercheur se sentira soutenu, aidé et critiqué. Dans ce sens, il nous semble important de ne pas liquider inutilement des organisations de recherche, même sous prétexte qu'elles n'ont pas la « ligne juste », ou encore, parce qu'elles sont financées par des bailleurs de fonds étatiques ou philanthropiques. D'ailleurs, nous croyons que c'est une erreur de penser que la recherche, tout comme d'autres activités militantes, perd de sa pureté et est automatiquement récupérée dès qu'elle est financée en partie ou en totalité par un organisme public ou semi-public. Après tout, les fonds consacrés à la recherche par divers organismes étatiques et privés, proviennent en grande partie des classes populaires.

La recherche-action

Il existe plusieurs méthodes de recherche. Les limites de ce livre ne nous permettent pas de les aborder toutes. Nous en privilégierons donc une : la recherche-action.

L'activité de recherche étant une composante d'une démarche d'enquête, la méthode dite de recherche-action offre l'avantage de permettre l'élaboration d'un modèle d'intervention tout en maximisant les possibilités de collaboration entre intervenants et chercheurs.

Les intervenants en milieu populaire ne sont pas les seuls à utiliser la méthode de recherche-action. Il peut être utile de rappeler que certains l'appliquent dans une perspective technocratique ; elle est alors perçue comme un instrument qui peut s'avérer utile pour la planification et la gestion dans la mesure où elle peut s'insérer dans les projets de rationalisation et de rentabilisation d'un appareil d'État, notamment en réduisant la résistance de l'intervenant vis-à-vis de l'action administrative. Dans la perspective professionnelle, la recherche-action est pensée en termes de cheminement professionnel et on insiste alors sur la complémentarité entre la recherche et l'action implicite à la pratique quotidienne de l'intervenant social (L. Groulx, 1982).

Pour notre part, nous croyons que l'approche à privilégier dans le champ de l'intervention communautaire est celle par laquelle la recherche-action devient partie intégrante des luttes des groupes populaires. Dans cette perspective, la recherche est perçue comme une base d'action et d'organisation, de même qu'un outil de formation et d'information.

Si, comme nous venons de le souligner, la recherche-action offre différentes perspectives, elle présente aussi différents types. Nous empruntons à des auteurs tels que C. Humbert et J. Merlo les caractéristiques suivantes concernant les principaux types de recherche-action. En premier lieu, il y a l'enquête informative. C'est l'enquête classique et la plus fréquemment utilisée, encore de nos jours. Elle comporte des variantes mais, généralement, c'est une investigation menée par un ou plusieurs chercheurs, sur une population considérée comme objet d'étude. À la limite, on considère que la population cible n'a pas à être informée, de peur de voir son comportement et ses opinions se modifier.

Dans le cas de l'enquête participative, il s'agit essentiellement de faire en sorte que l'ensemble de l'enquête, de l'élaboration des questionnaires aux conclusions, soit un travail d'équipe entre enquêteurs et enquêtés. L'exercice du B.A.E.Q. constitue, jusqu'à un certain point, un exemple de ce type de recherche.

Pour notre part, et dans le contexte de l'intervention communautaire, nous privilégions l'enquête conscientisante. Cette pratique se caractérise par les traits suivants : a) au lieu de se limiter à faire participer la population, ce sont plutôt les chercheurs qui participent, non à titre « d'experts », mais de personnes-ressources, aux recherches initiées par les groupes ; b) la diffusion des résultats ne se limite ni aux commanditaires ou au milieu des « initiés », ni seulement à une portion limitée de la population, mais bien à l'ensemble de la population visée ; c) l'enquête conscientisante part de l'action des groupes et elle doit éclairer cette action.

Dans ce type de recherche, il faut se rappeler que les hypothèses de recherche doivent aussi être des hypothèses d'action et que la population garde un pouvoir décisionnel sur l'orientation des travaux.

Bref, une méthodologie d'enquête conscientisante devrait viser les objectifs suivants : a) que les méthodes et outils soient maîtrisables par des groupes de base ; b) que le processus d'enquête soit géré par le groupe qui la mène ; c) que l'enquête soit elle-même un processus de conscientisation ; d) que la recherche débouche sur l'action.

Nous pourrions aussi faire nôtre la perspective développée par le collectif La maîtresse d'école. Ce groupe d'enseignants et d'enseignantes progressistes considère que le projet de recherche-action correspond à « une tâche concrète, définie et réalisée par un groupe, impliquant une adhésion et une mobilisation de celui-ci parce qu'il résulte d'une volonté collective basée sur des désirs, aboutissant à un résultat concret, matérialisable et communicable, et présentant une utilité par rapport à l'extérieur ».

En somme, le projet de recherche-action doit prendre appui sur la culture populaire, sur la culture d'origine des membres du groupe. Il doit permettre, à long terme, l'élaboration d'un savoir utile en rapport direct avec la vie quotidienne des intéressés. Il doit développer la confiance en soi et la capacité de décision collective. Il doit surtout accroître le pouvoir d'autodéfense du groupe de même que ses capacités offensives.

Quoi qu'il en soit de ces modalités de la recherche, et en utilisant les références mentionnées à l'annexe bibliographique, on peut maintenant identifier les caractéristiques qui nous semblent les plus importantes pour définir le concept de recherche-action.

1. Le processus de recherche-action doit être réalisé par toutes les personnes impliquées dans la problématique ; ainsi se trouve abolie la relation sujet/objet entre les chercheurs et la population. Bref, la recherche-action est faite par tous et pour tous.

2. Le processus de recherche-action fait essentiellement référence à une « expérience concrète » à l'intérieur de laquelle on retrouve à la fois des activités d'analyse et d'intervention.

3. La sélection et l'identification des problèmes sur lesquels doit porter le projet de recherche-action doit trouver sa justification dans un besoin socialement reconnu, plutôt qu'à partir des hypothèses et/ou des intérêts personnels et professionnels des chercheurs.

4. Dans le but d'obtenir une efficacité maximale, le processus de recherche-action comporte généralement un caractère multidisciplinaire.

5. Tout en étant habituellement engagé sur une échelle restreinte, le processus de recherche-action est souvent conçu pour permettre de dégager des enseignements susceptibles de généralisation et de changement social.

6. Les chercheurs ne travaillent habituellement pas avec des groupes artificiels, composés d'individus socialement isolés, mais plutôt avec des groupes réels, insérés dans leur contexte habituel de vie et de travail.

7. Le processus de recherche-action est un travail exigeant d'intervention, d'évaluation et d'auto-analyse qui nécessite une certaine durée et qui ne peut se réduire à des interventions ponctuelles.

8. Le processus de recherche-action doit également être source d'une connaissance nouvelle, tant par rapport à la solution de problèmes visés que par rapport à l'intervenant, dans la mesure

où devenant lui-même objet de recherche, son statut et son savoir risquent de s'en trouver modifiés.

9. Le chercheur n'a pas à se situer dans un rapport d'extériorité ou de neutralité en fonction de son objet d'étude; il doit abandonner, au moins provisoirement, le rôle d'un observateur neutre, l'attitude de distance qui le sépare traditionnellement des personnes constituant son objet de recherche. Il remplace cette position par une attitude participative, pouvant aller de l'action empathique à l'action ou l'intervention directe.

10. Dans cette perspective, le chercheur-praticien est habituellement impliqué personnellement et socialement par sa recherche-action, cela veut dire concrètement qu'à cause du caractère même de son intervention, il est souvent interpellé aussi bien au niveau de son histoire individuelle et familiale que par rapport à sa position de classe ou à son projet socio-politique.

11. Le processus de recherche-action vise à une intervention plus efficace, par une meilleure connaissance des fondements de la dynamique de l'action et par une évaluation des résultats toujours provisoires de l'action entreprise. Pour ce faire, il a recours, le cas échéant, aux méthodes tant quantitatives que qualitatives de la recherche classique.

Nous emprunterons à Paul de Bruyne une définition intéressante de la recherche-action: «La recherche-action vise, en même temps, à connaître et à agir, sa démarche est une sorte de dialectique de la connaissance de l'action. Au lieu de se borner à utiliser un savoir existant, comme la recherche appliquée, elle tend simultanément à créer un changement dans une situation naturelle et à étudier les conditions et les résultats de l'expérience effectuée.»

Soulignons que pour nous, la démarche de recherche-action n'est pas une procédure méthodologique, elle reflète surtout une conception spécifique du processus de connaissance.

Si la formule de recherche-action paraît à première vue si intéressante, c'est parce qu'elle unit symboliquement, presque magiquement diront certains, ce que les pratiques usuelles de la recherche sociale ne cessent de séparer, à savoir: la théorie et la pratique, la recherche et l'action, le psychologique et le social, l'individuel et le collectif, l'affectif et l'intellectuel, etc. Nous sommes bien conscients que plusieurs auteurs ont, à l'exemple de R. Zuniga et de P. Dominicé, formulé des doutes quant à la spécificité de la recherche-action. Toutefois, notre intérêt pour la recherche-action ne doit pas laisser entendre que nous en sommes des fervents inconditionnels et que nous considérons celle-ci comme une panacée. Bien au contraire, nous sommes conscients à la fois de sa richesse et de ses limites.

Au terme de cette présentation de la recherche-action, nous sommes évidemment loin des recettes méthodologiques du «comment faire»; cependant, nous croyons que cette réflexion peut fournir quelques éléments pour amorcer l'élaboration d'une nouvelle perspective de recherche militante. Nous sommes aussi conscients d'avoir abordé de vieux problèmes comme par exemple, ceux de l'empirisme et du dogmatisme. Dans l'ensemble, il ressort que la pratique de la recherche-action n'est certes pas une démarche aisée.

Toutefois, nous croyons qu'on aurait tort de jeter la balle uniquement dans le camp des chercheurs. Nous l'avons déjà signalé, leur position n'est pas facile et ils sont souvent placés dans des situations ambivalentes.

Par ailleurs, nous croyons important de souligner la responsabilité des organismes populaires et syndicaux dans l'efficacité de leurs intellectuels. D'abord, tout en reconnaissant que certains de ces organismes ont pu vivre certaines «mauvaises expériences» dans leurs rapports avec certains intellectuels, nous croyons qu'il faut que l'on cesse d'entretenir en certains milieux, une crainte morbide et une méfiance systématique à l'égard des «chercheurs». De plus, le travail de ces derniers n'est pas toujours apprécié à sa juste valeur quand il n'est pas carrément déprécié par certains esprits «pratiques» qui assimilent encore le travail de recherche à une perte de temps. Il faut donc que les organismes soient plus sensibles aux exigences de la recherche et au respect de l'effort consenti pour s'appuyer sur la vérité des faits. La crédibilité des revendications et des propositions mises de l'avant par les mouvements populaire et syndical ne s'en portera que mieux.

Publication et diffusion des rapports de recherche

On sait qu'il y a beaucoup de travaux de recherche ainsi que plusieurs bilans d'intervention qui dorment sur les tablettes parce que leurs responsables ne se sont pas donné la peine de transmettre aux autres le résultat de leurs expériences. Le travail n'est donc pas terminé tant qu'il n'y a pas au moins un compte rendu minimal qui décrit les principales étapes ainsi que les résultats de l'expérience de recherche ou d'intervention. Cela nous semble être une question de responsabilité, d'éthique, vis-à-vis de tous ceux qui ont été impliqués dans la démarche.

L'étape de la préparation d'un rapport de recherche en vue de sa diffusion n'est pas plus facile que les précédentes car il se peut que «la fièvre de la découverte », forte au départ, se soit quelque peu affaiblie en cours de route.

Il faut, dès le départ, planifier une période de temps consacrée à la rédaction du rapport et ne pas attendre à la dernière minute pour commencer à le rédiger. Le plus souvent, la rédaction se fait en même temps que l'analyse des données. Il n'existe pas de règles formelles pour le rapport de recherche, sinon qu'il faut le rédiger dans une forme qui le rende accessible à des lecteurs non spécialisés. Il existe cependant une certaine tradition, certaines normes qui suggèrent la forme du rapport : a) une introduction à la problématique ; b) un historique du projet ; c) un résultat des recherches antérieures ; d) une formulation des hypothèses ; e) un compte rendu complet des procédés utilisés pour la collecte et l'analyse des données ; f) une présentation détaillée des résultats ; g) un résumé ainsi qu'une interprétation de ces résultats ; h) une conclusion et une évaluation des implications découlant du travail effectué.

Enfin, il est d'usage d'inclure, soit dans le rapport, soit en annexe, les tableaux et les questionnaires, les protocoles d'entretien, les grilles d'analyse, bref, tous les matériaux nécessaires à l'appréciation des résultats. Les rapports de recherche étant parfois imposants, il est d'usage de préparer un abrégé qui se présente comme un bref exposé ou un article de revue.

Quant à la diffusion des résultats, soulignons que trop de rapports de recherche traînent sur les tablettes empoussiérées des universités, quand ce n'est pas chez le professeur ou l'étudiant. Combien de fois n'a-t-on pas entendu des intervenants et des représentants d'organismes communautaires se plaindre d'avoir été littéralement pillés, « siphonnés » pour des recherches de toutes sortes dont ils n'ont jamais vu la couleur ou entendu parler par la suite. La moindre politesse exige que les chercheurs repensent leurs relations avec les gens de qui ils tirent leurs informations. De plus, il faut reconnaître que la recherche sociale n'est trop souvent qu'un moyen de promotion académique d'un individu ou d'un groupe. Certains pensent s'en tirer en publiant leurs travaux dans des revues à prétention scientifique. Si ce souci est certes légitime pour un chercheur professionnel qui doit rendre compte du résultat de ses recherches à ses confrères et employeurs, il n'en reste pas moins que ces résultats devraient pouvoir être lus par un public plus large. De plus, la diffusion des résultats se fait habituellement en termes si choisis, si savants que cela réduit l'audience à quelques initiés, soit le petit cercle des amis et des confrères.

Pour sortir du « ghetto scientifique », il faut apprendre à s'exprimer dans une langue compréhensible. Une écriture simple et claire n'enlève strictement rien à la rigueur et au sérieux d'une analyse. Diffuser, vulgariser les résultats de nos efforts auprès des personnes rencontrées, voilà des tâches importantes pour l'intervenant communautaire.

Une dernière remarque : cette tâche de diffusion ne doit pas s'effectuer une fois l'étude achevée, mais doit correspondre à une préoccupation constante ; elle permet alors le dialogue continu et favorise le processus de rétroaction. Pour réaliser cette diffusion, il existe toutes sortes de moyens : affiches, expositions, réunions publiques, montages audio-visuels, films, conférences, communiqués de presse, dessins animés, théâtre, etc. Le choix entre ces différents moyens dépend, entre autres, de la nature de l'information à diffuser, de l'ampleur du public que l'on veut atteindre, du temps et des moyens disponibles... Notons que l'exigence de publication présente des avantages considérables pour une équipe de chercheurs : elle l'oblige à respecter des délais et à faire des synthèses provisoires. Sans cette discipline, elle risque de se perdre dans la complexité de l'analyse et de ne parvenir à aucun résultat transmissible.

4

L'analyse d'un milieu

L'observation

On associe souvent l'analyse d'un milieu à l'observation participante, dans la mesure où l'analyste, au lieu de procéder par des moyens dits « objectifs » tels que le questionnaire, se mêle plutôt à la vie d'un groupe, participe à ses diverses activités et s'efforce de comprendre de l'intérieur les attitudes et les comportements qu'il juge significatifs. On distingue habituellement ceux qui, extérieurs au groupe, tentent de s'intégrer pour l'observer, et ceux qui gardent une attitude plutôt passive, se bornant à noter ce qu'ils observent. Mais, peu importent les modalités, malgré ce que certains pourraient être tentés de croire, l'observation participante repose sur une démarche systématique, un plan d'enquête élaboré préalablement afin de respecter les objectifs de l'enquête.

Divers auteurs tels que T. Caplow et P. Minon, ont signalé que la réussite de l'observation participante exige le respect de règles élémentaires et comporte un certain nombre de limites dont les principales sont : a) l'observateur doit se faire admettre par le groupe ou le milieu étudié, ce qui limite l'utilité d'une telle méthode, car certains groupes s'y refusent manifestement ; b) l'observateur ne doit pas, dans la mesure du possible, modifier la vie du groupe ou du milieu ; c) l'observation participante s'applique surtout à des petits groupes ou à des communautés de petite taille et produit des informations d'ordre qualitatif ; d) comme pour d'autres techniques, l'observation participante se complète par l'utilisation de moyens additionnels : analyse historique, documentaire ou de contenu, interview, etc.

Au niveau du terrain, la situation se complique dans la mesure où le chercheur qui veut comprendre de l'intérieur, doit s'intégrer adéquatement au milieu qu'il veut étudier. Afin de favoriser l'intégration la plus complète possible, certains estiment que la dissimulation est nécessaire, parce qu'en cas contraire, l'observateur devient plus ou moins étranger et transforme la situation à observer.

Quant aux risques, il y a toujours le danger de demeurer en dehors du vécu significatif du groupe, ou encore celui d'y être complètement intégré : c'est le dilemme permanent de l'observateur participant. Il y a aussi celui de la déformation des observations avec le temps. À ce propos, il faut souligner que l'observation participante est une méthode qui exige du temps et commande la présence affective du chercheur. Finalement, il y a toujours le problème des connaissances préalables : s'il est dangereux pour la validité des observations d'arriver avec des idées préconçues, il est certain par contre que la naïveté peut être tout aussi néfaste. Pour augmenter l'efficacité de l'observation, une information préalable est souvent nécessaire : par exemple, connaissance de la langue, de l'histoire, de l'idéologie et des valeurs du groupe.

Quant au problème de l'entrée dans le groupe cible, les attitudes varient selon les contextes. Il y a les rares fois où cela va presque de soi ; certaines caractéristiques personnelles de l'observateur — même ethnie, même lieu de résidence, présence d'amis — lui facilitent l'entrée dans le groupe. Dans ce cas, c'est un peu l'entrée par la porte principale. Mais le plus souvent, on doit pénétrer un milieu qui n'est pas le nôtre, de sorte qu'il faut procéder autrement, un peu plus indirectement. C'est ainsi que certains apprendront un métier, se feront embaucher, se convertiront même à une nouvelle religion.

Quand tout cela est, pour diverses raisons, impossible, certains auront recours à des observateurs participants relais. En langage policier : des indicateurs. En tant qu'intervenant communautaire, vous devriez laisser cette détestable habitude aux policiers ; les événements entourant la Crise d'octobre ont démontré qu'ils étaient passés maîtres là-dedans.

Quoi qu'il en soit, l'observateur a souvent recours à une méthodologie diversifiée : entrevues, questionnaires, etc. Cependant, toutes les méthodes, aussi intéressantes soient-elles, n'apportent rien de significatif si elles ne sont pas fondées sur une observation compréhensive. Cette qualité d'observation n'est pas qu'affaire d'yeux et d'oreilles, ni même seulement d'excellents appareils enregistreurs ; elle suppose surtout que l'on n'isole pas l'observation de son contexte, lequel lui donne un sens.

La perspective conscientisante

Pour leur part, C. Humbert et J. Merlo ont précisé une méthodologie d'analyse du milieu d'intervention dans une perspective conscientisante. Cette connaissance du milieu réfère essentiellement à la réalité quotidienne dans laquelle la population de base est immergée de façon plus ou moins fataliste et résignée. Certes, cette population connaît les situations d'injustice, les rapports de forces : mais trop souvent, cette réalité lui reste largement opaque.

L'observation préalable du milieu se fera généralement selon trois modes principaux : a) il y a d'abord l'information documentaire : relevé des faits historiques, infrastructure économique, réalité politique, culture spécifique ; b) la prise de contact directe avec les lieux : environnement paysager, mode d'habitat, géographie, etc. (ce contact physique avec un milieu est absolument essentiel) ; c) finalement, il y a la rencontre avec des informateurs clés. La population d'un village, d'une région, compte des personnes qui, à cause de la position qu'elles occupent ou l'influence qu'elles ont, sont les témoins privilégiés d'une histoire et d'un processus social donnés. Nous pensons, à titre d'exemple, à des gens qui occupent certains types de fonctions tels que sage-femme, leader syndical, coiffeur, chauffeur de taxi, facteur. Il est important de faire, dès le départ, un inventaire des témoins privilégiés du milieu concerné et d'établir une stratégie de prise de contact avec eux.

C. Humbert et J. Merlo soulignent qu'un milieu peut être analysé à partir de deux axes principaux de diversification a) par couches horizontales (profession-revenu) b) par secteurs verticaux (les principales organisations : éducation, santé etc.). Ces auteurs rappellent que la connaissance préalable du milieu — à partir de diverses modalités — est nécessaire aux intervenants communautaires afin qu'ils puissent établir avec la population un mutuel processus de conscientisation tout au long du déroulement de l'enquête.

Toutefois, ces auteurs soulignent aussi que l'indispensable connaissance empirique du milieu ne saurait suffire. D'où la nécessité de procéder à une analyse systématique de la société globale à laquelle ce milieu appartient. Ils proposent donc un schéma qui permettra, d'une part, de rassembler et d'organiser tout ce qui a déjà été observé concernant la réalité d'insertion, et, d'autre part, de situer les groupes militants et les témoins privilégiés par rapport aux tensions et conflits majeurs au niveau des classes populaires de cette société globale. En somme, cette observation préalable ne saurait être dissociée d'une analyse plus systématique de la réalité globale à laquelle ce milieu appartient, tant au niveau local que régional et national. Le repérage des tensions, des conflits, des agents ainsi que des forces qui s'opposent, est essentiel à la connaissance d'un milieu.

Les principaux thèmes de l'analyse du milieu

Nombre d'analystes ou d'intervenants, du Québec ou d'ailleurs, ont identifié un certain nombre d'informations de base nécessaires à l'élaboration d'une stratégie d'action. Au Québec par exemple, M. Poulin s'est référé à la perspective de Warren pour analyser les communautés locales. L'auteur tente de montrer comment le modèle horizontal et le modèle vertical de communauté locale correspondent à des réalités distinctes; bref, comment cet éclairage peut constituer un outil d'analyse concret et utile. Dans le même esprit, Poulin a également adapté un ouvrage de Warren afin de procéder à l'étude monographique d'une communauté. Il cherche de cette manière à acquérir une vision globale en l'étudiant sous différents aspects.

En effet, Warren nous invite à analyser la communauté à partir d'une réflexion sur seize aspects principaux de la vie communautaire. Toutefois, Poulin a souligné « qu'il est souvent peu souhaitable et surtout peu réaliste de tenter de connaître la communauté sous tous ses angles avant de commencer une démarche d'intervention communautaire ». Pour les besoins d'une connaissance de base de la communauté, ce dernier suggère donc de retenir les six dimensions suivantes : arrière-plan historique et assises de la communauté, vie économique, habitation, éducation, loisirs, associations. C'est donc à partir de ces thèmes qu'il a formulé un guide-questionnaire que le lecteur aura profit à consulter à titre d'aide-mémoire. Selon l'auteur, ce guide permet d'évaluer rapidement une communauté dans sa totalité. De plus, il force l'intervenant à connaître non seulement ce qui existe, mais surtout à identifier les informations qui ne sont pas disponibles dans la communauté. Cette information est évidemment nécessaire pour évaluer d'une façon générale « les forces et les faiblesses de la communauté, tant au plan de son organisation que de son fonctionnement » et pour évaluer de façon spécifique le sentiment d'appartenance à la communauté.

En conclusion, l'auteur dit avoir constaté que le nombre de données recueillies était suffisant pour orienter l'intervention éventuelle, parce qu'elles permettent de spécifier les zones et les aires de fonctionnement problématique.

Même si l'on s'entend généralement pour dire que les données sur l'histoire de la communauté, sa population, ses ressources, sont nécessaires pour acquérir une bonne compréhension, il n'en reste pas moins que cette perspective monographique comporte certaines limites. À tout vouloir étudier, tout décrire, trop de monographies et d'études de communauté ont laissé de côté l'essentiel: les rapports sociaux réels, les rapports de production.

Compte tenu de ces limites, l'approche d'un autre praticien de l'intervention communautaire, Michel Blondin, nous apparaît particulièrement dynamique et intéressante.

En effet, ce dernier a très bien justifié et illustré les types d'informations nécessaires à l'intervention. Dans un texte «classique» sur l'animation sociale en milieu urbain, il a dégagé cinq catégories d'informations principales. D'abord les informations statistiques sur la structure générale du quartier. Il est en effet banal de rappeler qu'avant d'entreprendre une action dans un milieu, il est nécessaire d'en avoir une connaissance aussi complète que possible, afin d'en connaître les principales caractéristiques et aussi de pouvoir le comparer aux autres quartiers environnants: composition ethnique, religieuse, socio-économique, composition et revenus des familles. Deuxièmement, un relevé des ressources communautaires existantes dans le quartier est nécessaire. Pour un intervenant, cette connaissance a pour but d'évaluer les forces mobilisables, leur degré d'engagement et de politisation et de s'assurer de leur collaboration. Il faut connaître ensuite la distribution du pouvoir local et les valeurs culturelles propres au milieu d'intervention (bien que difficile à obtenir, cette connaissance est aussi fondamentale); on a souvent reproché aux intervenants de ne pas connaître et comprendre les gens avec qui ils travaillaient. Finalement, l'intervenant doit porter attention à la perception des besoins sociaux ainsi qu'à l'analyse des problèmes sociaux. L'intervenant doit viser à une juste évaluation des problèmes d'ensemble du quartier, tout en ne restant pas insensible aux difficultés personnelles et individuelles des citoyens. Pour les besoins de ce livre, c'est essentiellement le schéma que nous allons utiliser pour regrouper nos commentaires et nos suggestions.

L'analyse de l'évolution historique et des caractéristiques socio-démographiques et spatiales du milieu

Il est bon de souligner à ce propos que dès le début de l'animation sociale, les intervenants communautaires vont chercher à mieux connaître le milieu dans lequel ils interviennent. C'est ainsi par exemple qu'ils en viennent à distinguer, à l'aide d'un certain nombre de critères, tels que la location spatiale, le type de conscience des citoyens et les actions possibles, deux types principaux de quartiers, à savoir : les quartiers populaires et les zones ouvrières. Pour les quartiers populaires, composés surtout de «marginaux» et de petits salariés, on propose des projets communautaires axés sur des services concrets, plate-forme indispensable à toute mobilisation dans un milieu où les préoccupations des citoyens gardent un caractère local et immédiat. Pour les quartiers ouvriers, où l'on juge le niveau de conscience suffisamment élevé, on propose des types d'actions plus revendicatives, telles les associations de locataires, et on s'oriente vers une participation à l'action politique.

D'autres analystes, tels R. Didier et F. Lesemann, devaient par la suite s'inspirer largement de ces travaux pour distinguer d'autres milieux : le centre-ville, les quartiers pauvres périphériques du centre-ville, les quartiers moyens, les banlieues. L'idée derrière toutes ces distinctions était bien évidemment d'ajuster les modes d'intervention aux particularités de chacun des milieux dans lesquels on est susceptible d'intervenir.

Comme le notait D. McGraw, la distinction entre la zone populaire et la zone ouvrière a été démentie dans les faits, dans la mesure où il fut démontré que la zone populaire était tout aussi mobilisable et capable de mener des luttes radicales. Il cite à titre d'exemple l'Association pour la défense des droits sociaux (A.D.D.S.). Quoi qu'il en soit, cette volonté de bien connaître son milieu d'intervention devait être poursuivie jusqu'à aujourd'hui, notamment par les intervenants des Centres locaux de services communautaires.

Vers 1970, la configuration socio-économique et spatiale de chaque quartier est jugée comme étant très importante et les animateurs sociaux vont donc tenter d'ajuster leurs stratégies d'intervention en conséquence.

La liaison entre les problèmes urbains, notamment au niveau du quartier et les problèmes économiques généraux, commence à apparaître de plus en plus clairement chez un certain nombre d'intervenants communautaires. Plusieurs d'entre eux ont noté que la détérioration au niveau du logement était toujours précédée d'une détérioration de la structure industrielle. Un certain nombre d'usines, autrefois dynamiques, ferment leurs portes ; certaines vont s'établir ailleurs, obéissant à la migration qui suit le déplacement des pôles industriels ; d'autres ne sont tout simplement plus capables d'être compétitives pour toutes sortes de raisons, tel le vieillissement de la machinerie.

Sur le plan démographique, les quartiers près du centre-ville, que ce soient les quartiers Saint-Jean-Baptiste et Saint-Roch à Québec ou ceux de Pointe-Saint-Charles ou Petite-Bourgogne dans le sud-ouest de Montréal, sont aussi caractérisés par des modifications profondes quant à leur population. Essentiellement, quatre traits principaux marquent au plan socio-démographique, la population de ces quartiers, à savoir: diminution importante de la population, diminution de la taille des familles, vieillissement de la population résidante, appauvrissement des familles et modifications de la structure occupationnelle. Les données sur ces phénomènes sont suffisamment nombreuses pour ne pas avoir à y revenir ici.

Mais, les changements ne touchent évidemment pas que la population; ils concernent également les fonctions spatiales de ces quartiers; bien qu'à ce niveau les changements soient plus lents et forcément moins perceptibles. Comme nous l'avons indiqué, il s'agit le plus souvent de quartiers proches du centre-ville, habités majoritairement par une population ouvrière et par des personnes sans travail. Au cours de la dernière décennie, l'attention et les luttes de ces populations se sont faites surtout autour de la transformation de l'espace urbain. En d'autres termes, certains de ces quartiers étaient tout simplement menacés de disparition, du moins en tant que quartiers résidentiels traditionnellement habités par les classes populaires. Cette menace n'est pas vaine, elle est bien réelle et il suffit pour s'en convaincre de se rappeler les nombreuses destructions partielles ou totales de certains îlots d'habitation à Montréal: la Petite-Bourgogne, Milton Park, l'ancien village aux oies dans Pointe-Saint-Charles, l'ancien « faubourg à m'lasse » complètement rasé pour faire place à Radio-Canada. Le processus est souvent similaire dans les divers quartiers ainsi que d'une ville à l'autre.

Comme l'a montré E.Z.O.P.-Québec, les quartiers, souvent vétustes, qui sont visés par cette reconstruction de l'espace, vont être l'objet d'un mécanisme de pourrissement systématique, jusqu'à créer les conditions qui vont rendre nécessaire leur démolition. Les terrains ainsi libérés sont alors livrés à la spéculation foncière. L'effet produit en sera le déplacement de la population ouvrière qui occupait ces espaces, dans la mesure où celle-ci ne possédera plus les « qualifications» matérielles et culturelles lui permettant de se réapproprier les nouveaux espaces, conçus la plupart du temps en fonction d'intérêts fort différents.

La fonction sociale de ces quartiers va donc se modifier. Il est certes possible que la chaîne pourrissement-destruction-reconstruction qui conduit principalement à la construction de tours d'habitation et d'immeubles à bureaux, soit conjoncturellement remplacée par la chaîne rénovation-restauration; mais l'effet social reste cependant le même : l'expulsion des habitants. De nombreux travaux sur divers quartiers de Montréal illustrent très bien cette évolution. Tout cela doit amener l'intervenant à bien connaître l'évolution historique de son milieu d'intervention.

Quant à la dimension historique, soulignons que depuis une dizaine d'années, l'histoire des milieux ouvriers et des quartiers populaires s'est considérablement développée au Québec, comme en témoigne la parution de nombreux ouvrages sur l'histoire du mouvement ouvrier, celle de l'urbanisation, du logement et aussi de certains quartiers populaires. De plus, de nombreux groupes populaires se sont donné comme mandat de faire revivre l'histoire de leur milieu. À titre d'exemple, nous mentionnerons les travaux du Comité de logements Saint-Louis et le captivant diaporama du Service d'aménagement populaire, ainsi que l'Atelier d'histoire de Hochelaga-Maisonneuve.

Les intervenants sociaux auraient tort de se priver d'une telle mine d'informations utiles pour alimenter une mobilisation populaire qui puise à la fois dans le passé et le présent. De plus, certains historiens ont développé une problématique des plus utiles pour l'analyse des milieux ouvriers et populaires. Par exemple, F. Harvey a présenté une grille d'analyse qui tient compte à la fois de problèmes reliés au milieu de travail et de ceux reliés au milieu de vie des travailleurs québécois. Conséquemment, tout en abordant le monde du travail, il analyse également les travailleurs et leur environnement socio-économique, le mouvement ouvrier et le syndicalisme, les rapports de classes, la mobilité sociale, l'appartenance ethnique, etc. Bref, il s'agit là d'un plan complet pour réaliser de bonnes monographies sur les milieux ouvriers et populaires du Québec.

Un exemple concret : l'analyse de C. Watters sur l'évolution du quartier Centre-Sud à Montréal, où l'auteur vit et milite depuis plusieurs années dans diverses organisations populaires.

On note d'abord chez l'auteur, une certaine nostalgie du passé qu'il avoue sans fausse pudeur. Après avoir retracé brièvement l'histoire, maintenant presque oubliée du quartier, il met l'accent sur « l'ancienne » vitalité du milieu, avec ses nombreuses usines et églises, ses restaurants du coin et ses joyeuses tavernes. Cependant, pour agrémenter ce « boulot-métro-dodo », il existait à l'époque un tissu social serré qui faisait qu'on se sentait coude à coude. À la suite de ces évocations un peu nostalgiques d'un passé maintenant révolu, l'auteur évoque les diverses transformations qui vont entraîner le morcellement du quartier.

Au début des années cinquante, c'est d'abord le début des infra-structures et conséquemment, la démolition de plusieurs logements.

Suit la construction du métro à partir de 1960. Ensuite ce fut le réaménagement des abords du pont Jacques-Cartier en 1964-66. Puis, il fallut montrer un visage moderne aux visiteurs de l'Expo 67. En 1968, on démolit pour l'autoroute est-ouest, dont le tronçon est ne sera probablement jamais terminé. Tout ce branle-bas afin d'attirer des investisseurs privés qui ne viendront pas, ou si peu.

Que fait la population face à tout ce bouleversement? Elle est inquiète, évidemment, car les gens risquent d'être chassés de leur quartier. Depuis vingt ans, la situation se détériore et les causes de cet exode sont multiples. Les grands logements à prix modéré sont remplacés par de petits, plus coûteux. Les usines s'en vont ailleurs. Chiffres à l'appui, Watters montre que la population vieillit et s'appauvrit à un rythme accéléré.

De plus, la population du quartier n'a pas que des problèmes « objectifs », d'ordre socio-économique ; elle doit aussi faire face à un certain nombre de problèmes plus « subjectifs », vécus le plus souvent sur le mode individuel mais qui ont leur importance au niveau de la possibilité et de la capacité de mobilisation de cette population. Il y a d'abord le cloisonnement. Depuis l'avènement de la télévision, les personnes ont tendance à s'écraser devant leur appareil. Quand malgré tout elles se décident à sortir, c'est pour se retrouver dans un univers d'où sont presque tous disparus les lieux traditionnels de rencontre. Pire, dans sa sagesse infinie, l'État encourage les gens à vivre par groupes d'âge, dans des ghettos spécialement aménagés à cette fin : les polyvalentes pour les jeunes, les centres d'accueil pour les plus âgés. Les H.L.M. seront des casernes construites sans tenir compte de la culture d'une population.

Ainsi donc, les problèmes plus « personnels » sont à mettre en relation, comme le suggère C. Watters, avec les conditions objectives, notamment celle des équipements sociaux du quartier. Un autre important problème vécu par beaucoup dans le milieu : la solitude. Quand on vit seul ou en chambre, on voit souvent apparaître des troubles d'ordre psychologique, lesquels sont liés à la qualité de la vie : insomnie, anxiété, psychose, dépression, toxicomanie et alcoolisme. Enfin, la « paranoïa » s'installe dans le quartier, résultat des incendies, des vols et des agressions. Conséquence ultime de cette peur, une très grande difficulté à s'impliquer dans tout mouvement de prise en charge collective des conditions de vie. C'est précisément cette peur et ce refus de s'impliquer, combinés au refus de consultation des citoyens et au mépris des gouvernements, qui constituent, selon l'auteur, la vraie pauvreté des citoyens du quartier ; c'est-à-dire une perte de contrôle des gens sur leur vie et leur milieu.

N'est-il pas surprenant de constater que les citoyens du quartier, selon leur situation, sont ni plus ni moins qu'en situation de tutelle : pour le chômeur, ce sera le bureau de l'Assurance-chômage ; pour l'assisté social, le bureau de l'Aide sociale et pour le travailleur, les fluctuations d'un marché de l'emploi dont les courbes sont déterminées par les exigences et l'appétit du capital. Voilà un exemple d'un intervenant qui, à la mesure de ses moyens, a procédé à une analyse de l'évolution historique ainsi qu'à l'étude des conditions objectives et subjectives de son milieu d'intervention.

L'analyse des ressources du milieu

C'est Michel Blondin qui fut l'un des premiers au Québec à insister sur la nécessité de faire un relevé des ressources existantes dans le milieu d'intervention. Par ressources, il faut entendre ici tous les organismes et tous les groupements susceptibles d'être utilisés ou mobilisés. Un tel relevé permet de compléter l'image que nous avons déjà du milieu d'intervention et d'établir des contacts avec des représentants des différents mouvements et organismes importants, afin de les préparer à une collaboration efficace. Bref, pour un intervenant, cette connaissance est nécessaire et permet d'évaluer les forces mobilisables, leur degré d'engagement et de politisation.

C. Humbert et J. Merlo ont donné une définition et une orientation de l'analyse qui nous convient parfaitement. Par groupe, on entend donc ici toute association endogène dont les membres mènent ensemble une action pour la transformation des conditions de vie de la population de base. Il existe toujours de tels groupes : des « amicales », des associations de loisirs, des coopératives de production, des mouvements de jeunes ou d'adultes, des cellules politiques et des syndicats ; il s'agit d'en faire un inventaire aussi exhaustif que possible et de repérer, dans un second temps, ceux qui pourront constituer des groupes d'enquêteurs-conscientiseurs, selon trois critères principaux : leur situation objective dans le milieu, leur ligne d'action, leur impact réel.

Le choix des groupes est une opération très délicate et c'est souvent de lui que dépendront à la fois la qualité de l'enquête et la validité du processus de conscientisation. Une certaine diversité est souhaitable afin d'obtenir des points de vue différents et complémentaires ; ce qui accentuera la qualité des analyses et des stratégies d'action. Cependant, il faut souligner que les groupes doivent posséder une certaine homogénéité, car il serait pour le moins difficile de mener une action avec des groupes qui s'opposeraient totalement quant aux objectifs visés.

Pratiquement, nous savons que bon nombre d'organismes sociaux ont déjà réalisé des « inventaires des ressources du milieu ». Il ne s'agit donc pas de quelque chose de neuf. Le plus souvent, ces listes, fichiers ou inventaires sont publiés et servent d'outils d'information. Certains comme celui du Centre de références et d'information pour femmes, à Montréal, connaissent une assez bonne diffusion.

Cependant, le caractère essentiellement descriptif de ces publications en constitue une des limites les plus évidentes et les plus usuelles. En effet, ces inventaires se limitent généralement à une description sommaire des organisations (nom, adresse, numéro de téléphone). Ce n'est donc pas là le meilleur outil pour connaître l'orientation politique, les objectifs, l'origine sociale des membres et des permanents.

La perspective de travail souhaitée par C. Humbert et J. Merlo est peu fréquente dans notre milieu. Toutefois, certains l'ont tentée ; c'est entre autres le cas des militants et intervenants communautaires du quartier Saint-Michel, à Montréal. Le résultat de ce travail, réalisé en 1974, fait partie d'un bilan qui parut sous le titre de *Deux ans de travail politique dans le quartier Saint-Michel*.

L'analyse du pouvoir

Certains auteurs québécois, parmi lesquels M. Blondin et J. Panet-Raymond, ont tour à tour souligné l'importance de la question du pouvoir pour l'intervenant communautaire. Toutefois, il faut bien reconnaître que ce sont les sociologues, surtout américains, qui ont concrètement analysé le pouvoir dans les villes. Ces études sont habituellement groupées sous la rubrique de « community power structure ».

Plusieurs méthodes sont employées pour identifier l'élite d'une communauté. Les principales sont : la méthode dite « de réputation » (reputation method) : un panel identifie l'élite de pouvoir, c'est-à-dire les leaders et les exécutants dans les questions qui touchent la vie communautaire ; la méthode « de position » (positional method) : l'élite de pouvoir est identifiée aux administrateurs dans les principales organisations de la communauté ; et la méthode « fonctionnelle » (functional method) : l'élite de pouvoir est identifiée sur la base de sa participation ou de ses fonctions dans le processus de prise de décisions sur les questions qui touchent aux affaires de la communauté. Il apparaît donc que les méthodes d'analyse des mécanismes du pouvoir dans une communauté sont nombreuses. Cela s'explique sans doute par le fait qu'en cette matière, comme en tant d'autres, il faut éviter toute simplification. Le pouvoir étant une réalité multiforme, il importe de bien en saisir les multiples aspects.

À ce propos, J.F. Médard a souligné l'importance, pour l'intervenant communautaire, de bien déchiffrer les intérêts du pouvoir en place, par rapport à certains problèmes qui affectent la communauté. Se référant plus spécifiquement à la réalité américaine, l'auteur à évoqué « l'inadaptation du système de gouvernement » ainsi que « l'émiettement de l'autorité » au niveau local. Il précise, qu'en cette matière, il y a généralement un décalage considérable entre l'idéologie et la réalité. En effet, le système politique local est fondé sur l'idée que le meilleur gouvernement est celui qui gouverne le moins et qui est le plus proche de la communauté. Ici, le « grass roots democracy », véhiculé par nombre d'organisateurs communautaires, rejoint le discours du président Reagan ; ce qui n'est pas le moindre des paradoxes !

Cette idéologie a non seulement persisté jusqu'à nos jours, elle s'est même enrichie du courant de réforme municipale en réaction contre la corruption municipale, si fréquemment dénoncée. À l'idée d'auto-détermination se sont ajoutées celles d'honnêteté, d'efficacité, de bureaucratie... Toutefois, l'idéologie de la démocratie directe devait subir bien des aléas par la suite. Avec l'industrialisation, l'urbanisation et l'immigration, les choses ont évolué rapidement et aujourd'hui, le gouvernement local est essentiellement une créature de l'État.

Par ailleurs, les quelques analyses sur le pouvoir municipal au Québec illustrent assez bien le fait que la répartition des pouvoirs entre les gouvernements fédéral, provincial et municipal n'a laissé à ce dernier palier qu'un ordre d'activités assez restreint. Peut-être à cause de ce fait, les citoyens des municipalités québécoises n'ont manifesté à ce jour qu'un faible intérêt vis-à-vis de l'administration locale. C'est sans doute pourquoi ces instances du pouvoir sont devenues les fiefs incontestés de petits groupes de commerçants et de professionnels plus ou moins liés aux partis politiques provinciaux et fédéraux.

G. Bourassa, dans une étude datant de 1965, nous fournit des indications précises sur l'évolution du pouvoir politique à Montréal. Quatre périodes principales ont été dégagées par l'auteur : 1840–1873, une aristocratie financière ; 1873–1914, l'éclatement d'une élite ; 1914–1960, les nouveaux hommes politiques ou le pouvoir de la « classe moyenne » ; et 1960 à nos jours, l'avènement des « experts ». Peut-être est-il utile de rappeler que cette dernière période correspond au règne du maire Jean Drapeau et est marquée par un certain nombre de réalisations d'envergure qui ont entre autres comme effet de modifier radicalement l'espace urbain : le métro, l'Expo 1967, les Jeux olympiques. On a donc assisté, à Montréal, comme dans la majorité des villes nord-américaines, à un déclin et à la disparition progressive d'une « machine politique axée principalement sur le patronage et une politique de quartier ». Aujourd'hui, les villes sont normalement gérées par une bureaucratie administrative qui, sous prétexte de rationalisme, va s'orienter sur la logique du capital immobilier. Fait à noter, du moins pour ce qui concerne Montréal, et en tenant compte tant de l'aventure du F.R.A.P. que de l'existence du R.C.M., la classe ouvrière en général et les groupes populaires en particulier sont demeurés presque totalement exclus des niveaux de pouvoir sur la scène municipale.

Compte tenu de cette évolution, il apparaît de plus en plus difficile, pour tout intervenant social, de limiter son analyse et son intervention au niveau strictement local. Conséquemment, l'analyse du pouvoir doit être réalisée en tenant compte des niveaux supérieurs de décision ; en ce qui nous concerne, les niveaux québécois et fédéral.

Les intervenants sociaux reconnaissent de plus en plus que cette analyse du pouvoir est non seulement utile, mais absolument nécessaire. Si Kahn, entre autres, a précisé une méthodologie pour bien connaître d'abord, et pour prendre contact avec la structure du pouvoir ensuite, dans certains cas, on peut s'attendre à ce que cette dernière s'associe au développement global du milieu. Ceci est particulièrement vrai pour les milieux ruraux où les détenteurs d'un certain pouvoir ne sont souvent guère mieux lotis que la plupart des autres gens. Dans une telle situation, il n'y a pas vraiment de fossé important entre la structure officielle de pouvoir et l'ensemble de la population. Un intervenant ferait sans doute preuve de myopie s'il associait l'ensemble de l'élite locale à la structure de pouvoir. Il arrive souvent que l'intérêt de cette « élite » soit intimement lié à l'intérêt de tous. Les nombreuses expériences communautaires dans la région du Bas-Saint-Laurent et de la Gaspésie sont assez illustratives à ce propos.

Toutefois, il faut bien reconnaître que telle n'est pas la situation de la plupart des milieux où un intervenant communautaire est appelé à travailler. Ceci est particulièrement vrai à l'intérieur des grands centres urbains où l'on observe des différences de toutes sortes, certaines assez importantes, comme celles qui touchent la composition ethnique et l'existence d'enclave réservée à la bourgeoisie. Dans de telles circonstances, il est probable que la stratégie conflictuelle sera la plus appropriée, sinon nécessaire. Cependant, même dans une telle situation, plusieurs intervenants croient qu'il existe quelque raison pour garder un certain contact avec la structure de pouvoir ; l'une d'elles étant qu'il est important que l'intervenant en sache le plus possible sur les gens qui s'opposent à l'orientation de son travail. Dans une situation de conflit, la règle principale pour l'intervenant est de bien connaître son ennemi.

Par ailleurs, l'hostilité du Pouvoir peut aider l'intervenant à mobiliser les gens et à accélérer le processus d'organisation. Peut-être est-il pertinent d'ajouter que cela ne s'est pas vérifié en 1970, avec le Front d'action politique.

Au Québec, un des rares intervenants sociaux à s'être préoccupés de l'analyse du pouvoir et surtout à avoir systématisé par écrit leur savoir, souvent très riche, sur le sujet, fut Michel Blondin, un des pionniers de l'animation sociale en milieu urbain. Ce dernier a souligné que la connaissance de la distribution du pouvoir dans le quartier est nécessaire à tout intervenant. « En effet, la formation de nouveaux leaders a des répercussions sur les gens qui détiennent déjà le pouvoir. Il importe, précise-t-il, de faire une analyse correcte de la distribution du pouvoir au moment où on intervient ; c'est-à-dire, d'évaluer les liens qui peuvent exister entre les différents individus en situation de pouvoir, de déterminer si ceux-ci sont des résidants du quartier ou s'ils habitent ailleurs. À un autre échelon, il importe de connaître les personnes en place dans les organisations de type paroissial, telles la Caisse populaire, la Saint-Vincent-de-Paul, etc. Quelquefois, un petit nombre d'individus contrôlent ces organismes pendant plusieurs années et deviennent des facteurs d'inertie. L'analyse du pouvoir, même si elle est sommaire, permet d'avoir une bonne idée des forces en présence et de prévoir les conflits qui pourront naître de notre travail dans le quartier. »

Il faut dire, par ailleurs, que le « monde du service social » a souvent été réticent à examiner son mode de rapport avec le Pouvoir, quel qu'il soit. Par exemple, au début des années soixante-dix, une recherche de J. McPerson avait fait beaucoup de bruit et couler beaucoup d'encre dans la région de l'Outaouais. Ce dernier avait montré que les cadres et les travailleurs sociaux professionnels de l'agence sociale locale étaient plus liés, et à plus d'un titre, avec la petite élite locale qu'avec les milieux populaires dont ils se disaient les représentants, sinon les amis. Même si on sait, comme l'ont souligné Marx, Engels et Lénine que la petite bourgeoisie se range beaucoup plus spontanément du côté de la grande bourgeoisie que de celui des classes opprimées, cette recherche, peut-être parce qu'elle illustrait de façon claire la question des relations de pouvoir, fut vivement dénigrée et combattue dans les milieux du service social de la région. Quelques années plus tard, vers 1976, il a fallu le traumatisme de la première grève dans le réseau des Affaires sociales pour que les travailleurs sociaux se réveillent de leurs rêves d'humanisme et de consensus, pour se rendre compte que les agences de service social, comme on les appelait encore à l'époque, n'étaient pas la « grande famille » idéale, mais qu'elles étaient composées, comme toutes les autres organisations, de travailleurs et de patrons. La réalité du pouvoir venait brutalement de faire son entrée dans le champ du social. Certains, paraît-il, n'en sont pas encore revenus... Tout cela pour souligner l'importance d'étudier soigneusement la distribution du pouvoir, y compris et en premier lieu, dans son propre milieu de travail.

L'analyse de la structure industrielle

Même s'il est plutôt rare de rencontrer un travailleur social dans une usine, il importe que l'intervenant s'intéresse aux conditions de travail des travailleurs, tout autant qu'à leurs conditions de vie en général. À ce propos, le géographe québécois B. Brouillette a bien souligné que l'étude d'une industrie ou d'une localité requiert une sérieuse préparation de la part de celui qui va l'entreprendre sur le terrain. Tant pour l'étude d'une localité que pour celle d'une industrie, l'auteur suggère une problématique et surtout renvoie à une abondante source de références bibliographiques québécoises. Quant à l'analyse d'une industrie, l'auteur a également identifié les principales sources de documentation sur le sujet, et ce, tant au plan national que local. Il serait trop long, et sans doute inutile, de les reprendre ici; on pourra retourner à la bibliographie qui accompagne ce livre pour une référence plus précise.

Toutefois, malgré l'abondance des données, l'auteur souligne que le chercheur qui désire approfondir l'étude d'une industrie risque d'être insatisfait car souvent les conditions réelles sont difficiles à percevoir et seule l'enquête sur place peut apporter des réponses. Mais alors, d'autres difficultés se pointent le nez : comment pénétrer ces milieux ? À qui l'auteur va-t-il s'adresser ? La plupart des grandes entreprises disposent maintenant de préposés aux relations extérieures. Cette personne accueillera bien le chercheur, mais peut-être pas pour longtemps si elle juge les questions de son visiteur trop longues, complexes, voire même indiscrètes. C'est pourquoi il faut agir avec tact et doigté, être bien préparé. L'enquêteur devra donc se munir d'un questionnaire répondant à ses besoins.

À titre d'exemple de ce genre d'enquête, on peut citer celle entreprise par un groupe de militants dans une usine du sud-ouest de Montréal. Cette enquête, effectuée en 1973, a fait l'objet d'un article intitulé « Travail d'organisation politique dans une usine de Montréal », publié dans la revue *Mobilisation* en 1973.

Les auteurs commencent par préciser le contexte : une entreprise familiale exploitant une centaine d'employés, surtout des femmes et des jeunes, dans des conditions plutôt abrutissantes. L'objectif principal de l'enquête était d'acquérir une connaissance objective et subjective de ce milieu de travail. La connaissance objective référait à l'information sur la structure de l'usine, les conditions de travail et les mécanismes d'exploitation à l'intérieur de l'usine. La connaissance subjective référait à l'évaluation du niveau de conscience politique, syndical et social du noyau de militants, ainsi qu'à une évaluation des normes régissant les rapports sociaux et économiques, tant à l'intérieur qu'à l'extérieur de l'usine. À partir de « l'enquête ouvrière » de Marx, les militants ont élaboré toute une série de questions sur les thèmes déjà mentionnés, en tâchant de les adapter le mieux possible aux travailleurs de l'usine. Il s'agit d'un petit texte très concret qui précise, pour un thème, le contenu des questions, les objectifs visés, la méthode utilisée ainsi qu'une évaluation des principaux résultats. En conclusion, les auteurs procèdent à une évaluation générale du processus d'enquête. Tout intervenant intéressé par une meilleure connaissance de la réalité du monde du travail, tant pour des raisons d'analyse que pour des raisons d'action, pourra se référer avantageusement à ce texte qui illustre une tentative de réflexion critique, si limitée soit-elle, sur l'action entreprise par un groupe de militants québécois.

Comprendre les valeurs d'un milieu

Plusieurs intervenants sociaux ont insisté sur l'importance de cette dimension, et ce d'autant plus que par le passé on a souvent reproché aux intervenants de ne pas comprendre et même de ne pas trop chercher à comprendre les populations avec lesquelles ils entrent en contact.

Pour rejoindre la population d'un milieu donné, il importe de bien saisir ses valeurs propres, tout en étant bien conscient que cette hiérarchie des valeurs n'est pas forcément homogène et qu'elle varie, règle générale, selon les classes sociales. Cette connaissance ne va pas de soi et elle exige à la fois de la patience, de l'observation et une certaine dose d'empathie et d'intuition. Sans cet effort préalable, on s'expose à des échecs retentissants. Le film de J. Giraldeau, *Les Fleurs c'est pour Rosemont*, illustre bien un tel échec. Ce film relate la démarche de jeunes architectes fraîchement émoulus de l'université et qui, avec les meilleures intentions du monde, veulent réaliser un projet de restauration dans une rue du quartier Centre-Sud, à Montréal. Faute d'avoir bien cerné les besoins et les valeurs des gens du quartier, ils projettent les leurs et cela les conduit vers un échec inévitable. Les propos d'un des intervenants, vers la fin du film, illustrent assez bien l'incompréhension de ces derniers ainsi que les difficultés qui se présentent à tout intervenant social : « Moi, j'ai bien déclin et à la disparition progressive d'une « machine politique axée principalement sur le patronage et une politique de quartier ». Aujourd'hui, les villes sont normalement gérées par une bureaucratie administrative qui, sous prétexte de rationalisme, va s'orienter sur la logique du capital immobilier. Fait à noter, du moins pour ce qui concerne Montréal, et en tenant compte tant de l'aventure du F.R.A.P. que de l'existence du R.C.M., la classe ouvrière en général et les groupes populaires en particulier sont demeurés presque totalement exclus des niveaux de pouvoir sur la scène municipale.

Compte tenu de cette évolution, il apparaît de plus en plus difficile, pour tout intervenant social, de limiter son analyse et son intervention au niveau strictement local. Conséquemment, l'analyse du pouvoir doit être réalisée en tenant compte des niveaux supérieurs de décision ; en ce qui nous concerne, les niveaux québécois et fédéral.

Les intervenants sociaux reconnaissent de plus en plus que cette analyse du pouvoir est non seulement utile, mais absolument nécessaire. Si Kahn, entre autres, a précisé une méthodologie pour bien connaître d'abord, et pour prendre contact avec la structure du pouvoir ensuite, dans certains cas, on peut s'attendre à ce que cette dernière s'associe au développement global du milieu. Ceci est particulièrement vrai pour les milieux ruraux où les détenteurs d'un certain pouvoir ne sont souvent guère mieux lotis que la plupart des autres gens. Dans une telle situation, il n'y a pas vraiment de fossé important entre la structure officielle de pouvoir et l'ensemble de la population. Un intervenant ferait sans doute preuve de myopie s'il associait l'ensemble de l'élite locale à la structure de pouvoir. Il arrive souvent que l'intérêt de cette « élite » soit intimement lié à l'intérêt de tous. Les nombreuses expériences communautaires dans la région du Bas-Saint-Laurent et de la Gaspésie sont assez illustratives à ce propos.

Toutefois, il faut bien reconnaître que telle n'est pas la situation de la plupart des milieux où un intervenant communautaire est appelé à travailler. Ceci est particulièrement vrai à l'intérieur des grands centres urbains où l'on observe des différences de toutes sortes, certaines assez importantes, comme celles qui touchent la composition ethnique et l'existence d'enclave réservée à la bourgeoisie. Dans de telles circonstances, il est probable que la stratégie conflictuelle sera la plus appropriée, sinon nécessaire. Cependant, même dans une telle situation, plusieurs intervenants croient qu'il existe quelque raison pour garder un certain contact avec la structure de pouvoir ; l'une d'elles étant qu'il est important que l'intervenant en sache le plus possible sur les gens qui s'opposent à l'orientation de son travail. Dans une situation de conflit, la règle principale pour l'intervenant est de bien connaître son ennemi.

Par ailleurs, l'hostilité du Pouvoir peut aider l'intervenant à mobiliser les gens et à accélérer le processus d'organisation. Peut-être est-il pertinent d'ajouter que cela ne s'est pas vérifié en 1970, avec le Front d'action politique.

Au Québec, un des rares intervenants sociaux à s'être préoccupés de l'analyse du pouvoir et surtout à avoir systématisé par écrit leur savoir, souvent très riche, sur le sujet, fut Michel Blondin, un des pionniers de l'animation sociale en milieu urbain. Ce dernier a souligné que la connaissance de la distribution du pouvoir dans le quartier est nécessaire à tout intervenant. « En effet, la formation de nouveaux leaders a des répercussions sur les gens qui détiennent déjà le pouvoir. Il importe, précise-t-il, de faire une analyse correcte de la distribution du pouvoir au moment où on intervient ; c'est-à-dire, d'évaluer les liens qui peuvent exister entre les différents individus en situation de pouvoir, de déterminer si ceux-ci sont des résidants du quartier ou s'ils habitent ailleurs. À un autre échelon, il importe de connaître les personnes en place dans les organisations de type paroissial, telles la Caisse populaire, la Saint-Vincent-de-Paul, etc. Quelquefois, un petit nombre d'individus contrôlent ces organismes pendant plusieurs années et deviennent des facteurs d'inertie. L'analyse du pouvoir, même si elle est sommaire, permet d'avoir une bonne idée des forces en présence et de prévoir les conflits qui pourront naître de notre travail dans le quartier. »

Il faut dire, par ailleurs, que le « monde du service social » a souvent été réticent à examiner son mode de rapport avec le Pouvoir, quel qu'il soit. Par exemple, au début des années soixante-dix, une recherche de J. McPerson avait fait beaucoup de bruit et couler beaucoup d'encre dans la région de l'Outaouais. Ce dernier avait montré que les cadres et les travailleurs sociaux professionnels de l'agence sociale locale étaient plus liés, et à plus d'un titre, avec la petite élite locale qu'avec les milieux populaires dont ils se disaient les représentants, sinon les amis. Même si on sait, comme l'ont souligné Marx, Engels et Lénine que la petite bourgeoisie se range beaucoup plus spontanément du côté de la grande bourgeoisie que de celui des classes opprimées, cette recherche, peut-être parce qu'elle illustrait de façon claire la question des relations de pouvoir, fut vivement dénigrée et combattue dans les milieux du service social de la région. Quelques années plus tard, vers 1976, il a fallu le traumatisme de la première grève dans le réseau des Affaires sociales pour que les travailleurs sociaux se réveillent de leurs rêves d'humanisme et de consensus, pour se rendre compte que les agences de service social, comme on les appelait encore à l'époque, n'étaient pas la « grande famille » idéale, mais qu'elles étaient composées, comme toutes les autres organisations, de travailleurs et de patrons. La réalité du

Pour les besoins de la cause, nous nous en tiendrons ici à quelques auteurs québécois tels M. Fournier et B. Bernier.

D'une part, on lui a d'abord reproché le caractère trop descriptif de son analyse. Lewis se limite trop au niveau de l'observable et de l'explicite. Il ne cherche nullement à comprendre les principes organisateurs qui sous-tendent cette « culture de la pauvreté ». Ce concept risque de n'être qu'un terme générique, construit *a posteriori* et qui regroupe « un ensemble désordonné d'éléments disparates ». Par ailleurs, malgré ses allures empiristes, la méthodologie utilisée ne serait pas exempte de biais idéologiques. Par exemple, l'observation des échanges quotidiens au sein de la famille laisse sous-entendre l'importance de la « vie privée » et de la « vie familiale » comme étant des dimensions fondamentales de la vie sociale. Finalement, et c'est sans doute là l'essentiel, malgré la volonté de Lewis d'aborder la pauvreté de façon positive, on ne peut s'empêcher de noter que la très grande majorité des traits culturels identifiés par l'auteur et censés refléter la « culture de la pauvreté », sont chargés de négativité.

Dans l'ensemble, nous ne sommes pas très éloignés de l'idéologie libérale, où le pauvre est défini comme un coupable. Compte tenu de ces limites, d'autres auteurs, surtout au cours de la décennie 1970-80, devaient trouver la faveur des milieux du service social. Un de ceux-ci est Paulo Freire.

La perspective de Paulo Freire

P. Freire est certainement l'un de ceux qui ont le plus exhorté les milieux d'intervention communautaire à bien comprendre la réalité culturelle de ceux avec qui on intervient habituellement en travail social, c'est-à-dire les gens qui habitent en milieu populaire.

C'est sans doute dans sa célèbre *Pédagogie des opprimés*, publiée en 1970, que Freire exposa le plus clairement son modèle d'action sociale culturelle et sa méthode de conscientisation sociale. Les récents travaux de l'Institut œcuménique pour le développement des peuples (l'I.N.O.D.E.P.), et particulièrement ceux de C. Humbert, ont largement contribué à la diffusion de P. Freire dans les milieux francophones de l'éducation populaire et du travail social.

Freire a particulièrement insisté sur le fait que les opprimés ne sont que les instruments de la culture du silence qui résulte de la domination politique du langage de l'éducation. À ce propos, il oppose l'éducation libératrice à l'éducation « bancaire ». Dans ce dernier type d'éducation (où l'un donne, l'autre reçoit ; où l'un sait, l'autre ignore ; où l'un pense, l'autre est pensé), les « éduqués » ont pour seule mission de recevoir les connaissances transmises, de les garder et de les répéter. L'éducation « bancaire » est aussi domesticatrice, dans la mesure où elle veut contrôler la vie et l'action en poussant les êtres humains à s'ajuster au monde. Elle inhibe le pouvoir créateur et celui d'agir. À l'opposé, l'éducation libératrice mise sur la capacité des individus et des groupes à être créateurs de culture et sujets de l'histoire. Elle vise non seulement à apprendre la maîtrise de la lecture et de l'écriture « des mots » mais aussi l'analyse et la transformation du milieu d'origine.

Comme l'a bien montré J. O'Neil dans un texte percutant paru en 1974, Freire refuse la séparation idéaliste de la politique et de la culture afin de rendre la culture essentiellement politique. Lire, écrire, écouter et parler, voilà des activités essentielles dans la vie d'hommes libres. De plus, l'ignorance est un excellent instrument de domination : l'instrument par excellence, pourrait-on dire, d'où l'insistance de Freire sur le processus de conscientisation. Or, la conscientisation est possible grâce à la réflexion critique qui exige que le langage soit libérateur. Pour ce faire, il propose la méthode de l'enquête thématique.

Pour l'essentiel, les modalités du processus d'alphabétisation-conscientisation peuvent se résumer à deux étapes principales. Une première étape consiste à procéder au relevé de l'univers-vocabulaire du groupe concerné. Ces mots sont ensuite codés, c'est-à-dire concrétisés en images et présentés en tout ou en partie. Une deuxième étape consiste à faire le relevé des thèmes générateurs, c'est-à-dire à rechercher la pensée de l'être humain sur sa réalité et son action sur celle-ci. Cette opération, dite de décodage, s'articule à partir de discussions sur la réalité ainsi analysée, lesquelles permettent de passer d'une situation particulière, locale, à une réalité générale, globale. De là, il s'agit d'entreprendre la recherche de solutions et de préciser des moyens d'action. L'univers thématique ainsi dégagé ouvre alors des perspectives d'analyse et conduit à la création d'instruments et de méthodes d'action en vue de la libération. Ce processus de conscientisation vise à faire passer, selon les termes de Freire, « d'une conscience naïve à une conscience critique ».

D'une façon générale, on peut souligner que la perspective de Paulo Freire a influencé et orienté plus d'un projet d'alphabétisation, de conscientisation et d'éducation populaire sur les cinq continents. Plus près de nous, les bilans de M. Ouellette sur l'éducation populaire au Québec de même que ceux de P.P. Hautecœur, S. Wagner et M. Laperrière sur les expériences d'alphabétisation au Québec, illustrent assez bien l'importance et l'influence de Paulo Freire chez nous comme ailleurs. Il apparaît assez évident que tout intervenant communautaire impliqué dans des projets d'éducation populaire, a avantage à s'y référer, non seulement pour les informations méthodologiques, mais aussi pour sa philosophie d'intervention et le questionnement qu'elle soulève.

Pour notre part, nous renvoyons le lecteur au livre que vient de publier un collectif d'auteurs, sous le titre de *Pratiques de conscientisation, expérience d'éducation populaire au Québec*. Ce livre relate, entre autres, l'expérience de l'O.P.D.S.-Mercier qui, depuis 1979 organise des réunions ou des « cercles de culture » comprenant, en moyenne, une vingtaine de participants qui poursuivent les objectifs suivants : valoriser les assistés sociaux et briser leur isolement ; abattre les préjugés ; connaître collectivement leurs droits et développer la solidarité. Les animatrices de l'O.P.D.S. ont adapté la méthode d'alphabétisation de Paulo Freire pour bâtir des outils utiles à des sessions de conscientisation. L'enquête thématique a été absolument utilisée et une série de mots « générateurs » ont été sélectionnés selon leur degré de représentativité de la réalité sociale subjective et objective des assistés sociaux.

On peut conclure que l'expérience de l'O.P.D.S. illustre une fois de plus que dans une société de classes, la classe opprimée développe des mécanismes de dépréciation de soi, tant d'ordre individuel que collectif, tels que par exemple des sentiments d'impuissance, d'incompétence, d'infériorité. Cette situation est le plus souvent le résultat de l'exploitation économique et sociale dont ils sont l'objet et qui a pour effet principal de les décourager de lutter pour leurs droits. Dans une telle perspective, l'intervention selon le modèle proposé par Paulo Freire est autant bénéfique que nécessaire.

L'analyse des besoins et des problèmes sociaux

L'analyse des besoins, voilà le mot, voilà le terme fourre-tout, la tarte à la crème du service social ; celui qui permet, comme l'ont montré nombre de travaux, toutes les justifications possibles et de masquer, au nom des « besoins des usagers », bien sûr, des intérêts économiques, politiques et corporatistes. À ce propos, H. Hatzfeld a rappelé qu'un besoin social est éprouvé par des êtres humains et, par conséquent, marqué par leur subjectivité. Il a aussi souligné que la détermination des besoins sociaux s'est historiquement opérée par un double processus : celui de la recherche et celui de la revendication. Des individus, et surtout des groupes, revendiquent des besoins, des droits alors que d'autres s'y opposent. D'accord ou pas, on échappe difficilement à cette réalité.

C'est d'ailleurs pourquoi C. Humbert et J. Merlo disent préférer parler du repérage des tensions et des conflits dans l'analyse des besoins et des problèmes sociaux. En effet, ils soulignent que dans toute évolution sociale, plusieurs groupes sont en interaction et l'évolution qui en découle résulte d'un rapport de forces entre ces groupes. Très schématiquement, on peut relever trois sortes de groupes : ceux qui aspirent à ce que l'évolution se fasse plutôt dans l'ordre, c'est-à-dire en relative continuité avec le système existant ; ceux qui aspirent à des réformes structurelles, sans pour autant mettre en question de façon radicale l'ensemble même de ces structures ; ceux qui aspirent à ce que l'évolution soit une mutation, c'est-à-dire qu'elle provoque, plus ou moins rapidement, un changement des structures maintenues par la classe sociale dominante.

Or, plus un groupe profite du système existant, plus il aspire à ce que son évolution se fasse dans l'ordre. Symétriquement, les groupes qui profitent le moins et sont opprimés par le système, aspireront, s'ils en sont conscients, à un changement radical des structures.

Ces aspirations collectives et les contradictions qui existent entre les classes sociales provoquent des tensions et des conflits qu'il est nécessaire de repérer et d'analyser. Humbert et Merlo ont développé une méthodologie concrète pour l'analyse de ces conflits. Nous renvoyons le lecteur à la bibliographie pour toute référence au travail de ces auteurs.

Par ailleurs, dans un texte plutôt académique, mais fort intéressant, J. Beaudrillard a tenté d'expliquer la genèse idéologique des besoins, alors que F. Sellier, à partir de l'exemple de santé et de l'assurance-maladie, insistera sur le rôle des organisations et des institutions dans le développement des besoins sociaux. De son côté, P. H. Chombart de Lauwe a travaillé deux niveaux d'analyse complémentaire dans l'appréhension des besoins sociaux, à savoir : l'étude du milieu social, l'étude sociologique des cas individuels ainsi que l'analyse du quotidien. Pour leur part, et à partir d'une vaste recherche auprès des familles salariées québécoises, M.A. Tremblay et G. Fortin ont mis l'accent sur la double approche nécessaire dans l'appréhension des besoins : l'approche objective et l'approche subjective.

L'approche dite macrosociale consiste essentiellement à s'orienter à partir d'enquêtes sur le milieu. Mentionnons en passant qu'il commence à y avoir une production relativement importante d'informations sur la situation objective des divers milieux d'intervention.

D'autre part, l'approche microsociale se réfère habituellement aux différents réseaux qui existent dans une communauté. L'intervenant communautaire doit sortir de son bureau ou de son propre réseau et se familiariser avec l'ensemble d'une collectivité. Le lavoir, les épiceries, les tavernes, le barbier, le café, sont autant de lieux où l'on pourra obtenir de très utiles informations. De plus, comme nous le soulignons dans un autre chapitre, l'intervenant communautaire gagne en efficacité à bien connaître les réseaux de pouvoir locaux : les associations paroissiales et locales, les clubs sociaux, les comités d'écoles, les Caisses populaires, les comités de loisirs, les associations de marchands, les associations ethniques, révèlent les structures formelles et informelles du pouvoir local et, conséquemment, ils méritent d'être étudiés soigneusement. Une « voie royale » pour bien connaître un quartier demeure encore les diverses instances politiques, c'est-à-dire les organisateurs locaux dont la tâche est de « travailler le comté ».

En somme, il s'agit pour un intervenant communautaire d'en arriver à bien identifier les divers courants et les divers groupes qui se manifestent dans une communauté afin de s'y insérer adéquatement. Il importe, au début, de prendre une attitude d'observateur et de savoir profiter des diverses occasions pour savoir ce qui se passe. Les attitudes, la présentation générale de l'intervenant sont particulièrement importantes dans ces circonstances. Quoi qu'il en soit, les interrelations entre les approches macrosociales et microsociales sont constantes et complémentaires. Dans la mesure du possible, elles doivent être utilisées simultanément. Terminons par deux exemples concrets.

La nécessité de bien connaître son milieu d'intervention, de même que l'analyse des besoins et des problèmes du milieu, sera notamment à l'ordre du jour des préoccupations des intervenants salariés des Centres locaux de services communautaires. C'est ainsi qu'à partir des pratiques-terrain, J. Alary et F. Lesemann ont présenté une typologie des C.L.S.C. selon leur milieu d'implantation ; ils dégagent les principaux types de milieux : a) les quartiers urbains populaires des grandes villes, b) les quartiers urbains résidentiels des grandes villes, c) les quartiers suburbains résidentiels des grandes villes, d) les milieux ruraux reliés à une petite ou moyenne ville, ou à un pôle d'attraction sous-régional, e) les milieux ruraux sans agglomération importante.

Cette typologie s'appuie sur trois dimensions principales, à savoir : a) les caractéristiques socio-économiques du milieu, les traits dominants des populations qui y résident et leurs problèmes majeurs, b) l'état des ressources socio-sanitaires, c) les structures de pouvoir des milieux et l'état d'organisation formelle et informelle de la population. C'est en somme une bonne synthèse des variables que nous avons précédemment identifiées.

De même, L. Beaudry (1975) a rédigé un excellent guide de recherche pour procéder à l'analyse d'un milieu et de ses principaux problèmes sociaux. Concrètement, il s'agissait d'apprendre aux intervenants sociaux à constituer des dossiers, tant sur le milieu de travail que sur leur milieu de vie, en prévision des luttes à venir. Pour ce faire, ce guide de recherche comportait six chapitres. Dans le premier chapitre il s'agissait de préciser ce qu'est une recherche-action (*i.e.* la conception) et de préciser le pourquoi d'une telle recherche (*i.e.* les objectifs) pour finalement aborder brièvement les principales étapes d'une recherche (*i.e.* le «comment faire») tout en spécifiant un certain nombre de conseils sur «l'organisation pratique» d'une telle recherche. Dans un second chapitre, l'auteur fournit un certain nombre d'éléments théoriques, proches de la perspective marxiste, qui permettent de mieux amorcer une enquête ou encore d'aider à la formulation d'hypothèses de recherche.

Une fois l'ensemble de ces remarques préliminaires faites, suivent cinq chapitres portant sur l'analyse tant de milieux de travail (la petite usine, la grande entreprise ou encore un service public tel qu'un hôpital par exemple), que des milieux de vie (la région, le logement). Et pour chaque cas, l'auteur tente d'élaborer une brève problématique par rapport aux intérêts des classes en présence, d'énoncer des hypothèses à vérifier, de préciser des questions concrètes et des thèmes de recherche, et finalement, d'identifier les sources d'information et de donner dans la mesure du possible, des exemples de recherche sur le sujet. En conclusion, l'auteur souligne que la recherche n'a de sens que si les données fournies par les activités de recherche ne restent pas seulement entre les mains du groupe de chercheurs mais servent l'ensemble des travailleurs.

L'action communautaire : mobilisation et luttes

Si le processus d'intervention dans un milieu s'amorce par l'enquête, il se poursuit par l'action dans le cadre d'un champ de lutte, certains parleront aussi d'un « front ».

Dans cette troisième partie, nous aborderons les principaux éléments de cette dynamique de l'action. Nous croyons néanmoins utile, avant d'entrer dans le vif de notre sujet, de faire quelques mises au point. En premier lieu, il nous faut souligner un des dangers qui guettent l'intervenant : l'activisme. Nous ne donnons pas nécessairement à ce terme le sens que lui prête le dictionnaire. Pour nous, il s'agit d'une pratique par laquelle l'action devient presque une fin en soi. On fait de l'action pour l'action.

Nous considérons l'activisme comme une manifestation d'immaturité politique qui peut être extrêmement lourde de conséquences. L'histoire récente nous indique jusqu'à quel point il faut se méfier de certains types d'interventions qui se réalisent en l'absence de tout soutien populaire. L'action communautaire vise précisément à permettre à des communautés ou à des groupes représentatifs de prendre eux-mêmes la décision de lutter contre l'oppression. Elle implique un maximum de respect envers les hommes et les femmes auxquels nous nous associons. Elle constitue une démarche d'éducation dans le cadre de laquelle le « savoir-être » est tout aussi, sinon plus important, que le « savoir-faire ». Elle doit s'effectuer dans une dynamique et une perspective de libération. Le processus est certes plus lent, mais combien plus sûr.

118

Ceci nous entraîne vers une deuxième considération : la nécessité pour les gens de comprendre ce dans quoi ils « s'embarquent ».

La conscience des enjeux d'une lutte, la détermination à atteindre les objectifs fixés sont, avec la solidarité, parmi les principaux ingrédients du succès. Dit négativement, il ne faut pas que les gens croient qu'ils se font charrier, encore moins qu'on leur ment. Il ne faut pas donner prise à des accusations de manipulation et, si jamais elles viennent, il faut que ce soient les gens avec qui nous luttons qui les démentent.

La plupart, pour ne pas dire la totalité, des observateurs, reconnaissent la pauvreté de notre mémoire collective lorsqu'il s'agit d'analyser ce que l'action du mouvement populaire a pu apporter à notre peuple depuis le début des années soixante. Chaque groupe a la responsabilité de s'assurer qu'il contribuera à l'efficacité et au succès des luttes menées par les autres. Le bilan peut y contribuer.

Il n'est pas non plus inutile de souligner que des victoires, ça se fête et que des blessures, ça se soigne. Comme nous l'avons déjà souligné, l'intervention communautaire se réalise avec et pour des êtres humains. Plus encore, ces personnes font aussi partie des couches opprimées de la population. La défaite, lors d'une lutte, peut souvent signifier pour ceux et celles qui l'ont vécue, un abattement encore plus grand, une intensification du défaitisme, une démobilisation irréductible. Pourtant, pas plus qu'il n'existe de « victoire totale », il n'y a de défaite absolue. L'art de savoir panser les blessures des membres d'un groupe peut être un facteur déterminant dans la poursuite des activités de ce groupe. Quant à la façon de célébrer la victoire, nous nous bornerons à dire que le triomphalisme n'est pas une manifestation de force ; bien au contraire !

Enfin, nous avons cru opportun d'aborder la délicate question du retrait d'un intervenant. Si nous avons choisi d'inscrire ce sujet au sommaire de la troisième partie de ce livre, c'est que nous savons que cette question est particulièrement douloureuse lorsqu'elle se pose comme conséquence d'une lutte.

L'action communautaire est une étape dans un processus plus élaboré d'intervention. Comme pour l'enquête, elle obéit à un certain nombre de règles qui ne sont pas le produit du hasard ou de l'imagination des auteurs, mais bien plutôt des acquis de nos pratiques depuis près d'une vingtaine d'années. Nous serions pour le moins stupides de ne pas en tirer le meilleur profit comme d'ailleurs de ne pas accepter les enseignements qui nous viennent des pratiques de nos camarades, dans d'autres pays.

Voyons maintenant comment peut se développer un processus d'action communautaire.

5

La mobilisation

La mobilisation

La mobilisation se fait à partir d'un problème identifié. Elle peut s'effectuer sur la base d'un groupe opérationnel, soit celui qui fonctionne déjà. Elle peut aussi commander une opération préalable de regroupement.

Les groupes opérationnels peuvent se diviser en deux sous-groupes : ceux qui sont liés à une institution et ceux qui sont autonomes. Quant aux gens non regroupés, on peut considérer qu'il en existe aussi deux catégories : ceux qui sont prêts à l'action, ceux pour qui la nécessité d'agir ne s'est pas encore fait sentir.

L'intervenant aura à privilégier une démarche de mobilisation qui tienne compte de ce que lui aura révélé l'enquête quant à l'existence et à la dynamique des groupes du milieu. Il devra aussi, cela va de soi, vérifier la capacité d'un groupe à être une instance mobilisatrice, compte tenu du problème qu'il s'agit de résoudre.

Ceci dit, la meilleure façon d'expliquer comment peut s'opérer une mobilisation est sans doute d'en donner quelques exemples.

Mobilisation sur une base institutionnelle

La mobilisation qui fut à l'origine de la Coopérative d'action communautaire des citoyens de Hochelaga-Maisonneuve s'est faite sur cette base.

Dans ce cas, les gens du quartier utilisaient un service : le Service d'économie familiale. La forme principale de leur oppression, telle qu'identifiée par quelques intervenants, était la dépendance entretenue par les institutions. Cette dépendance était elle-même liée aux conditions de vie de la « clientèle » du service, soit essentiellement des assistés sociaux. Les intervenants ayant identifié les motifs qui forçaient les gens à s'adresser au Service d'économie familiale pour obtenir des « dépannages » entreprirent de leur proposer une forme de regroupement où ils ne seraient plus des « clients », mais des acteurs, des personnes agissant collectivement en vue d'une amélioration de leurs conditions de vie.

Les utilisateurs du service furent convoqués à une assemblée générale où un projet de coopérative leur fut soumis. Sur cette base s'amorça une consultation large, au cours de laquelle furent vérifiées les hypothèses des intervenants et raffiné le projet en fonction des indications des individus.

C'est ainsi que les gens décidèrent de faire porter leur action à trois niveaux. D'une part, sur le plan structurel, ils décidèrent de se constituer en coopérative regroupant essentiellement des citoyens représentatifs de leur milieu (assistés sociaux, chômeurs, ouvriers, ménagères). Ils se donnèrent ainsi des garanties de contrôle réel de leur organisation.

D'autre part, ils identifièrent deux champs d'activités précis soit : se donner les moyens d'améliorer collectivement leurs conditions de vie par la mise sur pied de programmes d'épargne et d'éducation dans certains secteurs identifiés comme particulièrement importants : vacances, alimentation, vêtement, etc., manifester sa solidarité aux luttes ouvrières et populaires. Ceci indiquait une volonté de dépasser le localisme traditionnel.

La C.A.C. constitue un bon exemple de mobilisation réussie. Les objectifs proposés par les intervenants furent atteints. L'autonomie du groupe fut assurée, de même que sa survie. La C.A.C. existe maintenant depuis huit ans.

Cet exemple nous permet de voir que la mobilisation s'est effectuée à partir d'une institution et sur la base d'une enquête réalisée par des intervenants avec l'appui de cette institution. Dans ce cas, les intervenants étaient liés organiquement à la collectivité locale ; ils en épousaient les aspirations et acceptaient de se soumettre aux décisions démocratiquement prises par les gens.

Il nous faut aussi dire, concernant la C.A.C., que ceux qui en furent les promoteurs ne pouvaient, à une exception près, être considérés comme des intervenants professionnels. Néanmoins, dans le cours de son développement, plusieurs intervenants de métier furent invités à collaborer aux activités du groupe. Ils le firent, règle générale, avec beaucoup d'à-propos.

Nous reprenons ailleurs l'exemple de la C.A.C.

Mobilisation sur la base d'un groupe autonome

Beaucoup d'intervenants sont liés à des groupes autonomes. Ce sont ceux qui interviennent, tant comme militants que comme permanents, dans les groupes et organisations populaires.

Règle générale, ces groupes s'intéressent à un champ d'oppression relativement bien circonscrit. C'est le cas des A.D.D.S., des Associations de locataires et des groupes de chômeurs.

La base de mobilisation de ces intervenants est donc claire et, sauf en des circonstances exceptionnelles, la phase organisationnelle de tout processus de mobilisation sera relativement facile à réaliser. En réalité, les gens mobilisés sur cette base seront éventuellement intégrés au groupe qui aura mis de l'avant la nécessité de s'organiser pour lutter contre un aspect particulier de l'oppression.

À titre d'illustration, nous pourrions souligner l'appel lancé par les A.D.D.S. aux jeunes assistés sociaux (moins de trente ans). Dans ce cas, l'Association pour la défense des droits sociaux avait identifié un problème spécifique à cette couche de la population : il s'agit de l'allocation extrêmement réduite qui leur est allouée sous le prétexte tout à fait arbitraire de leur âge. Nous sommes ici en présence d'un problème à tête multiple. D'une part, ces personnes n'ont pas assez de revenus pour vivre et d'autre part, il y a un principe démocratique qui est battu en brèche dans la mesure où, s'ils travaillaient, on exigerait d'eux qu'ils paient le même impôt que tout le monde.

L'A.D.D.S., en appelant ces « jeunes » à la mobilisation, visait en fait deux objectifs tout à fait légitimes : d'une part, faire connaître une situation fort pénible et démasquer ainsi l'hypocrisie de l'État, d'autre part, rejoindre une couche de la population des assistés sociaux qui est souvent difficile à atteindre.

Cet exemple nous permet de voir que l'A.D.D.S. a fait, dans ce cas, une lecture juste de la réalité. Il est en effet exact de dire que cette ségrégation pour des motifs d'âge est arbitraire, voire même contradictoire par rapport aux valeurs véhiculées par la Charte des droits et libertés. De plus, la crise générale que nous traversons permet de croire que les possibilités de mobilisation des jeunes assistés sociaux sont plus grandes que jamais.

Dans ce cas comme dans d'autres, la mobilisation sur la base d'un groupe populaire qui fonctionne déjà permet aussi à ce groupe de se régénérer en termes de membership, d'accentuer le rapport de forces en sa faveur ; qu'il s'agisse de celui qu'il doit maintenir dans ses rapports avec l'État ou de celui qui détermine l'attitude des bailleurs de fonds.

Si la mobilisation devrait normalement permettre à l'organisation de relancer l'action sur un front de lutte et avoir comme conséquence un raffermissement du membership, il se peut aussi qu'elle fasse apparaître la nécessité de mettre sur pied un nouveau groupe indépendant.

Dans ce cas, il faut que les intervenants soient assez conscients que les intérêts à long terme du mouvement populaire, ont préséance sur ceux, à court terme, des groupes et organisations qui le composent.

Il s'est produit des occasions, dans l'histoire du mouvement populaire, où de telles situations se sont présentées. Pour des motifs de nature localiste ou par manque de clairvoyance et de sens politique, la mutation d'un groupe en organisation fut parfois freinée. Il peut se produire aussi que certains intervenants, craignant le développement d'un nouveau leadership, tiennent à contrôler le plus possible les effets d'une nouvelle mobilisation. D'autres peuvent craindre les effets sur leur « sécurité d'emploi ». Il existe en effet un principe de réalité selon lequel une organisation militante ne commande pas nécessairement le même type de structures qu'une organisation de permanents.

Si nous faisons ces remarques, c'est pour illustrer qu'une mobilisation qui s'effectue sur une base populaire déjà établie pourra, occasionnellement, faire sentir ses effets non seulement en des lieux qui sont, pourrait-on dire, extérieurs au groupe, mais aussi à l'intérieur du groupe lui-même.

Un intervenant doit être conscient de ces phénomènes.

Mobiliser des gens prêts à l'action mais non regroupés

Un intervenant communautaire pourra donner sa pleine mesure lorsqu'il devra travailler avec des gens non organisés.

Il arrive parfois que certains événements, ou certaines mesures étatiques soulèvent un tollé général. Dans certains cas, la révolte populaire aura pour origine une manifestation évidente d'insouciance, voire même de malhonnêteté d'une entreprise. L'expropriation des terres pour la construction de l'aéroport de Mirabel, l'aveu d'intention, par l'Hydro-Québec, de harnacher la rivière Jacques-Cartier, la décision de construire une centrale nucléaire sont autant d'exemples de mesures prises par l'État ou une de ses entreprises, qui sont susceptibles de générer un bon potentiel de mobilisation. L'affaire du Cercle d'économie de la future ménagère fit couler beaucoup d'encre il y a quelques années. Elle illustre de façon claire le rôle de l'intervenant dans une lutte qui oppose des consommateurs à une compagnie; voire même, dans ce cas-ci, à l'État, clairement identifié comme un allié des compagnies.

Tous ces exemples ont ceci en commun qu'ils sont d'autant plus mobilisateurs que la population concernée est consciente qu'elle est en train de «se faire organiser». Si les enjeux du conflit ne sont pas nécessairement clairs, le sentiment d'oppression est très présent. Tout se passe comme si les gens n'attendaient que l'occasion d'exprimer leur désapprobation, leur colère.

C'est ici qu'entre en jeu l'intervenant.

La mobilisation peut alors s'effectuer de deux façons. Elle peut, comme ce fut le cas lors de l'assemblée des créanciers dans l'affaire du Cercle d'économie de la future ménagère, s'amorcer lors d'un événement public organisé par une instance étatique ou privée. L'intervenant devra alors non seulement maîtriser son dossier le mieux possible, mais aussi démontrer aux participants à l'assemblée qu'ils ont intérêt à se regrouper sur une base autonome. L'opération ne sera pas sans péril puisqu'ils auront à faire face à une opposition venue de ceux qui ont justement intérêt à ce que les gens soient le plus désorganisés possible.

Toute mobilisation qui s'effectue sur cette base commande le plus grand respect du cadre démocratique de l'assemblée. Il faut que les gens sachent que vous êtes non seulement compétent, mais aussi profondément soucieux de défendre leurs intérêts. Devraient-ils croire que vous cherchez à les mobiliser dans une aventure ou encore, que vous cherchez à les manipuler en fonction de quelques objectifs obscurs, qu'ils refuseront, avec raison, d'écouter vos arguments et de souscrire à vos propositions.

À ce propos, vous auriez aussi tout intérêt à faire légitimer vos propositions par l'assemblée. Il ne suffit pas de dire aux gens «Ceux et celles qui sont intéressés sont priés de laisser leur nom et leur numéro de téléphone à telle personne...» Il faut s'assurer qu'avant que la salle ne se vide, il y aura au moins un certain nombre de personnes qui auront accepté de se revoir à une date convenue, la plus proche possible du jour où vous prenez cette décision.

D'autres exemples peuvent aussi être soulignés quant aux possibilités de mobilisation de gens qui sont conscients d'être aux prises avec une situation d'oppression ou d'exploitation. Mentionnons en particulier les victimes de la M.I.U.F. et les expropriés de Mirabel. Nous ne pouvons que vous encourager à prendre connaissance du bilan des groupes qui se sont constitués sur ces deux bases.

Mobiliser des gens qui ne sont pas conscients de leur oppression

La conscience n'est pas une glande que nous possédons à la naissance. C'est un niveau de la connaissance qui s'acquiert par la réflexion et l'analyse des causes d'une situation qui nous est imposée à l'encontre de nos intérêts les plus légitimes.

Il peut arriver qu'un intervenant, à la suite de son enquête sur un milieu, perçoive la nécessité de mobiliser une collectivité, ou une couche sociale particulière, en vue d'une lutte contre une forme précise et évidente d'oppression. Un exemple nous permettra d'étayer nos propos : voyons comment s'est développée l'A.D.D.S. dans la Petite-Bourgogne, laquelle devait éventuellement être le facteur déterminant dans le développement d'une organisation nationale des assistés sociaux.

À l'origine, un intervenant travaillant pour le compte du Projet d'organisation populaire, d'information et de regroupement (P.O.P.I.R.) dans le sud-ouest de Montréal, sur la base de l'enquête réalisée, nota que ce quartier (la Petite-Bourgogne) était largement habité par des gens vivant de l'Aide sociale. Il constata qu'il n'existait aucune organisation de défense pour ces citoyens et que, de façon générale, les intervenants communautaires n'accordaient que peu d'attention aux personnes « sur le Bien-Être ».

Avec l'autorisation de son employeur, il ouvrit un secrétariat dans ce milieu et entreprit de vérifier sur quelles ressources il pouvait compter pour amorcer un projet de regroupement des assistés sociaux. Un centre communautaire lui offrit le gîte et quelques militants de la Maison des chômeurs de Saint-Henri acceptèrent de s'associer, sur une base volontaire, à sa démarche.

L'organisation d'un cours d'un type particulier fut choisie comme méthode de mobilisation. À ce stade, les intervenants ne savaient pas encore combien de personnes seraient intéressées par cette démarche et encore moins quelles en seraient les conclusions. Ceci nous permet de souligner que l'intuition et l'imagination peuvent se révéler fort importantes dans la réalisation d'une démarche d'intervention.

La structure du cours fut construite et un projet de financement fut présenté à la C.E.C.M. sous le titre de : « Les citoyens et les *mécanismes du pouvoir* ». Nos italiques visent à illustrer que cette démarche éducative se voulait très concrète et différente d'un autre cours qui connut, vers la même époque (fin des années 60) son heure de gloire : il s'agit de « Les citoyens face au pouvoir ».

Le thème central de ce programme de formation était le suivant : en partant de la connaissance que les gens ont de leur réalité, leur faire comprendre en leur expliquant les mécanismes du pouvoir, en quoi cette réalité n'était pas le fruit du hasard. Cette démarche s'articulait en fonction de l'explication de certaines lois générales qui déterminaient dans une large mesure leurs conditions de vie. C'était entre autres le cas du « bill 26 » qui constituait ni plus, ni moins que la « convention collective imposée par décrets » aux assistés sociaux. D'autres lois, comme celles régissant le logement, le crédit, la santé, furent aussi analysées avec l'aide de personnes-ressources dont la compétence ne pouvait être mise en doute puisqu'il s'agissait dans bien des cas de fonctionnaires.

D'autres dispositions furent prévues, compte tenu de la population visée ; en particulier le versement d'une légère allocation aux participants. On fixa à 10 le nombre de rencontres et à un maximum de 20 le nombre « d'étudiants ». On accepta quelques personnes venues des quartiers périphériques.

Les intervenants suivirent le cours avec les personnes qui s'y étaient inscrites. Leur rôle en fut surtout un de révélateurs. Ceci fut déterminant. À la grande surprise des participants, on s'aperçut alors que la loi contenait une foule de dispositions que les gens ne connaissaient pas et qui n'étaient pas appliquées, car les fonctionnaires se voyaient enjoindre par le Ministère de ne pas insister sur certaines dispositions à incidence monétaire. C'est ainsi que le niveau de conscience des participants grimpa de plusieurs crans. Phénomène intéressant, les fonctionnaires invités comme personnes-ressouces découvrirent, au contact des assistés sociaux, qu'on les utilisait aussi comme instruments de répression. Une complicité se développa qui devait éventuellement permettre la réalisation de certaines actions comme la préparation du « bill 26 simplifié » par les assistés sociaux.

Autre facteur important, au cours de cette démarche mobilisatrice, les participants apprirent à valoriser leurs connaissances. Ils n'étaient pas considérés *a priori* comme « ignorants » mais l'accent était plutôt mis sur leur savoir. Enfin, on invita une représentante d'un groupe d'assistés sociaux de Pointe-Saint-Charles à venir témoigner de leur expérience.

Conséquence de cette démarche, une partie du groupe décida de mettre sur pied un service d'information pour les assistés sociaux, de parfaire sa formation en vue de devenir ce qu'on nommera les « avocats populaires ».

Il n'est pas pertinent, dans le cadre de ce livre, de pousser plus loin l'analyse des acquis de cette opération ; c'est bien dommage car ils sont fort nombreux. Néanmoins, nous voulons attirer l'attention du lecteur sur un fait central : s'il est possible de mobiliser des personnes qui subissent différentes formes d'oppression sans en être pour autant conscientes, il faut au préalable s'assurer que la stratégie de mobilisation tiendra compte de ce facteur et s'articulera en conséquence. Cela signifie qu'une mobilisation ne réussira que dans la mesure où elle s'accompagnera d'une prise de conscience.

L'action de certains groupes ayant comme objectif général la lutte contre les différentes manifestations de l'oppression spécifique faite aux femmes pourrait aussi être très révélatrice en ce qui concerne la nécessité d'une prise de conscience comme préalable à la mobilisation. Il ne nous appartient cependant pas d'élaborer davantage sur ce sujet.

Comme nous venons de le voir, il existe de nombreux lieux à partir desquels peut s'opérer la mobilisation des gens. Le choix d'une base de mobilisation n'obéit pas aux lois du hasard. Il est la conséquence du lien que l'intervenant a développé avec son milieu et des connaissances qu'il a acquises au cours de l'enquête. Nous pourrions ajouter que ce choix dépendra aussi de sa sensibilité et de son intuition.

En matière de mobilisation, il ne faut pas improviser. Si on doit le faire, que ce soit à la manière d'un acteur ; c'est-à-dire en maîtrisant toutes les ficelles du scénario.

Voyons maintenant ce qui se passe à partir du moment où les gens ont manifesté l'intention de s'engager dans une lutte.

L'organisation d'un groupe

L'organisation d'un groupe n'est pas chose facile. La qualité de la démarche de mobilisation, la solidarité qui se sera déjà développée à ce niveau, devraient néanmoins rendre cette étape moins ardue. L'intervenant aura, ici encore, un rôle clé. On lui demandera d'être le pivot des réunions. Faut-il préciser l'importance du caractère éducatif que doit revêtir l'étape organisationnelle de toute démarche d'intervention dans un milieu ? Dépendant de l'intelligence politique de l'intervenant, le groupe acquerrera vite son autonomie ou, au contraire, sera lié comme par un cordon ombilical à son promoteur.

L'intervenant, lorsqu'il s'implique dans l'organisation d'un nouveau groupe, doit être très conscient que tôt ou tard, et souvent plus tôt que tard, il devra le quitter. Cela implique quelques considérations sur lesquelles nous réfléchirons un peu plus loin.

Fréquence des réunions

Une des premières décisions à prendre concerne la fréquence des réunions. Ceci peut paraître banal et d'une importance très relative pour quiconque n'a que ça à faire. Pourtant, c'est un des facteurs déterminants de la vitalité du groupe. Quelques exemples suffiront à le démontrer. Votre groupe sera probablement composé de femmes et d'hommes, dans des proportions inégales. Concernant les femmes, certaines seront aux prises avec la double tâche du travail à l'extérieur et du travail domestique. D'autres seront ménagères à plein temps avec de jeunes enfants à la maison. Concernant les hommes, plusieurs travailleront, parfois sur horaire variable.

D'autre part, certains jours sont tabous : le samedi et le dimanche. Le vendredi est jour de magasinage, il y a du hockey le jeudi, le feuilleton télévisé le plus populaire passe le mardi soir à vingt heures, le lundi, c'est le lavage, etc. Ceci évidemment ne tient pas compte de certains autres faits, comme par exemple la participation possible de certains membres de votre groupe à d'autres activités : syndicat, ligue de quilles, comité d'école, etc.

Tout ceci pour expliquer que la fréquence de vos réunions n'est pas un problème mineur qu'il faut traiter avec désinvolture. Devriez-vous le faire que les gens, sans autre explication, resteront tout simplement chez eux.

Nous croyons qu'il n'existe qu'une façon réaliste de régler ce problème : c'est, dans un premier temps, de vérifier les disponibilités de la majorité et, dans un deuxième temps, de vous entendre sur un jour statutaire, le mercredi par exemple. Il vous faudra ensuite prévoir un rythme de rencontres : une fois par mois, bimensuellement. Ces décisions, sans être figées dans le béton, auront pour avantage de permettre aux membres de situer cette nouvelle obligation dans leur programmation générale.

Tout groupe qui amorce ses activités doit faire l'impossible pour ne pas laisser planer la menace d'un fardeau de réunions qui semblerait intolérable à la majorité. Il faut permettre au groupe de développer une dynamique qui lui soit propre. La fréquence des réunions devrait-elle être modifiée que ce sera alors aux membres de le décider.

Situer le rôle de l'intervenant

Ceci est particulièrement important dans le cas d'un intervenant salarié à l'emploi d'une institution, un C.L.S.C. par exemple. Serez-vous un membre à part entière ? Une personne-ressources ? Un invité occasionnel ? Votre statut dans le groupe doit être clairement défini dès le départ. Normalement, il sera ce que vous voudrez qu'il soit. Il est donc important que vous connaissiez les limites à votre intervention. Quel que soit ce choix, il doit, à notre avis, reposer sur certaines considérations parmi lesquelles nous soulignons : les intérêts du groupe, c'est-à-dire des gens que vous avez contribué à mobiliser ; votre situation personnelle : marié, enfants, autres responsabilités... ; les exigences de votre employeur, etc.

Il serait souhaitable que vous puissiez expliquer aux membres du groupe les motifs de votre décision ; ceci peut avoir un caractère très éducatif et aider à faire progresser d'autres fronts de lutte, comme, par exemple, celui des femmes contre la double tâche. Si vous décidez de demander votre participation à titre de membre à part entière, les motifs de cette décision peuvent stimuler les tièdes ; encore là, il serait souhaitable que vous les énonciez.

Élection de représentants

Les personnes qui auront pour tâche de représenter le groupe sont évidemment des membres clés. Ils doivent être choisis démocratiquement sur la base de leur disponibilité, de leur représentativité et de leurs aptitudes.

Si nous insistons sur la nécessité que ce choix s'effectue de la façon la plus démocratique, nous n'excluons pas pour autant la possibilité que certaines personnes particulièrement remarquables aient été contactées au préalable afin de les inciter à faire acte de candidature.

La démocratie, dans les groupes populaires comme dans le mouvement syndical, repose sur ce fait que n'importe quel membre peut solliciter un mandat. Rien ne doit l'en empêcher, comme par exemple son état de fortune, son sexe, sa force physique, etc. Cette démocratie tolère cependant l'encouragement de certaines candidatures.

Nous insistons aussi sur le critère de la représentativité. Imaginez un professeur de sociologie à l'Université de Montréal représentant une organisation d'assistés sociaux ; ou encore, un étudiant se faisant le porte-parole d'une organisation de travailleurs. Ce serait pour le moins curieux et quelque peu ridicule.

Nous parlons ici de représentativité politique et non de celle de l'avocat qui représente un groupe devant la Cour ou une commission d'experts.

Les aptitudes des membres sont aussi à considérer lorsqu'il s'agit de choisir ses représentants. Sera t il capable de s'exprimer en public ? Est-il capable d'assimiler le contenu des principaux dossiers ? Est-il en accord avec les positions du groupe ? Est-il fonceur, combatif, persuasif... ? Les membres se reconnaîtront-ils en lui ? Pour illustrer cette question des aptitudes et montrer que le fait d'en tenir compte ne signifie pas verser dans une certaine forme d'élitisme, nous soulignerons le cas de ce groupe très combatif de femmes qui, ayant décidé de mener une lutte contre la pornographie, s'étaient fait représenter par une de leurs membres qui elle, était prête à accepter la porno dite douce... Cet exemple vécu illustre fort bien ce que nous entendons par représentativité et aptitudes.

Enfin il faut qu'au moins un ou quelques-uns de vos représentants soient disponibles lorsque nécessaire.

Nous voudrions aussi attirer l'attention du lecteur sur quelques pratiques fort détestables qui ont cours à l'occasion et dans certains types de structures. La première de ces pratiques est celle que l'on nomme la technique du « tordage de bras ». Il s'agit d'une façon de procéder par laquelle on joue avec les sentiments des gens ; on leur laisse croire que leur mandat n'est que formel, etc. Cette pratique nous paraît douteuse dans la mesure où elle ne respecte pas le libre choix. De plus elle exprime la faiblesse du groupe. Si on est réduit à « tordre les bras » des gens pour qu'ils acceptent de nous représenter, il serait peut-être alors pertinent de s'interroger plutôt sur la viabilité du groupe.

L'autre tactique que nous voudrions dénoncer est celle que l'on nomme le « paquetage d'assemblée ». Cette méthode est carrément antidémocratique et révèle des failles sérieuses dans l'organisation du groupe et dans l'éthique des intervenants. Nous croyons que le groupe qui accepte de se livrer à de telles pratiques se discrédite lui-même et s'exclut d'office du mouvement populaire.

En résumé, il ne faut pas oublier que les représentants seront, en quelque sorte, l'image publique du groupe. Un choix non réfléchi pourra handicaper lourdement et de façon parfois irrémédiable la crédibilité du groupe. Cela mérite qu'on s'y arrête et qu'on prenne les moyens, entre autres au niveau de la formation, pour se donner des représentants qui sauront bien témoigner de notre sérieux.

La formation des groupes de travail

La mise sur pied des groupes de travail constitue non seulement un outil indispensable à la réalisation des activités du groupe, mais exprime aussi le souci de démocratie qui anime les membres. Il n'existe pas de meilleure façon d'associer le maximum de personnes à la démarche du groupe ou de l'organisation d'autant plus que certains comités ne commandent pas de compétences particulières. Quant aux autres à caractère plus technique, ils peuvent être encadrés par des personnes-ressources.

Les comités de travail doivent être formés le plus tôt possible, du moins, certains d'entre eux tels: les comités de formation, d'information, de stratégie et de financement. Leur mise en marche ne correspond pas qu'à des motifs essentiellement organisationnels mais aussi à une nécessité de mettre le plus rapidement possible le monde à l'ouvrage. C'est à partir de leurs travaux que s'élaborera la stratégie de développement et d'action du groupe. C'est dans le cadre des activités de ces comités que se révéleront les talents des membres et qu'émergeront les leaders du groupe.

De plus, et ceci nous apparaît particulièrement important, les comités de travail sont d'excellentes écoles de formation. C'est pourquoi les personnes-ressources qui seront appelées à y intervenir doivent être choisies avec soin, en tenant compte de certaines considérations telles que: leur compétence, leur connaissance du mouvement populaire et/ou syndical, leur maîtrise des pédagogies adaptées aux milieux populaires, leur disponibilité à intervenir à certains moments d'une stratégie de lutte, comme par exemple, à titre de témoins lors d'une commission parlementaire ou d'experts en d'autres circonstances, leur acceptation de remettre au groupe les cachets qu'ils pourraient recevoir dans le cadre d'un programme d'éducation populaire (ceci évidemment, dans la mesure où ils sont déjà salariés ailleurs), etc.

Les travaux des comités doivent être non seulement exécutés avec sérieux, mais aussi étudiés avec le même intérêt par les membres. Nous n'avons pas le temps, dans le mouvement populaire, de travailler pour rien comme cela se fait quotidiennement au niveau de l'État.

Savoir profiter de l'expérience des autres

Certains intervenants un peu plus expérimentés, les « vieux » de l'action communautaire, notent à l'occasion, que les nouveaux intervenants cherchent à refaire le monde comme s'il ne s'était jamais rien passé avant eux.

Nous ne croyons pas que ces observations de nos aînés ne soient que pur radotage. Il y a du vrai là-dedans. C'est pourquoi, d'ailleurs, nous avons insisté, dans la seconde partie de ce livre, sur la nécessité de faire porter l'enquête sur le volet historique du développement d'un milieu. L'histoire du mouvement populaire, du moins dans sa phase « moderne », compte maintenant près d'une vingtaine d'années, c'est donc dire qu'il est possible que certains types de regroupement aient été « testés » de même que certaines formes d'action. Profiter de l'expérience des autres, c'est tenir compte des acquis du mouvement populaire lorsque ceux-ci sont identifiables.

Profiter de l'expérience des autres, c'est aussi tenir compte de l'existence de groupes frères, d'organisations sœurs, c'est-à-dire de regroupements qui visent sensiblement les mêmes objectifs que nous. Il serait évidemment souhaitable de tenir compte de leur existence et d'inventorier les possibilités d'association avec eux. Que dire d'un groupe qui voudrait former une association d'assistés sociaux sans s'informer des acquis de l'A.D.D.S., ou encore, de ceux qui voudraient mettre sur pied une association de locataires, une radio communautaire, un groupe autonome de femmes, sans profiter de l'expérience des nombreux autres qui existent actuellement au Québec, tant en milieu rural qu'urbain? Que dire, sinon qu'il perdrait un temps précieux à vouloir emprunter des sentiers parallèles à d'autres, déjà balisés. Le travail de l'intervenant, c'est aussi connaître la réalité du mouvement populaire et faire partager cette connaissance aux membres de son groupe.

L'expérience des autres, c'est enfin celle qui est confiée aux livres et périodiques de même qu'aux films et vidéos. Des types comme l'Américain Saul Alinsky ont écrit des livres et des monographies fort intéressantes sur le travail communautaire. Ici même, au Québec, il existe quantité de publications qui peuvent vous être d'un précieux secours. Les bilans des groupes, l'histoire des quartiers et des villes, certains vidéos constituent une somme d'expérience très utile. Pourquoi ne pas en profiter?

Du travail pour tout le monde

Organiser un groupe, c'est mettre le monde à l'ouvrage. Cela signifie qu'il devrait y avoir du travail pour chacun.

Récemment, lors d'une réunion régionale du Mouvement autonome des femmes, une intervenante salariée faisait la remarque suivante: «Pourquoi chacune d'entre vous vient-elle aux réunions régionales...?» Cette question était posée dans le cadre d'une évaluation de la pertinence du regroupement régional. Une des femmes répondit: «Nous sommes 40 membres dans mon groupe, mais ça n'intéresse personne de venir ici; alors je viens...» À cela, l'intervenante répondit: «Dans ce cas, si vos membres ne sont pas plus intéressées que ça à lutter sur une base régionale, peut-être serait-il préférable de rester avec elles et de ne pas venir ici si tu ne sais pas ce que tu viens y faire?»

La réponse de l'intervenante peut paraître un peu à pic; mais il nous semble qu'elle contient une bonne part de vérité: mieux vaut ne pas former un groupe si les membres ne savent pas ce qu'ils viennent y faire.

Nous dirions même que c'est plutôt la règle lors des premières réunions d'un groupe. La plupart des gens qui ont décidé d'y adhérer semblent gênés, timides. En réalité, ils le sont. Pour beaucoup d'entre eux, c'est une première. Ils n'ont jamais participé à de telles activités. Ils se sentent un peu perdus. Un intervenant doit connaître cette réalité et agir en conséquence. Une des façons d'aborder ce problème, c'est de faire en sorte que tout le monde sente qu'il peut être utile. Une autre façon, c'est de ne pas écraser les gens sous le poids de sa science car ils pourraient croire que ça prend un doctorat en administration ou en travail social pour faire partie d'un groupe populaire; inutile de vous dire que dans ces conditions, vous risquez de vous retrouver avec bien peu de membres à très court terme.

Dans un groupe, il n'y a effectivement pas de petites tâches: elles sont toutes importantes. C'est ainsi que, contrairement à ce que certains pourraient être tentés de croire, une responsabilité aussi banale que de téléphoner aux membres pour les convoquer à une réunion ou leur rafraîchir la mémoire quant à la date et au lieu où elle se tient, est pourtant déterminante. Combien de groupes ont connu les affres de l'attente de celui ou celle qui permettrait d'obtenir quorum? Combien d'intervenants se sont retrouvés un soir, entourés seulement de deux ou trois personnes alors qu'ils en attendaient 25? Nous n'insisterons jamais assez sur l'importance, dès le départ, de distribuer les tâches à un maximum de membres.

Dans cette même perspective, il nous semble important de souligner un des dangers qui guettent tout intervenant, particulièrement dans des groupes en voie de formation; il s'agit de cette habitude d'accepter toutes les tâches «intellectuelles» ou, de façon générale, celles que les autres ne veulent pas faire parce qu'ils prétendent ne pas être capables. Des excuses comme «Je ne suis pas assez instruit...» ou encore «Fais-le toi, t'es payé pour ça!» doivent être contournées avec tact et fermeté car sinon, vous risquez de traîner longtemps ce handicap qu'est le rôle «d'intellectuel de service».

Comprenons-nous. Il nous apparaît évident que, pour toutes sortes de raisons: instruction, connaissances des mécanismes du pouvoir, expérience du travail avec des groupes etc., vous soyez effectivement mieux préparé à remplir certaines tâches. Le problème n'est pas que vous les acceptiez pendant un certain temps; c'est que vous les fassiez seul. Il faut que vous transmettiez vos connaissances à d'autres; il est donc impératif que des membres travaillent avec vous à la réalisation de certaines tâches pour lesquelles ils se jugent inaptes. Alors, pourquoi ne pas répondre: «D'accord, je le ferai, mais il faudrait que quelqu'un d'autre travaille avec moi».

Nous reviendrons plus loin sur cette question de la division des tâches dans un groupe. Pour le moment, il s'agit simplement de comprendre l'importance de cette phase organisationnelle à l'étape de la structuration du groupe.

Cerner « les possibles »

Nous aurions tout aussi bien pu dire « ne pas mettre la charrue avant les bœufs ». De quoi s'agit-il ? Essentiellement de deux choses : ne pas vous laisser entraîner dans des activités que vous ne pourrez réaliser faute d'effectifs et tenir compte des capacités réelles des membres.

La principale préoccupation d'un groupe qui en est à ses débuts devrait être sa consolidation et sa structuration. Nous entendons par là que les principales activités devraient viser à assurer la cohésion du groupe et la précision de ses objectifs. Penser à se lancer dans les grandes manœuvres alors qu'on ne compte que dix membres, que personne ne nous connaît, que rien n'est suffisamment clair pour les membres eux-mêmes, c'est courir au désastre.

Les membres doivent, le plus tôt possible, obtenir toute l'information qui leur sera nécessaire pour faire des choix et prendre des décisions éclairées. Vos membres ne sont pas des députés ou des conseillers municipaux pour voter sur des sujets qu'ils ne connaissent pas... Les groupes et organisations du mouvement populaire n'ont que faire de cette démocratie formelle et caricaturale.

Par exemple, si l'objet de la mobilisation est le logement et que le groupe vise à former une association de locataires, il serait sûrement pertinent qu'en tant qu'intervenant, vous leur fassiez part de ce que votre enquête vous a révélé concernant le ou les propriétaires directement visés par les activités du groupe. Il serait aussi pertinent que vous leur brossiez un tableau de la situation du logement dans le quartier, de la spéculation foncière, de l'existence d'autres associations de locataires, de vos alliés possibles, du rôle de la Régie du logement, etc. Il y a moyen de transmettre ces connaissances de façon vivante et dynamique. Il se pourrait même que de connaître les gains réalisés par d'autres soit une information fort stimulante pour les membres. Ceci relève du possible. Par contre, « embarquer » les membres dans un projet de coopérative de logements dès la première ou deuxième réunion révélerait chez l'intervenant, une certaine tendance à prendre ses rêves pour des réalités.

Il faut prendre les choses une à la fois et les situer dans le cadre d'une stratégie où certaines activités sont possibles à court terme, tandis que d'autres le sont à moyen et à long terme. Inutile de brûler les étapes.

Cerner « les possibles », c'est aussi tenir compte des capacités des membres. Nous avons abordé ce sujet ailleurs, nous n'y reviendrons donc pas en détail. Nous aimerions cependant rappeler que si tous les membres sont « savants » chacun à sa manière, il n'en demeure pas moins qu'ils possèdent aussi leurs limites. Cela vaut évidemment pour l'intervenant. Il est donc normal de considérer ce fait lors de l'élaboration du calendrier d'activités.

Nous considérons que de façon générale, la règle devrait être que chacune des activités du groupe soit l'occasion d'élever la capacité des membres à intervenir dans le milieu. En d'autres termes, après chaque activité, nous devrions nous sentir plus riches en savoir et en solidarité. Nous savons par expérience que cela n'est pas toujours facile ; néanmoins nous croyons que cette préoccupation doit faire partie des principes d'organisation de toutes les instances du mouvement populaire et syndical.

La boîte à outils

Les outils des groupes populaires, ce sont les moyens matériaux dont ils disposent. Nous entendons par là : le local, le mobilier, les instruments de travail, le centre de documentation, le téléphone, etc.

Certains groupes sont désespérément pauvres alors que d'autres sans être affreusement riches, sont néanmoins relativement bien pourvus. Nous ne connaissons pas de groupe ou d'organisation populaire qui soit ce qu'on pourrait qualifier des parvenus. Par contre, certaines institutions étatiques sont, elles, fort bien gréées. Nous y reviendrons. La norme, concernant les groupes, c'est la pauvreté. Faut-il que ça nous empêche de fonctionner ? Nous ne le croyons pas.

Ce qu'il est important de savoir, c'est qu'effectivement, plusieurs groupes peuvent très bien fonctionner avec des moyens plutôt limités. Un groupe qui en est à ses premières étapes d'organisation peut se réunir dans les locaux d'un centre communautaire, un sous-sol d'église, le local d'un autre groupe populaire, à la permanence d'un syndicat, etc. Les membres peuvent utiliser leur téléphone privé pour communiquer entre eux. Il faut se méfier du réflexe qui consiste à attendre d'être équipé pour agir. Cette méfiance doit être d'autant plus vive qu'il ne manque pas de projets gouvernementaux dits de création d'emplois pour vous inciter à la passivité, faute d'être payés pour intervenir.

Nous croyons qu'un groupe doit d'abord se former sur la base de la volonté commune des membres d'entreprendre une action pour ensuite, si cela favorise un meilleur fonctionnement, solliciter des fonds qui permettent au groupe de se doter d'un local, de permanents et de tout ce qui s'ensuit.

Ceci dit, si vous louez un local, il faut que vous considériez certains facteurs qui ne sont pas sans importance; à titre d'illustration, mentionnons : sa localisation (centrale par rapport au lieu de résidence de la plupart des membres, près d'une bouche de métro ou d'un arrêt d'autobus, accessible aux personnes handicapées, etc). Votre mobilier sera fort probablement usagé; vous pouvez vous le procurer à l'Armée du salut, l'emprunter ou l'acheter d'un autre groupe ou d'une institution, telle que la commission scolaire.

Il est évident que le fait d'avoir pignon sur rue peut s'avérer très stimulant; surtout si le local est aménagé avec goût et est un lieu où il est agréable de se rencontrer. Par contre rien n'est plus mauvais pour le moral des troupes que d'avoir à se réunir dans une porcherie. Un mot d'ordre populaire vers la fin des années soixante se formulait ainsi : « la saleté n'est pas révolutionnaire!». Il est encore d'actualité. Combien de fois avons-nous dû tenir des réunions dans des lieux tout à fait infects! Cela témoignait d'une mentalité petite-bourgeoise selon laquelle « ça fait plus populaire». Inutile d'insister sur le caractère méprisant d'un tel point de vue.

L'équipement d'un groupe populaire doit aussi être entretenu avec soin. Il faut être conscient que les instruments de travail du groupe sont la propriété de tous. À ce sujet, il peut être intéressant que plusieurs groupes s'associent pour se donner un service; nous pensons en particulier à du matériel d'imprimerie et de reproduction.

Le coffre à outils d'un groupe populaire ressemble à celui d'une femme ou d'un homme de métier : ce n'est pas tant le nombre d'instruments de travail que l'on possède qui est déterminant, que leur utilité et le fait que l'on sache s'en servir. Mais, plus important que tout, c'est au niveau de la compétence du travailleur que se situe la vraie différence.

Vous aurez beau avoir un local « chromé » et un tas de gadgets sophistiqués, cela ne servira pas à grand-chose si vos membres ne savent pas où ils s'en vont, si la solidarité est faible et si vos objectifs ne sont pas clairs.

Les alliances

Un groupe doit chercher à développer des rapports étroits avec ceux qui poursuivent les mêmes objectifs que lui. Il doit aussi se préoccuper d'établir des liens avec les autres qui luttent sur d'autres fronts.

L'intervenant qui aura bien réalisé son enquête devrait savoir qui sont ses amis. Les alliances entre les groupes ne visent pas qu'à développer des solidarités dans la lutte ; elles peuvent aussi se prêter à toutes sortes d'échanges, entre autres, comme nous venons de le voir, à des ententes de services.

Jusque vers le début des années soixante-dix, les comités de citoyens avaient plutôt tendance à être localistes. Les assistés sociaux de Pointe-Saint-Charles ne communiquaient pas avec ceux de Centre-Sud ; ceux qui intervenaient à Montréal ne se souciaient pas de leurs camarades à Québec ; tant qu'au lien entre la ville et la campagne, cela se résumait à un mot d'ordre tout à fait à propos pour les Chinois mais incongru en nos contrées. Est-ce que la situation s'est vraiment transformée ? Nous aurions tendance à dire oui, mais... Il est évident que les groupes d'assistés sociaux, malgré certains conflits et certaines tensions, ont appris à se parler, à canaliser leurs énergies, à faire front commun. Cela n'est pas toujours facile, mais ça se fait. On pourrait porter le même jugement en ce qui concerne les associations de locataires, de consommateurs, les comptoirs alimentaires, les groupes de femmes. Il existe bien ici et là quelques groupes populaires qui résistent à la « tentation de la solidarité », mais, de façon générale, on assiste à une réelle modification dans les rapports entre les groupes populaires.

L'évidence ne crève cependant pas les yeux au niveau du rapport entre les groupes urbains et ceux de la province. S'il faut souligner le fait que des organismes comme Au Bas de l'Échelle accepteront à l'occasion de participer à des rencontres de formation organisées par des groupes à l'extérieur de Montréal, on ne peut pas dire que les liens soient devenus étroits entre la ville et la campagne. Disons qu'il y a matière à amélioration.

La question des alliances doit être présentée dans le cadre de la problématique organisationnelle d'un nouveau groupe populaire. Encore une fois, il s'agit de sauver des énergies en profitant de l'expérience des autres. Il n'y a rien de déshonorant à ce qu'un intervenant dise : « Et si nous allions consulter tel groupe... ? »

De l'usage des institutions

Nous entendons par institutions, certains services de l'État tels les C.L.S.C., les C.S.S., les S.E.A., les programmes de création d'emplois et, à l'occasion, certains autres services ministériels qui peuvent aider les groupes et organisations populaires. Nous pourrions aussi ajouter à cette liste les Églises et les organismes qu'elles subventionnent, le Centre de bénévolat, Centraide, les centres régionaux de développement.

Il faudrait faire une place toute spéciale aux centrales syndicales et à une institution comme l'I.C.E.A.

Toutes ces institutions peuvent vous rendre de précieux services si vous savez comment les approcher et connaissez leurs limites. Avant de procéder à une courte analyse de quelques-unes d'entre elles, nous tenons à faire les deux mises au point suivantes. En premier lieu, il faut se rappeler que des organismes tels que les C.L.S.C. et, dans une certaine mesure les bureaux d'aide juridique, sont, jusqu'à un certain point, le produit du travail des Comités de citoyens et des groupes populaires. Ceci pour expliquer un des principaux motifs de la méfiance qu'entretiennent certains intervenants à leur endroit. En effet, plusieurs n'ont pas digéré la récupération dont fut l'objet un certain nombre de réalisations auxquelles ils ont contribué. S'il est toujours sage d'entretenir une certaine méfiance vis-à-vis des organismes de l'État, il faut aussi savoir s'adapter aux nouvelles circonstances. Connaissant le rôle de ces institutions, il ne nous reste qu'à être prudents et à s'assurer que notre autonomie ne sera pas remise en question par une collaboration occasionnelle avec ces instances.

D'autre part, dans nos rapports avec certaines de ces institutions, il nous faudra toujours faire attention de ne pas « brûler » les employés qui acceptent de collaborer avec nous. Il arrive en effet que nos alliés dans les structures de l'État prennent un certain nombre de risques pour nous être utiles, à la limite, cette activité pourrait même leur coûter leur emploi. Il ne faut pas être très malin pour comprendre la nécessité de respecter les limites que ces personnes-ressources ne pourront franchir.

Voyons maintenant quelles sont les principales institutions qui, à l'occasion, pourraient nous rendre service.

Les C.L.S.C.

Les Centres locaux de services communautaires sont des institutions dites de première ligne du réseau des Affaires sociales. Leurs activités couvrent trois secteurs : la santé, les services sociaux aux personnes, les services à la collectivité par le biais de l'action communautaire.

Normalement, les employés des C.L.S.C. situés en milieu populaire acceptent volontiers de collaborer avec les groupes communautaires. Cette collaboration doit cependant se justifier en fonction du plan d'intervention de l'institution. Par exemple, un médecin ou un travailleur communautaire pourront collaborer avec un comité de travailleurs accidentés, dans la mesure où la direction de l'établissement qui les emploie est d'accord. Autrement, ils le feraient sur une base volontaire ou prendraient des risques.

Concernant les C.L.S.C., on doit admettre que ce sont là des ressources particulièrement intéressantes pour les groupes. D'ailleurs, leur capacité d'intervention dans le milieu est légitimée par, pourrait-on dire, la logique de leur existence.

Le C.L.S.C. offre toute une gamme de possibilités qui vont de l'emprunt d'un véhicule à l'engagement d'un permanent dans un secteur particulier. Il peut aussi offrir des ressources dans le domaine de la recherche, des personnes qualifiées pour des programmes de formation ou des rencontres d'information; il peut vous permettre d'utiliser un local gratuitement, accepter de faire certains travaux d'impression, etc.

Dans la mesure où les modalités de collaboration sont clairement établies, les C.L.S.C. sont donc des ressources d'appoint intéressantes.

Le Service d'éducation des adultes

Ces institutions remplissent un peu le rôle des C.L.S.C., mais dans le domaine de l'éducation. Elles peuvent vous aider à développer un programme de formation, vous ouvrir les portes à certaines sources de financement, mettre à votre disposition des ressources en termes d'animation. On sait qu'à Montréal par exemple, elles financent les Centres d'éducation populaire, ce qui permet à plusieurs groupes de pouvoir disposer de locaux à peu de frais. Si, occasionnellement, l'administration des commissions scolaires est plutôt tatillonne, comme le montrent les luttes que doivent mener les garderies populaires pour conserver leurs locaux, il n'en demeure pas moins que les S.E.A. constituent des ressources fort utiles en certaines circonstances.

Les Centres de services sociaux

Essentiellement les C.S.S. ne peuvent offrir que le support des travailleurs sociaux. Avec les coupures dans le réseau des Affaires sociales, le nombre de travailleurs communautaires engagés par ces centres a fortement diminué. On se spécialise surtout dans le travail de cas. Néanmoins, particulièrement dans les domaines de la formation et de l'information, il est possible de trouver là des ressources fort utiles.

Les Bureaux d'aide juridique

Certains des avocats de ces Bureaux peuvent vous aider, à l'occasion. Les groupes de consommateurs pourraient profiter d'une aide technique consentie par certains Bureaux d'aide juridique plus proches de la population que d'autres. La loi prévoit aussi que vous pouvez, si vous êtes un organisme sans but lucratif, obtenir certains services gratuits ; comme par exemple, la formulation d'une charte. Vous pouvez aussi demander un mandat en fonction duquel vous engagerez l'avocat de votre choix si cela est nécessaire.

Naturellement, côté gouvernemental, il existe une multitude d'autres services ; nous pensons par exemple aux ministères de l'Éducation, des Affaires sociales, des Communications, des Loisirs, de la Culture... ainsi qu'à leur équivalent fédéral tels que le Secrétariat d'État. Nous ne pouvons tous les nommer et expliquer leur utilité. Nous y reviendrons plus loin, lorsque nous aborderons la question des sources de financement.

Voyons maintenant quelques organismes qui sont plus près de nos préoccupations.

L'Institut canadien d'éducation des adultes

L'I.C.E.A. est une institution qui s'intéresse de façon particulière à l'éducation des adultes et aux domaines connexes.

Si l'I.C.E.A. ne peut, comme un C.L.S.C., nous rendre des services très concrets sur le terrain, elle peut, par contre, constituer une ressource d'appoint intéressante dans son champ spécifique d'intervention. Nous pensons entre autres à ses prises de position en appui aux revendications du M.E.P.A.C. sur le front du financement des activités d'éducation populaire.

Dans certains autres domaines comme les communications, l'I.C.E.A. joue un rôle que peu ou pas d'organismes communautaires sont habilités à remplir. Peut-être que les intervenants ne sont pas tous également sensibles aux effets des nouvelles technologies sur les rapports entre les êtres humains. L'intense oppression subie par des populations entières à partir des manipulations de conscience rendues possible par les « mass-médias », ne fait sans doute pas partie de nos préoccupations quotidiennes. Cependant, ces facteurs d'oppression ont certainement un impact considérable sur nous-mêmes et sur les gens avec lesquels nous travaillons. Que l'I.C.E.A. se préoccupe de ces questions et qu'elle mette à notre disposition le résultat de ses recherches constitue certes un apport appréciable.

Les centrales syndicales

De nombreux auteurs ont souligné le rapport étroit qui devrait exister entre le mouvement syndical et le mouvement populaire. Nous devons reconnaître que cette relation privilégiée, que plusieurs appellent de leur vœux, n'est pas toujours évidente. Cela ne tient pas qu'au hasard...

L'intervenant serait bien inspiré de considérer, lors de l'organisation d'un nouveau groupe, les possibilités de développer certains liens avec les syndicats. Plusieurs raisons militent en ce sens. D'abord, il est fort probable que certains des membres du groupe soient syndiqués. Cette double allégeance, aux mouvements syndical et populaire devrait leur faciliter la compréhension de cette filiation qui existe entre l'exploitation de leur force de travail et l'oppression qu'il peuvent subir dans leur milieu de vie. Par exemple, il peut être très intéressant et fort instructif de voir comment la mauvaise qualité de l'environnement et du stock de logements est en relation directe avec le développement industriel. À titre d'illustration de ce rapport, il existe des analyses des quartiers du sud-ouest de Montréal qui démontrent que la dégénérescence du quartier comme milieu de vie a suivi de près le développement du parc industriel. Par opposition, la construction d'une nouvelle usine de pointe comme G.M. à Sainte-Thésère ou I.B.M. et General Electric à Bromont, a pour effet de favoriser la spéculation foncière et la construction de logements neufs là où il n'y avait auparavant que champs et ruisseaux.

Un autre des motifs importants qui devraient pousser les groupes populaires à s'associer au mouvement syndical, c'est que ce dernier constitue actuellement la seule force organisée dont le poids politique peut, à l'occasion, faire fléchir l'État. Il est bien évident que, dans un contexte de contrôle des salaires et de non-ajustement des prestations au coût de la vie, tout renforcement du pouvoir de lutte du mouvement syndical par celui du mouvement populaire ne peut qu'être profitable.

De plus, il faut être bien conscient que l'État — comme on peut facilement le constater lors de conflits dans le secteur public — a tout intérêt à dresser les couches de la population que nous pouvons toucher dans le mouvement populaire — jeunes, assistés sociaux, personnes âgées, femmes — contre les travailleurs et les travailleuses syndiqués. Ne pas être conscient de ces tactiques, c'est sûrement affaiblir les syndicats et en même temps diminuer considérablement notre propre force.

C'est donc dire que toute expression de solidarité entre les mouvements populaire et syndical est la bienvenue, sinon, comme disait de Gaulle, « dans l'ordre des choses ». Dans cette perspective, des initiatives comme les Sommets populaires, les fronts communs, les échanges de ressources techniques et pédagogiques, les colloques du groupe La maîtresse d'école sur la pédagogie progressiste et la culture populaire, les tables régionales de concertation, la participation directe à des manifestations, sont autant de lieux de rencontre à encourager.

Au niveau de l'organisation d'un groupe, il s'agit de prévoir l'inclusion de cette préoccupation de solidarité active dans la programmation du calendrier d'activités.

Autres ressources d'appoint

Nous pensons qu'il est important, même si on ne peut parler ici de ressources institutionnelles, de mentionner certains types d'organismes dont les orientations et les pratiques vont dans le sens des intérêts des mouvements populaire et syndical. En premier lieu, il y a le C.F.P. qui peut offrir des ressources précieuses en matière d'organisation de rencontres de formation. Ce centre existe depuis 10 ans. Il y a aussi le Centre populaire de documentation qui dispose d'une mine de renseignements sur une foule de sujets touchant les milieux ouvrier et populaire.

Tout intervenant saurait sûrement trouver auprès de ces organismes, et de d'autres du même type, un support technique et une expertise considérable ; nous ne pouvons que vous encourager à les utiliser.

6

L'organisation d'une lutte

Deux motifs principaux et selon nous complémentaires justifient l'existence des groupes et organisations populaires; ce sont en réalité les mêmes que pour le mouvement syndical: le service et la lutte. Nous n'aborderons ici qu'un de ces aspects, soit les groupes populaires comme instruments de revendication.

Loin de nous l'idée de croire que tous les groupes s'identifient à cette définition: il s'en faut parfois de beaucoup. Cependant, il nous apparaît clair qu'au-delà des réserves que certains pourraient avoir quant à l'utilisation des mots lutte, combat et revendication, la réalité, elle, ne trompe pas. Par exemple: que fait ce groupe, qui se définit d'abord, voire même essentiellement, comme étant orienté vers des activités de loisir et d'entraide, lorsqu'il va piqueter devant l'immeuble qui abrite les locaux de Centraide afin de manifester son opposition à certaines exigences bureaucratiques de ce bailleur de fonds? Que font les membres de cet autre groupe qui, répugnant à utiliser le mot « lutte », n'en signent pas moins consciemment plusieurs pétitions par année, lesquelles concernent des sujets comme l'utilisation d'un terrain vague à des fins domiciliaires plutôt qu'industrielles et commerciales, l'utilisation d'une école à des fins communautaires, la dénonciation d'un projet de démolition d'immeubles locatifs, des coupures dans les services sociaux et de santé, le gel des salaires et des prestations, etc? Que font-ils, sinon s'associer à des luttes menées par d'autres groupes?

Au-delà des mots et des pièges qu'ils renferment, il y a la réalité de l'oppression et cette volonté parfois inavouée de lutter contre elle. D'un point de vue général, c'est de ça dont nous parlons quand nous utilisons le mot lutte.

Dans les lignes qui suivent, nous parlerons néanmoins de la lutte au sens strict, c'est-à-dire de l'action consciente menée par un groupe contre une forme identifiée d'oppression.

À titre d'illustration de ce genre d'activités, nous pouvons signaler la lutte des A.D.D.S. contre l'imposition de l'obligation de payer la taxe d'eau à Montréal; la lutte des expropriés de Mirabel pour recouvrer leurs terres, celle des victimes de la M.I.U.F., celle des jeunes assistés sociaux pour obtenir des prestations un peu plus décentes, celle des femmes contre la pornographie, celle des populations du Bas-Saint-Laurent pour le respect de l'intégrité de leur milieu de vie, celle des Amérindiens pour le respect de leurs droits en tant que peuple, etc. Comme nous pouvons le constater par cette liste très partielle, la réalité de la lutte est celle de pas mal de monde.

Voyons maintenant ce qu'implique nécessairement l'organisation d'une lutte.

L'identification des objectifs

Lorsque, collectivement, les membres d'un groupe décident d'engager une lutte, cela implique nécessairement un certain processus de réflexion, de questionnement et de maturation de la conscience, par lequel une certaine forme d'oppression devient, pour ainsi dire, transparente. Nous savons qu'une injustice est commise à notre endroit, nous savons par qui et pourquoi, et cette connaissance que nous avons de l'injustice nous la fait paraître odieuse, insupportable. Il n'est plus question que nous la tolérions. Nous décidons donc de la combattre.

Amorcer une lutte implique que nous connaissions les objectifs que nous souhaitons atteindre. Normalement, elle vise à corriger la situation d'injustice qui nous est faite et à faire connaître à la population les faits sur lesquels repose notre jugement.

Par exemple, la lutte que les groupes de femmes et aussi quelques hommes mènent contre la pornographie vise à faire cesser cette pratique qui consiste à réduire les femmes à l'état d'objets de consommation. Cette lutte est éminemment juste et son objectif principal est la disparition de cette manifestation d'oppression. Ce but à atteindre n'est cependant pas le seul à être visé : il y a aussi certains objectifs, que l'on pourrait qualifier d'éducatifs, comme faire comprendre à l'ensemble des femmes la situation d'oppression dans laquelle on les tient, montrer aux hommes le caractère infantilisant de la pornographie, la violence qu'elle exprime, les intérêts économiques qu'elle sert, etc. On pourrait aussi dire qu'un des objectifs recherchés est de faire de cette lutte un facteur de solidarisation des femmes en général et des groupes organisés en particulier. Enfin, une telle lutte contient un potentiel de contestation politique important.

De façon générale, on peut dire que les objectifs peuvent être de deux ordres : immédiats et à long terme. L'objectif immédiat est celui que nous essayons d'atteindre au terme d'une lutte précise. Par exemple, si nous reprenons le cas de la pornographie, faire cesser l'engagement de danseuses nues dans un endroit particulier. Toujours en fonction du même exemple, l'objectif à long terme serait la disparition de la pornographie sous tous ses aspects.

Prenons un autre exemple relié cette fois à l'aménagement urbain. Un groupe populaire qui lutte sur ce front pourrait très bien réclamer, dans un premier temps, la démolition de quelques trappes à feu dans le quartier où il exerce ses activités et viser à long terme un plan de rénovation qui touche l'ensemble du territoire.

Poussons un peu plus loin notre réflexion sur la question des objectifs. Il est important, lorsque nous déclenchons une lutte, de se fixer des buts qui sont relativement faciles à atteindre. En d'autres termes, il ne faut pas que nos objectifs soient si larges qu'ils soient finalement inaccessibles. Rien n'est plus mauvais pour le moral des membres d'un groupe que de ne pas connaître un certain succès.

La lutte est un processus et chaque étape contient ses objectifs propres. Lorsque les membres se réunissent pour faire le point sur le déroulement de la stratégie, il faut qu'ils puissent vérifier les gains réalisés aux différentes étapes de ce processus. Il est facile de comprendre que de savoir qu'ils ont fait des gains les stimulera à poursuivre un peu plus loin le combat dans lequel ils sont engagés.

Beaucoup de luttes ont eu des effets néfastes sur certains groupes ; règle générale, c'est parce que les objectifs avaient été mal définis ou trop ambitieux.

L'intervenant doit aussi savoir que, s'il est capital que les membres soient très au fait des buts visés, il existe aussi un niveau d'objectifs que l'on pourrait qualifier d'intrinsèques à la lutte. Il s'agit de retombées prévisibles en termes de solidarité plus grande entre les membres et entre le groupe et ses alliés, des possibilités de recrutement de nouveaux membres, des effets sur le financement, etc. Il est possible que des objectifs de cet ordre ne soient pas sentis par tous ; l'intervenant lui, doit en tenir compte.

Stratégies et tactiques

À ce stade-ci, il apparaît pertinent de définir les concepts de stratégie et de tactique.

Une stratégie est une tentative planifiée visant à influencer une personne, une institution ou une entreprise en fonction d'un objectif préalablement identifié.

Les tactiques sont les moyens mis en œuvre pour atteindre les objectifs ou, si l'on préfère, pour réaliser la stratégie. Elles doivent donc être cohérentes avec cette dernière, c'est-à-dire appropriées au type d'objectifs que l'on poursuit, à court et à moyen terme. L'exigence de cohérence dépend de l'éthique du groupe. On peut être « pur » au point de nuire à sa réussite et on peut être « dur » au point de perdre tout contrôle sur l'action. Le refus de certaines ressources financières, d'un bailleur de fonds ne partageant pas les objectifs du groupe ou celui d'utiliser les médias contrôlés par la bourgeoisie, sont des décisions qui s'inscrivent dans un cadre stratégique. Elles peuvent aussi découler d'un choix tactique qui, tout en respectant la stratégie, semblera s'en détourner momentanément afin de mieux réussir dans la lutte à long terme. On parle d'alliance tactique, lorsque l'on s'allie avec des personnes ou des groupes qui ne partagent pas nos buts à long terme, mais seulement certains objectifs à courte échéance. Par exemple, une association de locataires pourra profiter du Tribunal des loyers contre des propriétaires, même si le tribunal est une de ses cibles de changement. Un groupe de femmes usagères d'un C.S.S. pourra se lier à celui-ci dans la dénonciation de certaines coupures de services par l'État. L'art de la tactique est basé sur la souplesse, sans toutefois déformer la stratégie ni dénaturer les objectifs.

On pourrait résumer l'analyse qui doit dicter le choix d'une stratégie en énonçant les points de repère suivants : a) il faut d'abord bien évaluer la conjoncture socio-politique et économique ; b) il faut évaluer les forces et faiblesses du mouvement populaire et de ses alliés ; c) il faut évaluer les forces et les faiblesses de l'adversaire et de ses alliés ; d) il faut bien comprendre le sens et les objectifs des luttes du mouvement populaire et e) il faut articuler une formulation claire des buts à atteindre à long terme et des étapes pour y arriver.

Cette analyse stratégique permettra à une organisation de développer un choix cohérent de tactiques.

Une fois l'analyse effectuée et les buts à long terme définis, comment une organisation agira-t-elle et quelle action mènera-t-elle non seulement pour obtenir de meilleures conditions de vie, mais aussi pour contribuer à développer un certain pouvoir populaire ?

L'action doit porter sur un problème concret et immédiat. Il faut rejoindre les préoccupations quotidiennes du milieu de vie ou de travail de la communauté dans laquelle nous intervenons. Les objectifs à court terme doivent être clairement identifiés.

Un exemple de ce genre d'objectifs se retrouve dans la lutte pour obtenir des feux de circulation sur la rue Esplanade à Montréal. Artère dangereuse parce qu'à forte densité de circulation, cette rue a un caractère résidentiel et sert de terrain de jeux aux jeunes, dans un quartier nettement sous-équipé en ressources de loisirs. De plus, elle est fréquemment empruntée par des étudiants d'âge scolaire. Une telle situation commande un objectif général susceptible de rallier les résidents : assurer la sécurité des enfants. Des demandes concrètes : feux de circulation, panneaux de signalisation et meilleure surveillance de la circulation routière. D'autres revendications pouvaient aussi être formulées dans le cadre de cette lutte comme développer des ressources en loisirs pour le quartier.

Cet exemple pour expliquer que l'action doit s'inscrire dans une démarche qui vise à satisfaire tant l'intérêt collectif que l'intérêt individuel. C'est un « luxe » que de se mobiliser pour un principe ou un droit qui ne nous affecte pas directement, donc l'action doit répondre à un besoin auquel l'ensemble de la population est sensible. Dans le cadre de notre exemple, l'intérêt collectif commande une circulation moins intense et moins dangereuse. Chacun y trouve son intérêt personnel dans la sécurité de ses enfants et sa quiétude. Ceux qui n'ont pas d'enfant y gagneront en calme et en tranquillité.

Il faut aussi formuler des objectifs raisonnablement accessibles. On ne fait pas de grands efforts s'il n'existe pas une chance de réussite ; cela est particulièrement vrai pour ceux et celles qui sont déjà très pris par les activités et les obligations quotidiennes comme le travail et les tâches domestiques.

La lutte du Regroupement pour le gel des loyers a connu beaucoup de difficultés de mobilisation car son but apparaissait lointain et inaccessible dans le cadre de la société actuelle. De plus, la légitimité d'un tel objectif n'est pas facile à démontrer ; une bonne partie de la population, la majorité sans doute, croyant qu'il est normal que les loyers suivent le rythme de progression de la courbe inflationniste. On dut finalement se résigner à mettre cette noble revendication « au réfrigérateur ».

Par contre, la lutte menée par les A.D.D.S. contre l'obligation faite aux assistés sociaux d'acquitter un compte pour la taxe d'eau, a connu un franc succès à plusieurs niveaux. Voyons de quoi il s'agissait. En 1974, plusieurs groupes et intervenants communautaires croyaient cette lutte vouée à l'échec à cause de l'ampleur de la revendication. Elle s'adressait à la fois à la Ville de Montréal et au ministère des Affaires sociales. Elle présentait un risque sérieux, compte tenu de ses implications légales : la saisie d'une partie des prestations des assistés sociaux contestataires ou la coupure de l'eau, comme cela s'est vu à Pointes-aux-Trembles. Cependant, l'objectif recélait un fort contenu émotif et une valeur symbolique liée au caractère odieux des mesures répressives. Ce n'est qu'avec des appuis fermes et des assurances sur le plan légal que le noyau de militants irréductibles du début réussit à mobiliser largement pour finalement enregistrer une victoire.

Comme nous venons de le voir, un objectif peut être difficile à atteindre et pourtant être réaliste. Tout tient à un ensemble de facteurs qu'il est important d'avoir sérieusement évalués.

Un objectif doit contenir des éléments d'éthique pour susciter l'appui des médias et de la population en général. Par exemple, les coupures d'électricité (l'électricité étant considérée comme service essentiel), sont faciles à dénoncer car l'action de l'Hydro-Québec apparaîtra odieuse aux yeux du public. La dénonciation des pressions à caractère sexuel des agents du « Bien-Être social » contre certaines assistées sociales possédait certainement ce « parfum de moralité » auquel nous venons de faire allusion. Une action contre des pratiques commerciales frauduleuses, le boycottage d'une compagnie qui ferme son usine, la diminution de certains services essentiels, sont tous des illustrations d'objectifs contenant des éléments de cohérence éthique.

Dans cette même optique, un objectif doit être « chaud » conjoncturellement pour susciter une mobilisation. Un regain économique n'offre pas une aussi bonne conjoncture pour dénoncer le chômage qu'une période de récession. Une hausse de taxe récente constitue une bonne occasion de dénoncer le gaspillage de l'administration au pouvoir. Le groupe Taxe-action, à Montréal, a mobilisé plusieurs petits propriétaires au moment où ils recevaient leur relevé d'impôt foncier. Le mouvement de révolte était amorcé et plusieurs cherchaient à canaliser leur colère individuelle dans une organisation. Malheureusement, les initiateurs de ce mouvement n'ont pas donné suite à cette révolte et n'ont pas su s'organiser en force significative.

Un objectif doit aussi contenir certains éléments d'émotivité. L'action menée par les femmes assistées sociales contre les agents de « Bien-Être » mâles qui abusaient de leur situation d'autorité est un bon exemple d'une cible à caractère émotif qui a soulevé assez facilement la colère, provoquant ainsi beaucoup de combativité.

Un dernier critère important dans le choix des objectifs est son contenu éducatif. Au-delà des résultats concrets obtenus, il faut considérer l'effet à long terme d'un acquis éducatif. La lutte doit être l'occasion d'un apprentissage, d'une meilleure connaissance du fonctionnement de la société ou d'une institution spécifique. La présentation d'un mémoire en commission parlementaire pour tenter d'influencer une législation peut être très instructive malgré le peu d'impact de l'action elle-même sur le gouvernement. C'est l'occasion de comprendre le jeu politique, l'importance des rapports de forces et les limites d'une certaine conception de la démocratie.

Ces critères ne doivent pas s'appliquer mécaniquement, mais servir de guides dans le développement d'une stratégie d'action collective. Il faut évaluer les exigences tactiques qu'imposera un choix stratégique, aux différents acteurs engagés dans le rapport de forces. Cette évaluation est permanente et commande une grande sensibilité à l'égard de ceux qui seront impliqués dans la lutte, ces derniers pouvant être regroupés de la manière suivante :

Les gens à mobiliser : il faut évaluer le degré d'enracinement du groupe et commencer par des actions à faible risque, qui respectent la culture du milieu. Par exemple, le Mouvement des femmes a appris à être sensible aux craintes des femmes face à la violence physique. Notons en passant que cette crainte n'est pas propre qu'aux femmes, elle l'est tout autant aux hommes. Cependant, le Mouvement des femmes a au moins l'intelligence d'en tenir compte.

Il faut respecter le style du groupe de façon à ce que les gens se sentent à l'aise et aient même du plaisir à faire une action. On imagine mal les assistées sociales de l'A.D.D.S. présentant un mémoire en commission parlementaire de façon très protocolaire. Les négociations dans un bureau ministériel ou dans un cabinet d'avocat risquent de favoriser l'exclusion des participants issus des milieux populaires, sinon de les démobiliser.

Il faut respecter le nombre et la force du groupe. On n'organise pas une manifestation à trente personnes mais il est raisonnable d'organiser une délégation de trente personnes pour rencontrer un interlocuteur de la partie adverse.

Il faut tenir compte du *momentum* de l'action. Il y a des temps forts et des temps faibles. Le rythme des actions doit permettre de reconstituer ses forces. À la suite d'une assemblée importante, il faut reprendre son souffle et faire le point. Les gens ne peuvent maintenir un rythme haletant de façon soutenue. Enfin, il ne faut pas utiliser une tactique « *ad nauseam* ».

L'appui du public, une nécessité : il faut se soucier de l'image que projette le groupe et démasquer l'adversaire. Pour obtenir l'appui du public, il faut respecter son intelligence et faire appel à sa compréhension. Une grève dans le secteur des services publics n'est pas populaire et peut provoquer une réaction très négative, à moins qu'elle n'ait été précédée d'une longue campagne d'information et que la population sente qu'il existe une coïncidence d'intérêts entre elle et les grévistes. Une manifestation bloquant la circulation ou l'accès à un lieu public doit aussi être bien expliquée comme étant l'ultime moyen pour obtenir satisfaction à une juste revendication. La sympathie du public nous est absolument nécessaire, entre autres dans les conflits qui nous opposent à l'État. Oublier ce principe risque fort de desservir non seulement notre cause, mais aussi celle de l'ensemble des mouvements populaire et syndical.

La cible visée: il est évidemment important de bien identifier le talon d'Achille de ceux à qui on s'attaque et ensuite de choisir les moyens de lutte les plus appropriés. Ce peut être le ridicule, pour une personne ou une institution qui se pique d'un certain prestige. Ce peut être en forçant un adversaire à respecter ses propres règles. Une institution qui se gargarise de démocratisme sera mal venue de refuser l'accès à l'information. Il est toujours pénible de se faire rappeler ses propres principes quand on ne les respecte pas.

La menace d'une action est souvent plus efficace que sa réalisation dans la mesure où l'adversaire croit le groupe capable de la mener à terme. Dans ce sens, l'irrationalité d'un groupe de travailleurs peut faire peur à un patron, surtout si l'organisation dit ne pas pouvoir contrôler ses troupes... C'est la pression continue qui brise la résistance de l'adversaire. Donc, tout en variant les moyens pour ne pas sombrer dans l'ennui, il faut tenter de maintenir une action soutenue.

Au-delà de ces considérations, il faut tenter de suivre le plan prévu en fonction de la stratégie et des objectifs à long terme. Il est donc important de soumettre les tactiques à certaines questions préalables, afin de vérifier leur cohérence avec la stratégie:

— Est-ce que l'action est assez significative pour permettre de poursuivre les prochaines étapes vers les objectifs à long terme?
— Est-ce que les enjeux sont suffisamment clairs?
— Est-ce que les menaces sont vraisemblables?
— Est-ce que l'action va ébranler l'adversaire (le prendre par surprise en se réalisant hors du champ de son expérience)?
— Est-ce que l'action permettra de bien faire comprendre notre message, tant à l'adversaire qu'à la population en général?
— Est-ce que l'action sera amusante pour les participants?

— Est-ce que l'on a prévu des actions alternatives si le scénario privilégié ne fonctionne pas ?

— Avons-nous sollicité tous les appuis possibles ?

— Est-on assuré de pouvoir rencontrer l'adversaire sur un terrain où l'on se sent à l'aise et selon un échéancier que l'on contrôle ?

— Quelles sont les contraintes légales de l'action ? Il faut prévoir les difficultés et s'assurer que les ressources appropriées sont disponibles.

— Quels peuvent être les effets possibles d'une action ? Risque-t-elle d'entraîner un phénomène de réaction exagérée « over-reaction » ?

— Quelles sont les ressources matérielles nécessaires ?

— Peut-on prévoir immédiatement les suites d'une action ?

— Quel effet l'action aura-t-elle sur la base organisationnelle du groupe ?

Ces quelques questions, loin d'être exhaustives, permettent d'éviter l'activisme et la lutte contre des moulins à vent. Elles ne doivent cependant pas être un prétexte à l'inaction. Si le questionnement est une marque irréfutable d'intelligence, il peut aussi, chez certains, servir d'excuse à un refus d'assumer ses responsabilités. S'il faut attendre d'avoir réponse à tout avant d'intervenir contre l'oppression et l'exploitation, on risque de ne jamais se lever de son fauteuil car, à la limite, il y aura toujours la question infinie, celle à laquelle on ne pourra jamais répondre...

Les tactiques

Saul Alinsky a énoncé une série de règles qui lui servaient de guides dans l'élaboration de ses interventions. Alinsky se situe toujours dans le cadre d'un rapport de forces où les dominés tentent toujours d'obtenir plus de pouvoir, n'ayant comme seule ressource que leur nombre et à peu près pas d'argent. Les deux sources de pouvoir, selon lui, sont l'argent et les « hommes ». Sur cette base, la tactique est l'art de faire ce que l'on peut avec ce que l'on a. En s'inspirant du mépris d'Alinsky pour tout ce qui est dogme, nous devons souligner la relativité des règles qu'il propose, en fonction des contextes particuliers. Il faut savoir et pouvoir se raviser s'il y a eu erreur, tant sur l'objet visé que sur l'ampleur du rapport de forces nécessaire.

À titre d'information, nous présentons les règles de la tactique du pouvoir selon S. Alinsky.

Première règle : le pouvoir n'est pas seulement ce que vous avez, mais également ce que l'ennemi croit que vous avez.

Deuxième règle : ne sortez jamais du champ d'expérience de vos gens.

Troisième règle : sortez du champ d'expérience de l'ennemi chaque fois que c'est possible.

Quatrième règle : mettez l'ennemi au pied du mur de son propre évangile.

Cinquième règle : le ridicule est l'arme la plus puissante dont l'homme dispose.

Sixième règle : une tactique n'est bonne que si on a du plaisir à l'appliquer.

Septième règle : une tactique qui traîne trop en longueur devient pesante.

Huitième règle : il faut maintenir la pression par différentes tactiques ou opérations et utiliser à votre profit tous les événements du moment.

Neuvième règle : la menace effraie généralement davantage que l'action elle-même.

Dixième règle : une tactique vise à maintenir la pression sur l'ennemi pour provoquer ses réactions.

Onzième règle : en poussant suffisamment loin un handicap, on en fait un atout (ex. : résistance passive de Gandhi).

Douzième règle : une attaque ne peut réussir que si vous avez une solution de rechange toute prête et constructive.

Treizième règle : il faut choisir sa cible, l'isoler, la personnaliser et polariser sur elle au maximum.

Une fois prise la décision de s'engager dans une bataille, on doit affirmer que la cause défendue est bonne à 100% et que l'opposition a tort à 100%.

Les tactiques sont innombrables et l'imagination essentielle pour développer de nouveaux moyens efficaces et si possible agréables. On peut diviser les différentes sortes de tactiques en fonction des catégories suivantes : les affrontements à l'intérieur du cadre normatif, les infractions aux normes sociales et les infractions aux normes légales.

Les affrontements acceptables dans le cadre des normes sociales sont par exemple des débats publics, des luttes judiciaires et autres lieux de contestation apparentés. Ces moyens peuvent être utilisés à la suite de négociations négatives, comme c'est souvent le cas entre des parties qui doivent s'entendre sur une convention collective. Ces affrontements peuvent aussi prendre la forme de pétitions, de lettres dans les journaux, de manifestations, de piquetage, de conférences de presse, etc. Il peut aussi être fort rentable de compter avec les divisions internes dans le camp de la partie adverse : nous songeons ici de façon toute particulière aux différents partis politiques qui ne demandent pas mieux que de se nuire mutuellement.

Enfin, une autre forme de pression sur l'adversaire est la « sur-utilisation » d'un service ou le respect de certaines règles de façon stricte ou zélée. Les assistées sociales pourraient toutes appeler leur agent la même journée pour obtenir un rendez-vous. Des employés peuvent démontrer assez de zèle pour perturber sérieusement leur employeur.

Les infractions aux normes sociales sont d'une nature plus délicates et doivent être envisagées avec prudence. Pour faire des gains, il ne faut pas faire exprès de braquer une population. On pense immédiatement aux grèves, surtout dans le secteur public... En fait, ces moyens qui s'expriment par une non-coopération, ont comme objectif soit d'attirer l'attention du public, soit d'empêcher les forces adverses de fonctionner normalement. Une journée de solidarité nationale qui implique que chacun reste chez soi constitue un moyen particulièrement dramatique d'illustrer une cause. Inutile de dire que le coefficient de difficulté d'un tel moyen est des plus élevés. Le boycottage est un autre moyen bien connu, qui peut, à condition d'être bien organisé, déranger beaucoup. On pense ici au boycottage de certains produits maraîchers de Californie pour appuyer les revendications des travailleurs agricoles de cet État. Chez nous, le boycottage du code postal, des produits Cadbury, des pneus Firestone, sont autant d'exemples de cette tactique de lutte. Évidemment, le succès de tels moyens dépend essentiellement de la réponse du public.

Finalement, les tactiques peuvent être en violation des normes légales. Il faudra alors en peser soigneusement les conséquences pour les participants à une lutte. L'emprisonnement des chefs des centrales syndicales, il y a quelques années, constitue un des plus spectaculaires exemples d'une telle tactique. Il s'agit toujours d'empêcher la partie adverse de fonctionner, et/ou de la rendre odieuse. L'occupation d'un lieu public ou d'une usine est une violation des normes légales. Les bureaux des ministres sont des lieux privilégiés pour ce genre d'action. Refuser de payer ses taxes, refuser de circuler, perturber le déroulement d'un procès, peuvent valoir quelques ennuis à ceux qui s'adonnent à ces pratiques ; elles peuvent aussi favoriser l'obtention de gains importants.

Cette énumération de tactiques ne fait que donner une idée des moyens pouvant être utilisés dans la mesure où ils sont compris et acceptés par ceux et celles qui ont décidé de les employer.

La négociation

Pour tenter d'illustrer l'utilisation de tactiques dans le cadre d'une stratégie conflictuelle, nous croyons utile de décrire le processus de négociation dans un contexte d'action communautaire. Développée surtout dans le domaine des relations de travail, la négociation n'en demeure pas moins une méthode utilisée par les organisations populaires.

Les groupes sont souvent aux prises avec des représentants du pouvoir politique ou des bailleurs de fonds qui ne partagent pas leurs points de vue sur une foule de sujets tels que des législations, des projets de développement, des modalités de financement. Les organisations populaires ont souvent à négocier pour obtenir des avantages financiers ou des modifications législatives. Cependant, les contextes et les formes de négociation varient beaucoup. Saul Alinsky, qui a fait son apprentissage dans le mouvement syndical, relève plusieurs expériences de négociation d'où il a tiré ses méthodes en matière de tactiques. Dans ce livre, nous empruntons à la fois à son expérience et à celle du mouvement ouvrier québécois, lequel a établi des principes applicables à la négociation, quel qu'en soit l'objet.

Dans le contexte qui nous intéresse plus particulièrement, la négociation peut être le point de départ ou l'aboutissement d'une action collective. Nous la situons aussi dans un rapport conflictuel où les parties ont des objectifs différents mais sont liées par une même volonté d'en arriver à un accord.

La définition de la négociation qui est retenue est la suivante : un processus entre deux parties, avec une intention d'entente, sur un enjeu et un objet de désaccord. Mais, la négociation peut être sérieuse ou faussée dans la mesure où elle n'est qu'une tactique dilatoire ou une occasion d'exposer ses vrais objectifs à la partie adverse ou même au public. Pour les besoins de ce texte, nous supposons une négociation sérieuse qui devrait aboutir à une entente réelle. Nous devons aussi préciser que cette négociation peut être explicite ou implicite, c'est-à-dire par la voie de déclarations et de communications indirectes : chaque partie lance alors des « ballons-sondes » qui laissent supposer certaines positions, mais sans qu'il y ait confrontation « entre quatre yeux ».

Normalement, lors d'une négociation explicite entre une organisation populaire et une institution publique, un représentant du gouvernement ou une entreprise contrôlant des ressources économiques, deux facteurs doivent être pris en considération : les ressources des parties en présence et la formulation des demandes.

Pour qu'il y ait véritable négociation, il faut que les parties disposent de ressources qui leur accordent une certaine force. Les parties doivent donc pouvoir invoquer des sanctions sans quoi il n'y a aucune négociation possible. Les groupes populaires ont en général beaucoup moins de ressources que les autorités avec lesquelles ils négocient. Essentiellement, leur force tient à leur capacité d'ameuter l'opinion publique et/ou de perturber l'ordre, la paix sociale. Ils peuvent aussi disposer d'informations que la partie adverse préférerait ne pas voir rendues publiques... Enfin, ils peuvent opposer la légitimité de leurs revendications à l'arbitraire de la partie adverse.

Les administrations publiques et privées possèdent de nets avantages. Elles contrôlent les cordons de la bourse, elles ont accès à de l'information sur les groupes, elles disposent de la force, etc.

Pour augmenter son pouvoir de négociation, un groupe peut aussi mener une action à caractère dramatique. Celle-ci sert à mobiliser ses membres, attirer l'attention du public et indiquer sa détermination. C'est aussi une occasion de resserrer les rangs avant une période de négociation peut-être longue et ardue.

Il n'est pas question, dans le cadre de cet ouvrage, de donner une liste de moyens de lutte. Nous pouvons cependant souligner quelques tactiques d'intervention qui ont l'avantage d'être conformes à l'idée que l'on se fait généralement de la démocratie. Certains de ces moyens offrent aussi, à l'occasion, la possibilité de faire éclater certaines contradictions.

Par exemple, il peut être fort embarrassant pour une administration locale de voir un groupe s'adresser directement à un ministre pour dénoncer certaines formes de bureaucratisme tatillon ou d'inaptitude administrative. De la même façon, un conseil d'administration de C.L.S.C. pourrait à l'occasion se voir rappeler les valeurs qui sont véhiculées par l'établissement qu'il dirige. Certains fonctionnaires qui se targuent d'être sensibles aux préoccupations des milieux populaires peuvent se faire sérieusement questionner s'ils deviennent dans les faits les exécutants de certaines politiques répressives. Combien de propriétaires préféreront régler plutôt que de perdre leur temps devant le Tribunal du loyer ? Une pétition, une lettre aux journaux, sont aussi des moyens qui, s'ils sont utilisés à bon escient, sont susceptibles d'accélérer une négociation.

Enfin, la victoire va souvent à la partie qui peut tolérer les affronts, l'usure et une foule d'autres petits désagréments. Il faut faire preuve de beaucoup de force et de cohésion et démontrer que l'on est toujours prêt à passer à l'action. C'est ici que la structure d'information du groupe est importante. Il doit y avoir de bons canaux d'information entre les négociateurs et les autres membres du groupe ; ceci afin de permettre à ce dernier d'être continuellement impliqué. L'aller-retour est important car l'équipe de négociateurs doit sentir un appui total, lequel sera possible si les mandats sont clairs.

La partie adverse tentera de diviser les négociateurs. Elle invoquera la non-représentativité ou fera appel à la rationalité chez ceux qu'elle perçoit sensibles à certains types d'arguments. Il faut signaler particulièrement le danger d'avoir, parmi les négociateurs d'une organisation populaire, un intervenant ou un conseiller dont la formation universitaire ou les origines sociales le rapprochent des adversaires. Ces derniers feront appel à son « savoir supérieur », à son « sens des responsabilités » pour qu'il fasse comprendre le bon sens à ces « pauvres gens » qui ne comprennent rien aux contraintes institutionnelles. Il est parfois préférable que ce conseiller joue un rôle effacé afin de laisser le contrôle aux négociateurs représentatifs de l'organisation et du milieu.

L'organisateur communautaire à qui on a confié un mandat de conseiller doit tirer partie de cette « indépendance » pour garder la distance nécessaire à l'analyse et à la formation des membres du groupe sur le jeu de la négociation. Le groupe doit mener lui-même sa négociation, même si cela peut parfois s'avérer fort ardu. Il ne faut pas se laisser prendre au piège d'un langage technique qui peut détourner des vrais enjeux. L'important, c'est d'avoir les yeux fixés sur l'objectif réel du groupe et de tout tenter pour l'atteindre. On pensera ensuite à la paperasserie et aux technicalités.

La formulation des revendications joue un rôle important dans le processus de négociation. Souvent, le résultat final dépend plus de la formulation que du mérite des revendications. Le rituel veut que l'on exige 150% et que la partie adverse offre 50% du contenu d'une éventuelle entente. Pourquoi une telle distorsion ?

Faire des demandes extrêmes sert à compenser le tort d'être celui qui exige. Cela force l'autre partie à se situer. On demandera le gel des loyers, un réseau universel et gratuit de garderies, la gratuité scolaire à tous les niveaux, etc. La partie adverse, dans ces cas-ci l'État, se doit de répondre et d'expliquer les motifs de sa contre-offre ou de son refus.

Négocier à partir de positions extrêmes permet de tester les possibilités d'ouverture. Ce qui n'est pas dit ouvertement se révèle souvent important dans le jeu des négociations et les demandes, offres ou contre-offres, sont des indications des limites et des priorités de chacun.

Les offres et les demandes définissent donc les limites des échanges. Par exemple, le Front commun a demandé des salaires minimums de 100 $, 165 $, puis 265 $ pour une première année de convention, lors des négociations de 1972, 1976 et 1979. Ces exigences ont été satisfaites à la fin de chacune des conventions et ont constitué des gains importants non seulement pour les travailleurs et travailleuses du secteur public, mais aussi pour ceux et celles du privé et pour l'ensemble du mouvement populaire.

Dans la formulation des demandes il faut néanmoins prendre garde de ne pas trop exagérer. Le risque serait alors grand de passer pour des farfelus. L'exagération n'est pas toujours souhaitable; il faut savoir être honnête et crédible dans toute négociation. Il faut aussi se garder des atouts que l'on pourra utiliser au moment opportun. Ainsi, certaines demandes non prioritaires pourront éventuellement être laissées de côté, au profit de certaines autres, beaucoup plus importantes. Une exagération sur un point secondaire peut parfois entraîner un durcissement général et une fermeture à toute nouvelle concession.

Enfin, dans le cas de demandes connues du public, l'image de rectitude morale est toujours importante. Les demandes du Front commun concernant le salaire minimum étaient appuyées de chiffres sur le coût de la vie et étaient irréprochables au point de recueillir un appui général.

Un dernier élément à considérer est la contribution du groupe à la solution du problème dénoncé. Les groupes doivent-ils proposer des solutions à ce qui fait l'objet de leurs dénonciations? L'usager doit-il faire le travail de l'expert? Cela dépend d'un certain nombre de facteurs; cependant, une chose est certaine, il est hautement souhaitable de savoir ce que l'on veut et de connaître certaines hypothèses de solution. Peut-être n'est-il pas pertinent de confier ses « trouvailles » à ceux contre qui on se bat; il peut cependant s'avérer nécessaire d'en répondre devant l'opinion publique.

Quelques tactiques complémentaires

Toute négociation est faite de bluff et de pression. Cependant, elle peut se dérouler dans une atmosphère d'où ne sera absente ni la diplomatie, ni le tact. Ce qui est particulièrement important, c'est de prévoir le mieux possible les gestes et les réactions de la partie adverse; en d'autres termes, savoir anticiper. Il est donc essentiel de bien évaluer les objectifs de l'autre et de toujours savoir mesurer la qualité du rapport de forces. Celui-ci peut évoluer et il est important de saisir le moment opportun à une ouverture ou à une menace. Cependant, il faut être très prudent: un négociateur qui est prêt à concéder un point peut se refermer rapidement si une menace démesurée est formulée au mauvais moment.

Concernant les menaces, on ne répétera jamais assez qu'elles doivent être crédibles, c'est-à-dire proportionnelles à l'importance de l'enjeu et réalisables par ceux qui la brandissent.

Il est infiniment regrettable que nous vivions dans un monde où règne la tactique de la carotte et du bâton. Les hommes au pouvoir ont à maintes reprises manifesté leur incohérence en matière d'éthique et leur absence de scrupules lorsqu'il s'agit de faire triompher leurs intérêts partisans. Nous avons pu constater en certaines circonstances (octobre 1970, le référendum sur la souveraineté du Québec, les élections, etc.) jusqu'où certains pouvaient aller en matière de duplicité. Quant à nous, ce n'est pas un univers social qui nous convient; cependant, il ne faut pas être naïf ni angélique. L'intervention communautaire vise le changement; dans cette perspective, il ne saurait être question de nous faire rouler parce que nous n'oserions répondre à nos adversaires par les mêmes armes qu'ils n'hésitent pas à utiliser contre ceux qui menacent un tant soit peu la jouissance paisible de leurs privilèges et de leur pouvoir.

Ceci nous amène à une dernière considération : la formulation écrite de l'entente. On dit souvent que tout doit être écrit pour qu'il n'y ait aucun doute. Cependant, l'absence d'écrit officiel permet parfois des gains plus substantiels. C'est la mémoire (confirmée par des notes officieuses) du contexte qui éclaire le texte général de l'entente et qui permet d'obtenir des concessions qui ne peuvent être officialisées. Une position ferme sur la clarté du texte officiel devra exister s'il n'y a pas un climat de confiance ou d'autres circonstances (témoins crédibles) qui garantissent le respect de l'entente. Dans ce contexte, il est plus prudent de partir de la règle que tout doit être écrit.

La préparation de la rencontre de négociation est extrêmement importante. Un jeu de rôles peut même être utile à une bonne synchronisation des interventions des négociateurs. Il est souhaitable de désigner le porte-parole principal et de statuer sur la fonction de chacun des autres. Ainsi, dans certains cas, on divise les responsabilités selon le degré de compétence de chacun. Certains agiront comme présentateurs pour des dossiers particuliers alors que d'autres préciseront les aspects jugés particulièrement importants. Quelle que soit la division des tâches qui sera privilégiée, il demeure néanmoins fondamental de présenter une image de cohésion et de cohérence. Face à une incertitude, il est préférable de demander un arrêt de la rencontre afin de clarifier ses positions. Il faut demeurer maître du rythme et ne pas se faire imposer des contraintes de départ qui nuiraient, voire même handicaperaient sérieusement le déroulement de la négociation.

Or, c'est souvent dans un contexte difficile pour les groupes populaires que se déroulent des négociations ou des rencontres d'où l'importance de bien choisir le lieu où elles se dérouleront et le temps qui sera nécessaire, avant de les entamer. De toute façon, on ne doit pas se laisser intimider par l'allure générale d'un lieu, le décorum et les autres « bébelles » souvent utilisées pour impressionner. De la même manière, il ne faut pas se laisser piéger par le langage de nos interlocuteurs. Il est souvent facile de ne rien dire, mais en beaucoup de beaux mots... certains politiciens et technocrates excellent à ce sport.

Résumons-nous. Avant toute négociation, il faut bien définir : les demandes prioritaires et secondaires ; les limites acceptables et inacceptables de concessions ; les arguments à l'appui de nos demandes ; le degré de fermeté à maintenir ; les atouts et ce qui peut servir de monnaie d'échange ; les forces et faiblesses des parties en présence.

Le processus de négociation, comme mode d'action communautaire n'est pas institutionnalisé ; il est cependant appelé à se développer et il faut s'attendre à ce que les classes populaires aient à prendre partie de plus en plus, à mesure que l'État intervient dans la société.

Les groupes de défense et d'intérêts se développent et doivent pouvoir faire valoir leurs points de vue dans les forums où se débattent les grandes questions de l'heure et au niveau des instances où se prennent les décisions qui nous affectent tous.

Si nous ne voulons pas être l'objet d'une manipulation totale, nous devons développer une force et des mécanismes par lesquels nous influencerons les décisions qui nous affectent. La négociation est un de ces mécanismes mais il n'est réalisable que dans la mesure où nous représentons une force organisée importante, ou, à tout le moins, non négligeable.

L'art du repli

Nous n'aborderons pas très longuement ce sujet, étant donné que nous en avons esquissé quelques traits précédemment.

Il nous apparaît néanmoins important de rappeler que, contrairement à l'idéal olympique, ce qui nous intéresse dans une lutte, ce n'est pas de participer, mais de gagner. Les groupes et organisations populaires ne doivent pas pousser l'esprit sportif jusqu'à mener un combat en sachant très bien qu'ils vont le perdre ou, au minimum, qu'ils n'y gagneront rien.

Dans cette perspective, s'il advient que nous puissions présumer une défaite, il devient important de ne pas aller plus loin. Nous nous replierons donc. Il s'agira d'un repli tactique, dans la mesure où nous ne laissons pas à l'adversaire le plaisir de nous écraser. Dans le cas contraire, il ne faudrait plus parler de repli, mais de débandade.

Un repli n'est pas une défaite. C'est une tactique qui nous permet de revenir à des positions plus confortables sur la base desquelles nous pourrons poursuivre notre lutte et ajuster notre stratégie. Le meilleur exemple d'une occasion de repli : l'arrivée d'un contingent de policiers lors de l'occupation d'un édifice public.

Les aires de repli doivent être, dans la mesure du possible, établies au préalable. En ce qui concerne l'exemple précédent, cela pourrait être la location d'une salle publique où les membres et leurs amis se replieront pour participer à une fête ; ou encore, la tenue d'une conférence de presse au cours de laquelle serait dénoncée l'attitude d'un adversaire qui, plutôt que de négocier, appelle la police. Un événement comme celui que nous venons de mentionner peut même devenir un gain, dans la mesure où il offre la possibilité d'attirer l'attention publique sur notre lutte.

Lorsque l'on doit se replier, il est important que cela se fasse dans l'ordre et, si possible, dans la bonne humeur. Il est tout aussi nécessaire que les membres comprennent, dans de telles circonstances, qu'il ne s'agit pas d'une défaite, mais d'une étape dans leur lutte.

Les tâches

Lorsque nous avons parlé de l'organisation d'un groupe, nous avons insisté sur la nécessité de confier des tâches au maximum de gens possible. Dans le cadre d'une lutte, l'intervenant doit être d'autant plus préoccupé par la division des tâches que celle-ci est un puissant facteur de solidarité entre ceux et celles qui y sont impliqués. Or, le succès dépend pour une bonne part de la qualité de cette solidarité.

Ici encore, il n'y a pas de petites tâches. Que ce soit la participation à une chaîne téléphonique, la distribution de tracts ou la représentation du groupe en conférence de presse ; tous et toutes ont un rôle clé.

Deux mots permettent de bien cerner l'importance d'une bonne division des tâches : complicité et complémentarité. En effet, pour un membre, accepter de s'inscrire concrètement dans une lutte c'est faire acte de complicité ; c'est accepter de porter une part de responsabilité ; c'est donc affirmer par la même occasion l'importance qu'on accorde à la lutte.

Une division des tâches bien orchestrée peut aussi être l'occasion d'utiliser certaines tactiques intéressantes avec l'accord, bien entendu, des membres concernés. Par exemple : une distribution de tracts par des personnes d'âge mûr ou des gens dont la légitimité est grande peut être très profitable. Lors de la fameuse campagne de boycottage des raisins de la Californie, il arrivait de voir, à l'entrée d'un supermarché, quelques religieuses qui tendaient un feuillet explicatif aux clients. Inutile de dire que les gens étaient plus intéressés à en prendre connaissance que s'il se fût agi d'adolescents. L'occupation du bureau d'un député par des personnes âgées est certainement plus efficace que s'il s'agissait d'étudiants.

Quelle que soit la tâche qu'accepte d'accomplir un membre, il devrait aller de soi que celui-ci soit très bien informé de ce qu'elle implique.

Naturellement, il faut aussi tenir compte des habiletés naturelles ou acquises des individus lorsqu'il s'agit de distribuer les tâches. Tout le monde n'est pas également apte à représenter un groupe face à l'opinion publique; de la même manière, certains seront plus compétents à faire ressortir les aspects techniques d'un dossier face à une partie adverse bien préparée. Cela ne signifie pas qu'il ne faille confier les tâches de représentation et de négociation qu'aux « experts », bien au contraire. Cependant, il faut tenir compte des aptitudes de chacun et de la meilleure utilisation qu'on peut en faire.

Enfin, est-il utile de le dire, rien n'est plus détestable qu'un intervenant qui se dissimule derrière les autres, qui ne s'implique pas dans des travaux dit humbles, qui s'esquive au moindre danger. Vouloir jouer les « grands dirigeants » ou les « p'tits boss » n'a pas sa place dans une stratégie de lutte.

La solidarité

On ne le dira jamais assez : le carburant des groupes populaires, c'est la solidarité. Pas une solidarité formelle, exprimée du bout des lèvres et manifestée du bout des doigts; nous parlons de l'expression concrète de rapports de camaraderie et de partage entre égaux.

L'esprit de corps qui doit caractériser un groupe en lutte s'exprime en particulier par cette empathie à laquelle nous avons déjà fait allusion. Cette relation de solidarité se vit dans les détails, ou ce qui peut sembler tel. Par exemple : un de vos membres est hospitalisé. Avez-vous prévu un moyen de le tenir informé de ce qui se passe ? Avez-vous pensé lui confier certaines tâches : faire un ou deux téléphones, adresser des enveloppes... ?

L'empathie, c'est aussi tenir compte des craintes de certains membres; accueillir avec respect leur désir de ne pas s'engager ni en partie, ni même en totalité dans la lutte.

La solidarité c'est le contraire du jugement rapide, lapidaire.

Il y a quelques années, il nous a été donné d'entendre des travailleuses sociales juger avec un certain mépris des femmes membres de groupes populaires qui refusaient de s'associer à « leurs » activités du 8 mars. Plutôt que de se poser des questions sur la pertinence du genre d'activités qu'elles avaient organisées, plutôt que de comprendre les motifs des autres femmes, elles préféraient lancer des slogans du genre « Les murs de vos cuisines vous bloquent la vue sur le monde...! »

Respecter les craintes des autres et aussi leurs obligations ; voilà qui exprime une solidarité réelle. Avez-vous pensé que si une telle ne participe pas à la manifestation, c'est parce qu'elle doit s'occuper de ses jeunes enfants ? Pour un autre, ce sera sa condition physique. Certains membres refusent des tâches où ils doivent écrire ; avez-vous pensé que peut-être c'est parce que précisément, ils ne l'ont jamais appris ? D'autres ne parlent pas souvent ; c'est la gêne.

La solidarité, c'est aussi, si on n'est pas d'accord avec une lutte, respecter les décisions prises par la majorité. Nous ne sommes certainement pas tenus de nous associer à un combat auquel nous ne croyons pas. Par contre, nous ne sommes pas obligés de nuire à ceux et celles qui le mènent.

Bien choisir les cibles

Nous avons vu dans la partie traitant de la stratégie et des tactiques que la personnalisation et le choix des cibles constituaient des éléments importants de toute lutte. Nous y revenons ici parce que nous croyons qu'il faut insister sur ce sujet particulier.

D'abord, le choix. Bien choisir sa cible est une nécessité. Cela permet de concentrer ses énergies là où il le faut. S'attaquer à l'État est, admettons-le, une entreprise bien périlleuse pour un groupe ou une organisation populaire ; à dire vrai, c'est un contrat impossible à remplir. S'attaquer à un ministère, c'est aussi une entreprise fort ambitieuse puisque, dans les faits, une instance gouvernementale de cette envergure c'est n'importe qui et personne en particulier.

Comment alors identifier sa cible lorsque, par exemple, on s'attaque à l'État pour en dénoncer une politique. On peut le faire de deux façons : la première serait la manière politique. Dans ce cas, il s'agit de personnaliser la cible (le ministre, par exemple). L'A.D.D.S., en utilisant le mot d'ordre « Forget, paye ta dette ! » utilisait une tactique de cet ordre. La seconde serait de pointer du doigt un service précis ; par exemple, le service de l'Aide sociale.

Ce qui est important dans l'identification des cibles, c'est que, d'une part, elle ait un lien direct avec le problème soulevé et que, d'autre part, elle soit accessible. On pourrait ajouter qu'il faut aussi que la personne ou l'organisme visé soit en mesure de régler le problème. Dans certaines luttes où la solution ne peut être que politique, il apparaîtra parfois plus pertinent de s'adresser au Premier ministre qu'à celui qui est le responsable en titre du dossier. Dans la même veine, une association de locataires serait plus avisée de s'en prendre au propriétaire qu'au concierge.

L'identification d'une cible est liée à la démarche de recherche et d'analyse du milieu. La propriété d'une entreprise ou d'un immeuble n'est pas toujours évidente. Parfois, en grattant un peu, on se rend compte que le vrai propriétaire n'est pas celui qu'on croyait ou encore, qu'il y a plusieurs propriétaires, parmi lesquels il s'en trouve un qui est particulièrement vulnérable. Imaginons, par exemple, qu'un politicien soit copropriétaire d'une chaîne de taudis; il est bien évident que sa position politique peut le rendre plus vulnérable; il constituerait donc une cible à privilégier.

Le plaisir...

Nous croyons qu'il est important de prendre plaisir à ce qu'on fait. Même si cela peut sembler paradoxal, il est possible et même souhaitable qu'une lutte se mène dans la joie. Plusieurs groupes et organisations populaires ont retenu ce principe. Les manifestations des A.D.D.S. se font d'ordinaire dans la bonne humeur et en chantant. Est-ce donc que les membres de l'Association pour la défense des droits sociaux ne prennent pas leurs revendications au sérieux ? Bien sûr que non ! Ils ont cependant compris qu'une manifestation collective est un événement heureux puisqu'elle permet de vérifier la solidarité qui existe entre eux. Ils ont aussi compris que l'expression du plaisir d'être ensemble diminue les tensions qui accompagnent nécessairement une lutte. Les gens ne se battent pas pour satisfaire un quelconque besoin de chialer. Ils manifestent pour exprimer leur volonté de ne pas se laisser opprimer.

La plupart des intervenants savent jusqu'à quel point les gens détestent les slogans creux, le langage des bois et un fonctionnement de type martial. Par contre, ils aiment reprendre, en les adaptant, certains refrains populaires. Les marionnettes géantes, les instruments de musique, voire même la danse, peuvent permettre à un groupe de faire passer son message avec humour. Dans la plupart des cas, il rejoindra le public de façon beaucoup plus efficace.

Vue sous cet angle, la recherche du plaisir peut aussi être un élément tactique appréciable.

L'importance de la communication

Dans le cadre particulier d'une lutte, la communication revêt une importance capitale. Nous traiterons ici des deux niveaux où la nécessité d'une communication efficace se manifeste : entre les membres et avec les alliés ; avec les médias.

Nous avons vu précédemment que la démocratie dans les groupes et organisations populaires imposait le respect du droit des membres à savoir tout ce qui s'y passait. Il va de soi que, dans l'éventualité d'une lutte, ce principe doit s'appliquer avec encore plus de rigueur. Parmi les moyens qui semblent les plus évidents, il y a la tenue d'assemblées générales plus fréquentes, la mise sur pied d'une chaîne téléphonique, la diffusion d'un bulletin d'information. Dans certains cas, il pourrait même être possible d'utiliser la radio communautaire.

En fait, ces techniques de communication ne sont pas propres qu'au mouvement populaire ; le mouvement syndical les utilise abondamment. Lors des grèves, il faut nécessairement réunir les membres d'un syndicat à des périodes très rapprochées. C'est l'occasion pour ces derniers de prendre connaissance du déroulement des négociations, d'exprimer leur satisfaction ou non quant aux progrès enregistrés par les négociateurs, de voter éventuellement pour l'acceptation, en tout ou en partie, d'un contrat de travail, de se prononcer sur les tactiques de lutte.

La chaîne téléphonique permet de rejoindre rapidement l'ensemble des membres lorsque la situation l'exige. Un bon réseau téléphonique constitue une excellente arme dans l'arsenal d'un groupe en lutte. Il favorise l'implication de membres qui ne seraient pas autrement disponibles pour d'autres tâches. Il permet donc d'atteindre l'objectif de participation auquel nous avons fait allusion précédemment.

Quant au bulletin d'information, il favorise en particulier la diffusion d'une information privilégiée vers nos alliés.

Évidemment, notre choix de moyens de communication interne dépendra d'un certain nombre de facteurs tels que le nombre de membres faisant partie du groupe, l'ampleur de la lutte, l'étendue de nos alliances. Néanmoins, le principe reste le même : informer tous ceux qui ont à l'être, le plus rapidement possible.

L'utilisation des médias, électroniques et écrits, répond à un autre besoin : informer le public de nos revendications et du résultat de nos luttes.

Parmi les techniques de communication les plus utilisées, mentionnons : la conférence de presse, le communiqué, la ligne ouverte, l'intervention lors d'une émission d'affaires publiques. Même si la tactique de l'occupation d'un poste de radio ou de télévision a déjà été utilisée, par exemple sur la Côte-Nord, nous n'aborderons pas ici ce sujet.

Concernant la conférence de presse, nous soulignerons d'abord ce qui peut paraître une vérité élémentaire : si vous n'avez rien à dire, ne convoquez pas les journalistes. Ces gens-là ont autre chose à faire que d'entendre des banalités. Si vous jugez que ce que vous avez à dire est important, alors là, n'hésitez pas ; ou plutôt hésitez un peu, le temps de très bien vous préparer. Il est en effet primordial que votre dossier soit bien étoffé et que vos porte-parole le maîtrisent le mieux possible. Lors d'une conférence de presse, un journaliste consciencieux cherchera à comprendre l'intérêt que représente votre lutte pour un public saturé de nouvelles. Il vous posera des questions. Il s'agit pour vous de lui démontrer que vous êtes aux prises avec une situation intolérable et qu'il est important que les gens le sachent : quelques exemples judicieux, des chiffres explicites lui permettront de mieux saisir les enjeux du combat que vous menez. Normalement, vous devrez préparer un dossier de presse suffisamment étoffé pour que, s'y référant, le journaliste puisse y trouver la matière de son article.

Convoquer une conférence de presse exige un certain travail préparatoire. Il faudra savoir l'heure de tombée des différents médias, préparer le local, inviter des représentants des groupes alliés, etc. Si vous invitez des médias électroniques — radio et T.V. — il vous faudra prévoir des entrevues particulières. Normalement, on convoque les journalistes assez tôt dans la journée sinon ils ne pourront préparer leur article pour le journal du lendemain ou le bulletin de nouvelles de la journée.

Le communiqué de presse permet d'alimenter les médias en information. Il doit être rédigé en termes clairs et faire état d'éléments nouveaux. Naturellement, le communiqué doit être identifié et référer à un numéro de téléphone où on pourra rejoindre une personne responsable.

Si on aborde l'enjeu de votre lutte dans le cadre d'une ligne ouverte, il est important que vous interveniez. Il faudra alors que les membres chargés de cette tâche soient préparés en conséquence. Il ne faut pas oublier que, lors d'une ligne ouverte, le temps d'antenne est assez court. Si plusieurs personnes interviennent, il serait souhaitable qu'elles ne reprennent pas toutes le même message mais plutôt qu'elles ajoutent de l'information ou précisent ce que les autres ont dit.

Participer en studio à une émission d'affaires publiques exige une très bonne connaissance du dossier. Ce prérequis est d'autant plus nécessaire si vous êtes confronté à un représentant de la partie adverse. Il ne faut pas non plus oublier que la télévision transmet une image et que celle de l'individu qui vous représente devient celle de tout le groupe.

Les limites de ce livre nous imposent de ne pas traiter plus en détail de cet important sujet qu'est la communication. Nous croyons cependant que tout intervenant aurait le plus grand intérêt à consulter une littérature spécialisée sur ces questions.

Le bilan des interventions

Si la planification d'une intervention collective est importante pour avoir des chances de réussir, le bilan est aussi fondamental pour tirer les acquis d'une action et ainsi mieux préparer la suivante. L'évaluation des luttes populaires est malheureusement souvent mal faite et les erreurs se reproduisent dans un domaine où les réussites ne sont pas des plus nombreuses. Les organisations populaires ont traversé différentes périodes qui ont plus ou moins favorisé l'évaluation de leur action : activisme effréné, repli sur soi et bilan à outrance menant à plusieurs liquidations. Dans la mesure où un bilan part des objectifs du groupe, il y a toujours un biais politique et cela influence évidemment les conclusions, mais on peut tenter de se donner le maximum d'outils pour arriver à une rigueur et à une précision qui permettront de dégager les pistes d'action ouvertes à l'organisation. L'analyse doit donc respecter un certain cadre pour ne pas tomber dans le subjectivisme purement politique ou psychologique. Il ne s'agit pas d'une session d'autoflagellation ni de justification, mais une analyse critique de tous les facteurs déterminants par rapport aux objectifs de l'organisation.

Plusieurs grilles d'analyse existent pour faire un bilan, mais deux considérations préalables sont importantes : un bilan doit être fait collectivement avec les participants à la lutte ou à l'intervention. Des personnes extérieures à l'action sont parfois essentielles pour maintenir un certain recul objectif, mais il doit y avoir des acteurs afin de maîtriser les faits. Deuxièmement la présence des acteurs est d'autant plus importante que ce sont eux qui doivent se former à l'action et donc à l'évaluation de celle-ci. Ce sont les militants de l'organisation qui doivent poursuivre le travail et tirer les acquis du bilan donc ils doivent être parties prenantes à l'évaluation pour bien assurer la continuité, malgré des tournants importants. C'est donc dans une optique d'éducation que le bilan se fait au profit de l'organisation et des militants. Un bilan fait par des intellectuels seuls hors de l'action n'aurait sans doute que très peu d'impact.

Ceci dit, plusieurs grilles ont été utilisées et il n'y a pas de recette miracle. Tout dépend de ce que l'on veut et les moyens que l'on a pour le faire. Le temps, le nombre de personnes impliquées, la formation des personnes, le rythme de travail, la mise en commun des tâches, le recul par rapport à l'action évaluée, les besoins futurs de l'organisation sont tous des facteurs à retenir dans la préparation d'un bilan. Certaines organisations se sont perdues dans des bilans qui ont exigé un arrêt des activités pendant plusieurs mois. Cela peut être nécessaire et salutaire mais risque d'être très démobilisateur. Il faut donc s'en tenir à une dimension facile à maîtriser pour tous ceux qui sont concernés et qui risque de donner des résultats, au moins à moyen terme. On parle donc d'une opération de quelques semaines ou mois avec quelques journées de temps forts pour des mises en commun.

On peut aussi faire des bilans sommaires en une journée de réunion avec un minimum de préparation mais cela risque de ne pas donner de résultats autres que des réajustements en cours d'action. Un bilan doit se préparer et impliquer des gens qui seront stimulés par l'exercice, indépendamment de l'évaluation négative de l'impact.

Il est donc important de bien définir les bases de l'analyse et que tous s'entendent suffisamment sur la démarche pour en reconnaître la validité. Un bilan est toujours l'occasion de tiraillements internes et il est important de maintenir un niveau d'objectivité et de souplesse qui puisse permettre à la démarche d'aboutir. Un climat d'ouverture et de confiance est essentiel surtout s'il y a des divergences politiques sérieuses parmi les militants de l'organisation : il ne faut donc pas perdre de vue l'objectif ultime d'un bilan qui est de permettre de poursuivre le travail de lutte.

Quelques éléments importants pour faire un bilan

Un bilan c'est l'analyse et l'évaluation de l'impact d'une action en regard des objectifs fixés au départ (ceux-ci sont parfois très mal définis) et de la conjoncture interne et externe à l'organisation. Cela nécessite donc un portrait le plus complet possible de la conjoncture et de la séquence des événements engendrés par l'organisation et l'institution (publique ou privée) visée.

Il faut donc un certain temps pour ramasser toutes les données. Cette opération peut facilement se faire collectivement à l'aide d'un tableau sur lequel on inscrit les faits. La mémoire collective permet de tracer un ensemble complet, chacun ayant participé à un degré différent et sur des aspects différents. Lorsque l'on parle de démarche collective préparatoire, il s'agit de groupes de travail de 15 personnes au maximum. On pense donc au noyau le plus actif qui a suivi l'ensemble de la lutte. On peut multiplier les groupes dans le cas d'une implication plus nombreuse de militants mais cela devient plus fastidieux; il est assez rare d'ailleurs que la préparation des bilans implique beaucoup plus de personnes que les noyaux organisateurs.

Il peut être important cependant de consulter des personnes qui ont participé de façon un peu marginale de façon à avoir une perception différente des événements et surtout de la manière dont l'organisation a réussi ou pas à mobiliser des éléments extérieurs au noyau militant. Lorsqu'il y a eu coalition ou appui de solidarité, il devient très pertinent d'avoir des témoignages ou d'intégrer dans le processus même du bilan des personnes membres de d'autres organisations.

Une fois l'ensemble des faits établi et situé, il est nécessaire de faire l'analyse comme telle, c'est-à-dire d'établir les liens de cause à effet entre les éléments du portrait. C'est ici que l'évaluation se fait et que les biais politiques, et donc les conflits, peuvent le plus influencer les conclusions. Selon la lecture que l'on fait des événements, il peut y avoir des suites différentes, toujours au nom de l'intérêt de l'organisation. Lorsque l'on évalue des rapports de forces et des degrés d'impact, il est facile, malgré toute la rigueur de la méthode, de tirer des conclusions variées mais plus le portrait est précis, plus l'évaluation le sera et plus les pistes d'action s'imposeront. Il faut aussi comprendre l'intérêt des bilans non pas seulement pour l'organisation qui les fait, mais pour tout le mouvement populaire qui peut en tirer les acquis.

Cette étape d'analyse peut se faire par le noyau qui a commencé, ou peut être soumise par un sous-comité plus restreint qui rédige un document de travail pour discussion. On peut aussi soumettre un rapport d'étapes à une instance démocratique plus large de l'organisation telle qu'un conseil d'administration ou même une assemblée générale. Une discussion en atelier peut se faire à partir d'un simple portrait ou d'une analyse complète laissant place à l'élaboration des pistes à suivre. Ces façons de procéder sont certainement plus expéditives, et permettent de faire débloquer une démarche laborieuse à démarrer, mais elles sont beaucoup moins riches au plan de l'apprentissage. Elles risquent aussi de ne pas être aussi mobilisantes dans la mesure où le document produit n'est pas le fruit d'un effort collectif aussi large. Par contre, on peut y regagner en cohérence et en clarté de l'analyse, un texte collectif étant souvent le résultat de compromis. Le souci de prise en main par les membres de l'organisation doit se traduire par des possibilités de participer le plus possible au bilan lui-même et au débat sur les suites à y donner. Il faut par contre respecter un minimum de rigueur pour maintenir l'efficacité de la démarche. Tout le monde ne peut pas et ne veut pas être partie de toute la démarche donc, le souci de démocratie exige une bonne information sur le portrait et une participation à la discussion et à la décision sur les orientations à dégager. Ainsi, la maîtrise des conséquences du bilan n'échappe pas aux membres alors que la cuisine de préparation et de rédaction ne leur incombe pas. Ce seront toujours les militants les plus actifs qui devront le prendre en charge : ils doivent donc savoir se faire encadrer par les instances démocratiques plus larges.

Le départ de l'intervenant

S'il est important de savoir s'insérer dans un milieu, il l'est tout autant de ne pas rater sa sortie.

Comme nous l'avons mentionné à plusieurs reprises, certains intervenants, sans doute la plupart, quitteront un milieu après quelques années de travail auprès d'un groupe. Ce départ devrait être le résultat d'un travail bien fait qui aura, entre autres, permis la structuration du groupe, le développement de l'autonomie des membres et l'émergence d'un leadership capable d'accomplir les tâches du professionnel de l'intervention.

Un autre motif pourra aussi justifier le départ de l'intervenant : la nécessité de prendre du recul par rapport à son travail, de se refaire une santé surtout sur le plan de l'équilibre nerveux. Il est en effet connu que le travail dans un cadre conflictuel entraîne de très fortes tensions ; il est donc inutile d'outrepasser les limites de sa résistance.

Quel que soit le motif qui justifie un départ, il faut que celui-ci se fasse sans heurts, de façon graduelle et sereine. Cela veut dire que les gens avec lesquels vous travaillez doivent être prévenus suffisamment longtemps à l'avance, de sorte qu'ils puissent se familiariser avec l'idée de votre absence et prendre les dispositions qui s'imposent.

Il est fort probable que vous aurez développé des amitiés dans le milieu. Ayant vécu des événements heureux et malheureux avec vous, les gens vous auront adopté ; vous ferez partie de la famille. Cette réalité commande que vous ne rompiez pas les liens de façon abrupte. Une visite de temps en temps, une lettre, pourraient permettre le maintien de certains liens souhaité de part et d'autre.

Par contre, rien n'est plus rasant qu'un intervenant qui joue les « grands dirigeants en exil ». Si vous décidez de partir, partez ! Il arrive parfois que certains se jugent tout à fait légitimés de continuer à intervenir dans un groupe ; ce genre de paternalisme ou de maternage risque non seulement de compliquer la tâche de celui ou de celle qui vous aura remplacé, mais aussi de miner ce que vous aurez accompli.

Il va de soi que, sauf en raison de circonstances incontrôlables, un intervenant ne doit pas laisser tomber un groupe en plein cœur d'une lutte ou alors que le groupe est encore fragile. Il existe une éthique de l'intervention communautaire et il faut savoir la respecter. Un intervenant qui ne se soucie pas des conséquences de ses gestes risque non seulement de nuire à un milieu, mais aussi de contribuer à discréditer l'ensemble des intervenants et à démobiliser des gens. Ces propos vous sembleront peut-être tenir de l'évidence, mais, là encore, l'histoire nous apprend que les bonnes intentions ne sont pas toujours suffisantes.

Célébrer les victoires et panser les blessés

L'intervention communautaire est l'occasion de victoires et de défaites. Dans le premier cas, il est tout à fait légitime et même souhaitable de fêter. Il faut alors s'organiser pour que tout le monde soit de la fête et non une poignée de militants seulement. Il est toujours pénible pour les membres de voir une clique se mijoter un petit « party » dans quelque brasserie du coin alors que les autres s'en retourneront chez eux déçus et amers. Dans de telles circonstances, n'importe qui aurait l'impression de ne pas vraiment faire partie de la « gang », d'être du matériel juste bon à mobiliser à l'occasion.

Si la victoire est acquise, pourquoi ne pas louer une salle ou tout simplement convoquer tous les membres au local pour une petite fête. Il faudra alors penser à la garde des enfants, à inviter nos alliés ; en d'autres termes, à maximiser la possibilité de participation de ceux et celles qui auront contribué aux succès du groupe.

Au risque de passer pour d'incorrigibles optimistes, nous croyons qu'il n'existe pas de défaites totales, pas plus d'ailleurs qu'il n'existe de victoires complètes. Dans le cas de ce qui pourrait être considéré comme une défaite, il est important que vous sachiez relever les gains mineurs : solidarité plus grande, connaissance par le public d'une situation que vous dénoncez, démonstration des contradictions, développement d'un réseau de sympathie, etc.

De plus, il faut aussi considérer le fait qu'une défaite apparente peut éventuellement se transformer en victoire. Le contraire est aussi vrai et nous n'en voulons pour preuve que l'effondrement du Parti libéral quelques années après avoir obtenu 102 sièges à l'Assemblée nationale.

Par ailleurs, il faut savoir qu'une défaite, même relative, entraîne un certain nombre de conséquences, particulièrement au niveau du moral des troupes. L'intervenant doit être capable de parler aux membres, de les stimuler, de leur faire garder confiance.

Victoire ou défaite relative, l'action du mouvement populaire n'en continuera pas moins. Il ne sert à rien de gratter ses plaies trop longtemps ; mieux vaut, le plus tôt possible, retrousser ses manches en vue d'un autre combat dans cette longue lutte en faveur de la justice et de la dignité.

Action communautaire et action politique

À plusieurs reprises dans ce livre, nous faisons allusion à la sphère politique. Cela est bien normal car toute lutte du mouvement populaire est une lutte politique. La chose peut ne pas toujours sembler évidente, mais, quand on y regarde d'un peu plus près, on constate que le seul fait de se réunir pour tenter d'améliorer nos conditions de vie constitue un acte politique.

Cependant, il faut bien voir que l'action communautaire et l'action politique sont deux formes de pratiques qui n'obéissent pas aux mêmes lois. C'est pourquoi nous avons dit et répétons qu'il ne faut pas mêler les genres. Le mouvement populaire est un mouvement large et démocratique. On y retrouve des gens qui professent différentes religions et idéologies, et des gens qui se réclament de différents courants ou formations politiques. Que l'on soit croyant ou athée, libéral, social-démocrate ou socialiste, marxiste ou chrétien (ou les deux à la fois), on peut faire partie d'un groupe ou d'une organisation populaire. Vouloir aplanir ces différences par une opération de l'esprit relève de l'idéalisme le plus pur et souvent le plus néfaste.

En d'autres termes, les intervenants doivent respecter les croyances des gens avec qui ils travaillent. Cela ne signifie pas l'indifférence ou l'absence de débat mais renvoie plutôt à une méthode d'intervention par laquelle s'exprime une conception de la démocratie qui permet l'expression des intérêts de la classe ouvrière et des couches populaires de notre peuple.

Le mouvement populaire est un lieu d'apprentissage ; c'est aussi un lieu de libération. Dans le cadre des luttes qui s'y mènent, les gens élèvent leur niveau de conscience, se frottent au Pouvoir, constatent les inégalités et se rendent compte que les véritables solutions passent par des changements très substantiels de la structure socio-politique et économique de la société. Beaucoup en arrivent à considérer la nécessité d'un engagement à un autre niveau, soit celui du politique. Ce cheminement est parfois long et difficile. Il ne sert à rien, bien au contraire, de vouloir l'accélérer par des mises en situation artificielles.

L'« entrisme », dans le mouvement populaire, est une pratique détestable. Vouloir imposer « sa ligne politique » ne conduit qu'à des culs-de-sac fort pénibles. En matière d'intervention politique, l'histoire nous a laissé de riches acquis ; à nous de ne pas les oublier.

QUATRIÈME PARTIE

Le fonctionnement des groupes

Le travail de l'intervenant communautaire, comme nous l'avons vu dans les chapitres précédents, nécessite, pour être productif, une bonne dose de savoir-faire et de connaissances. Nous avons insisté sur l'importance de la recherche et de l'analyse du milieu comme conditions préalables à toute intervention. Dans la partie de ce livre consacrée à la lutte, nous avons souligné l'importance d'improviser le moins possible et d'accorder la plus large place à l'initiative des membres. Dans cette dernière partie, nous traiterons surtout de la dynamique interne des groupes et des «techniques de travail» qui permettent d'éviter de sombrer dans l'anarchie.

Nous aborderons aussi des questions aussi importantes que la dissolution d'un groupe et l'épineux problème du financement.

7

La démocratie interne

Les niveaux de participation

L'intervenant qui cherche à susciter une conscience de groupe chez les participants peut y parvenir dans la mesure où il réussit à faire circuler l'information entre les membres du groupe. L'information au niveau des idées bien sûr, mais aussi au niveau du fonctionnement du groupe et au niveau des personnes, dans la mesure où cela s'avère utile.

Pour faciliter la tâche de l'animateur, on distingue trois niveaux de participation qui commandent, chacun, des techniques particulières (nous verrons ces techniques en détail au chapitre 8): le niveau du contenu, le niveau de la procédure et le niveau socio-émotif.

Le niveau du contenu

Dans un groupe de tâches ou de discussions c'est l'objectif poursuivi qui sert de catalyseur et permet la cohésion du groupe. Les idées qui seront échangées entre les participants et leurs opinions sont donc de première importance. Il est aussi important que les idées circulent bien et que les participants comprennent la pensée de chacun. L'animateur doit donc être attentif à cette dimension, veillant à ce que l'information circule librement, chacun se sentant écouté lorsqu'il parle.

Le niveau de la procédure

Pour que les idées circulent bien dans le groupe il est important que les procédures du groupe — procédure de discussion et procédure de prise de décisions, s'il y a lieu — soient bien définies et acceptées par tous les participants. L'animateur doit donc veiller également à ce que les questions de procédures soient formulées et solutionnées dans le groupe. Il peut lui-même suggérer des procédures : lever la main avant de parler, par exemple, ou au contraire parler librement sans lever la main. Il peut aussi demander aux participants de participer à l'élaboration des procédures. De toute façon il doit voir à ce que l'information circule librement dans le groupe à ce niveau.

Le niveau socio-émotif

Dès qu'un certain nombre de personnes poursuivent ensemble un objectif commun, il est inévitable qu'il se crée occasionnellement des tensions et des conflits mineurs au cours de la discussion. Souvent la charge émotive qui se développe à cause des différences de points de vue ou de mentalités paralyse le travail du groupe. C'est donc le rôle de l'animateur de veiller à maintenir dans le groupe un climat favorable à la discussion. Il y parviendra dans la mesure où il fera circuler l'information sur ce que ressentent les participants concernant le fonctionnement même du groupe et concernant les différents types de participants qu'il rencontre dans le groupe.

Très souvent les animateurs manquent leur coup parce qu'ils ne tiennent pas compte de l'un ou l'autre de ces trois niveaux de participation. Une erreur systématique de certains animateurs est d'essayer de mettre hors d'ordre tout ce qui ne concerne pas les idées et les sujets à l'agenda. La qualité d'un animateur se mesure à sa capacité de suivre le groupe aux trois niveaux de participation, faisant circuler l'information là où c'est nécessaire et conservant l'équilibre entre l'efficacité et les échanges interpersonnels.

et nos émotions...

Le permanent ou la personne-ressources d'un organisme travaille d'arrache-pied à structurer, à trouver de l'argent, à animer les réunions ; il est convaincu que tout marche bien quand tout d'un coup survient une série de démissions ou bien que le travail qui, semble-t-il, avait été décidé en groupe n'a pas été exécuté. Que s'est-il donc passé ? Tout avait été pourtant démocratique et puis la tâche concernait les intérêts objectifs des membres. À n'en pas douter, il y a eu un accrochage affectif.

Ce domaine est, pour beaucoup d'entre nous, comme la face cachée de la lune. On en devine l'extrême importance mais on ne sait comment y intervenir. Surtout que l'affectivité est extrêmement interrelationnelle, autrement dit, l'affectivité du groupe est reliée à la sienne tant à propos de la perception que de l'échange. De là, la possible culpabilité, le retour douloureux sur soi si ça n'a pas bien été.

Par ailleurs, nous sommes peu habilités à naviguer dans ces eaux troubles. Nos résistances prennent maintes formes comme d'affirmer que l'on verse dans le psychologisme si l'on se préoccupe d'affectivité; qu'à force de travailler ensemble, on va finir par s'entendre car on a les mêmes objectifs; que les plus forts ou les plus équilibrés parviendront à prendre le dessus.

Nous reviendrons peu sur des notions telles que l'authenticité, la congruence, la valorisation d'autrui et autres attitudes généralement considérées par les spécialistes comme fondamentales dans la vie affective. Demandons-nous plutôt pourquoi l'autre ou les autres font partie de l'organisme et à partir de cela quel rapport il est loisible d'avoir avec eux. Nous savons que les gens adhèrent à un organisme populaire pour satisfaire certains besoins, comme par exemple: rompre avec la solitude, obtenir de l'information ou une aide en vue de la solution d'un problème, obtenir un service précis, profiter de certains avantages matériels, etc. Ces motifs constituent, pourrait-on dire, la base primaire d'adhésion.

Dans un deuxième temps, et dans la mesure où les premiers besoins auront obtenu un minimum de satisfaction, certains individus voudront s'associer à la démarche collective du groupe, y jouer un rôle. Ils deviendront des membres et des militants. Les rapports affectifs entre les membres d'un groupe s'établiront et se développeront au fur et à mesure de l'intégration d'une personne au groupe. C'est pourquoi il est important que chaque groupe ou organisation se dote d'une structure d'accueil favorisant la participation du membre.

Nous avons vu tout au long de ce livre, l'importance que l'on doit accorder à l'individu, à sa valorisation. Un groupe sera d'autant plus fort que chacun des membres saura qu'il est important et que sa contribution est appréciée.

La qualité des rapports affectifs tient à plusieurs facteurs; certains étant parfois forts subtils. L'intervenant doit apprendre à connaître ceux et celles avec qui il travaille. Il doit être capable d'apprécier la situation personnelle de chacun et tenir compte d'un ensemble de faits dans ses rapports avec les individus. Par exemple, il ne faut pas exiger autant de disponibilité de la part d'un membre dont les responsabilités personnelles sont grandes (jeunes enfants à la maison, travailleurs salariés, etc.). Il faut aussi se préoccuper de l'état de santé de chacun : on n'entraîne pas une personne cardiaque dans une manifestation ; par contre on peut lui confier des tâches de soutien. De la même manière, on doit respecter la timidité des uns, la difficulté d'élocution des autres, etc. En d'autres termes, il ne faut jamais placer les individus dans des situations où ils pourraient être humiliés ou dévalorisés.

L'affectivité entre les personnes commande parfois que l'on ait le courage d'une franche explication. Elle implique aussi que l'on soit capable de reconnaître ses torts. Nous ne sommes certainement pas obligés d'être les amis intimes de tout le monde, cependant, étant donné la nature et les objectifs des groupes populaires, la solidarité commande que nous tenions compte des rapports affectifs comme étant source de rupture ou de consolidation.

Quelques groupes importants ont connu des difficultés internes de taille parce que certains leaders en étaient arrivés à ne plus pouvoir se sentir. Ces situations pénibles ne sont pas de nature à servir les intérêts du mouvement populaire. Il faut apprendre à les éviter.

Chacun sa place et une place pour chacun

Rien n'est plus malsain pour un groupe qu'une distribution de tâches qui fait porter à quelques-uns le poids de tout le travail. Une telle situation est néfaste à deux niveaux : d'une part, ceux qui font le travail seront très vite débordés et, d'autre part, ceux qui n'ont rien à faire perdront vite intérêt aux activités du groupe.

La distribution des tâches est certes un des aspects les plus importants dans l'établissement d'une dynamique de groupe intéressante et d'un climat de solidarité réel. C'est d'ailleurs une des raisons qui font de la formation une des activités privilégiées des groupes et organisations populaires. Par elle, les membres acquerront les habiletés qui leur font défaut et qui leur permettront d'accomplir les tâches d'organisation, de comptabilité, d'information et d'encadrement sans lesquelles un groupe ne peut fonctionner très longtemps. Un groupe populaire n'est pas une institution de l'État pour ne compter que sur une poignée de spécialistes sans qui rien n'arrive. De plus, les membres seront d'autant plus intéressés qu'ils pourront se valoriser en tant qu'individus dans des tâches qui leur conviennent et qui sont utiles.

Par contre, il ne faut pas verser dans une espèce de populisme selon lequel il suffirait de faire partie de la classe ouvrière et des couches opprimées du peuple pour automatiquement être habile dans tout.

S'assurer qu'un membre est capable de remplir une fonction n'est pas une valeur bourgeoise ; c'est plutôt une façon de ne pas le placer en situation d'être l'objet de critiques inutiles. Formation des membres et distribution de tâches vont de pair. Ce sont deux facettes de la démocratie interne d'un groupe.

Il n'y a pas de petite tâche

Personne ne niera le plaisir que l'on ressent à être le porte-parole d'un groupe, à voir son visage à la télévision, à entendre sa voix à la radio, à côtoyer un président de centrale syndicale sur une estrade. Plaisir et importance accordés à sa personne sont deux conséquences d'une fonction de représentation. Pourtant, les porte-parole des groupes ne seraient rien si ce n'était du travail accompli par tous les membres.

Plusieurs d'entre nous avons été actifs dans des groupes où cette fonction était réservée à un individu qui se préparait de cette manière une éventuelle carrière politique. Dans d'autres cas, les fonctions les plus « reluisantes » étaient monopolisées par un ou deux permanents particulièrement bien au fait des dossiers de lutte.

Les femmes, dans les groupes et organisations ont souvent noté une certaine tendance à être confinées à des tâches que les hommes fuyaient, comme par exemple : adresser des enveloppes, faire le ménage, préparer les repas collectifs, etc. Notre expérience révèle que ces critiques sont tout à fait justes et que si certains changements peuvent occasionnellement être observés, la situation, dans les groupes et organisations mixtes, n'évolue que très lentement...

Ces deux exemples illustrent que les tâches, dans les groupes populaires comme ailleurs, ne sont pas toutes valorisées de la même manière. L'intervenant doit encourager les membres à considérer qu'il n'y a pas de petite tâche et qu'un groupe populaire n'est pas un lieu où doivent se reproduire les inégalités d'une société de classes. Il n'est écrit nulle part qu'un diplômé d'université doive s'abstenir de laver la vaisselle. De la même manière, il n'existe pas de loi qui interdise à une femme de quartier populaire d'être la représentante de son groupe lors d'une rencontre avec le député local ou lors d'une réunion « au sommet » avec des représentants du mouvement syndical en vue de l'organisation d'un front commun.

Sur un plan strictement tactique, un groupe en lutte, ou un groupe de défense aurait tout intérêt à avoir plusieurs représentants habilités à aborder un dossier particulier. Cela crée l'impression d'une organisation sérieuse, bien structurée, où les membres savent de quoi ils parlent.

Un groupe devrait aussi tenir compte de sa composition sociale et de celle de la communauté dont il défend les intérêts. Comme nous l'avons déjà souligné ailleurs dans ce livre, il n'est pas convenable qu'un groupe de défense des intérêts des bénéficiaires de l'Aide sociale soit représenté par d'autres personnes que des assistés sociaux. De la même manière une organisation de jeunes doit être dirigée et représentée par les individus qui la composent. À ceux qui pourraient voir dans ce point de vue l'expression d'un certain antidémocratisme, nous nous permettons de suggérer d'étudier attentivement la composition sociale de l'Assemblée nationale, de la Chambre des communes, des chambres de commerce, ou de toutes les autres instances qui ont pour tâche de servir les intérêts des classes dominantes.

Bref, dans un groupe populaire, les tâches ne devraient jamais être distribuées ou assumées par des membres sur la base de leur sexe, de leur âge, ou d'un jugement sommaire sur leurs capacités intellectuelles et autres. Elles devraient au contraire faire l'objet de décisions démocratiques, en ayant comme souci premier la valorisation des individus et leur capacité réelle à assumer une responsabilité. Cela signifie qu'à la limite, certains qui se croient destinés aux plus hautes fonctions pourraient se voir confier des tâches plus effacées, mais tout aussi importantes.

La solidarité

Même si ce mot est largement galvaudé, il n'en demeure pas moins que la réalité qu'il recouvre constitue l'âge des groupes et organisations populaires. L'absence de solidarité dans un groupe signifie sa mort à brève échéance ; c'est donc dire toute l'importance qu'il faut lui accorder.

Solidarité et démocratie se complètent l'une l'autre pour garantir aux mouvements populaires sa dynamique et sa crédibilité. Cela signifie que, concrètement, les membres d'un groupe s'uniront dans le cadre d'une lutte pour former une force significative. À l'occasion, comme c'est le cas pour le Front commun des assistés sociaux du Québec, les groupes, oubliant les querelles idéologiques qui trop souvent les divisent, s'uniront en une organisation large, capable d'affronter une situation difficile.

La solidarité, c'est aussi une foule d'actes qui témoignent tant de l'honnêteté des gens que de l'importance réelle qu'ils accordent au groupe. Ce sera un permanent qui continuera de faire son travail même si le groupe ne lui verse plus son salaire parce qu'il est à court d'argent. Cela s'exprime aussi par la participation aux assemblées générales et aux comités de travail. Un membre est hospitalisé ? On s'en occupera d'une façon particulière, en s'assurant qu'il continue d'être informé ; on s'occupera de ses enfants. La solidarité dans les faits, c'est cette militante d'un groupe populaire de Hochelaga-Maisonneuve qui accepta de loger chez elle la famille d'un autre membre qui avait tout perdu lors d'un incendie.

La solidarité c'est aussi tenir compte des autres, de leur réalité, de leur niveau de conscience. La manipulation, le sectarisme et plusieurs autres manifestations d'infantilisme politique ont failli conduire plusieurs groupes à la faillite et pourtant, plusieurs de ceux qui s'adonnaient à ces pratiques brandissaient l'étendard de la solidarité à tout propos ; cela exprime le côté un peu paradoxal de la solidarité : solidaire de qui... ?

La solidarité est à ce point importante que les policiers de toute provenance, lorsqu'ils veulent déstabiliser un groupe, cherchent à la briser de toutes les manières : manipulation, infiltration, chantage, etc. Ils savent bien, eux dont la tâche est de défendre un État, que plus les membres d'un groupe seront divisés, plus faible sera ce dernier.

Les « petits boss »

Chaque groupe connaît un ou quelques individus que l'on se plaît à qualifier de « petit boss ». Dans bien des cas, ce trait de caractère n'entraîne pas de dommages sérieux dans le groupe. Les membres auront d'ailleurs tendance à tenir compte de cet aspect de la personnalité de l'individu lorsqu'il s'agit de déléguer les responsabilités et éviteront de donner aux « petits boss » l'occasion d'exercer leur goût maladif pour le commandement.

L'intervenant devra, à l'occasion, remettre ces personnages à leur place ; d'autant plus qu'ils ont tendance à se tenir proche des individus qu'ils considèrent comme ayant du pouvoir et de l'autorité. Dans une réunion, le « petit boss » aura tendance à intervenir souvent, et pour dire aux autres quoi faire et comment. À la longue, il se fera mettre à sa place par les autres membres. Même si la présence d'un « petit boss » fait un peu partie du folklore des groupes et que, de façon générale, elle n'entraîne pas de conséquence négative, il peut se produire, à l'occasion, que l'intervenant ait à réagir avec force face à certains qui, méprisant les membres et les règles démocratiques qu'ils se sont données, voudraient usurper des pouvoirs ou une autorité qui ne leur fut jamais conférée. À la limite, cela pourrait même nécessiter l'expulsion du membre. Nous croyons cependant qu'avec les « petits boss » comme avec les autres membres, il faut agir avec sympathie, en tenant compte de toute la réalité des individus. Une conversation « entre quatre yeux » est, règle générale, suffisante au règlement du problème.

La critique et l'autocritique

La critique fait peur à la plupart ; l'autocritique encore plus. Pourtant, si la critique est formulée correctement, elle peut être source d'apprentissage pour celui qui en est l'objet. De la même manière, admettre une erreur n'est pas catastrophique si l'on sait que le groupe se montrera compréhensif et prêt à aider à réparer une erreur commise par un membre.

La critique et l'autocritique sont essentielles à l'évaluation d'une démarche. Normalement, les membres répugnent à critiquer car ils ont l'impression qu'ils feront de la peine à quelqu'un. Les membres de groupes populaires sont, pour la plupart, des gens généreux ; cependant, la générosité naturelle des milieux populaires risque, à l'occasion, de devenir du laxisme. L'intervenant expérimenté doit se préoccuper de la formation des membres en ce qui concerne l'art de la critique. De toute façon, si elle ne s'exprime pas lors des réunions, la critique se fera quand même en d'autres lieux et dans des conditions qui prêteront le flanc à des accusations de « parlage dans le dos ». L'absence de critiques ou des critiques formulées à tort et à travers peuvent miner la solidarité entre les membres d'un groupe et conduire celui-ci à l'éclatement à plus ou moins brève échéance.

Contrairement à ce que beaucoup imaginent, un exercice d'autocritique n'a rien à voir avec une séance de thérapie de groupe. Il ne s'agit pas de mettre « ses tripes sur la table », mais bien plutôt d'évaluer un travail de groupe et le rôle de chacun. Admettre une erreur, reconnaître que l'on a pu se tromper est une preuve de maturité. Très souvent, l'autocritique favorisera le développement d'un groupe en sapant, en tuant dans l'œuf les malaises que peuvent entretenir les autres à notre endroit. Il est toujours plus intéressant de s'entendre dire « au moins, tu sais reconnaître tes erreurs... » que de se voir accusé de n'être pas parlable.

L'autocritique ne serait qu'un spectacle futile si elle ne s'accompagnait d'une recherche de correctifs. Peut-être l'erreur est-elle due à un manque d'expérience ou de connaissance ? Peut-être découle-t-elle de problèmes personnels (comme par exemple des difficultés de santé) ? Peut-être aussi illustre-t-elle des problèmes de communication interne ? Chose certaine, on ne doit pas laisser tomber le membre qui se critique courageusement. Il faut l'aider et, par voie de conséquence, aider tous les membres du groupe.

8

Animer un groupe

L'animation de groupe est un art : c'est l'art de susciter une conscience de groupe chez chacun des participants dans la poursuite d'un objectif commun. Elle fait donc appel aux ressources personnelles de celui qui joue le rôle d'animateur ; elle s'inspire cependant de certains principes et peut être facilitée par l'apprentissage de certaines techniques. De plus, chaque groupe a son rythme propre et c'est dans la mesure où l'animateur peut se sensibiliser aux différentes dimensions du fonctionnement en groupe qu'il pourra le mieux respecter les particularités de chaque groupe sans être esclave d'une méthode d'animation rigide. Les quelques notions qui suivent ont pour but d'aider l'animateur débutant à trouver sa propre méthode et ses propres techniques d'animation. Elles sont groupées sous deux thèmes principaux : les niveaux de participation et les techniques d'animation.

Les techniques d'animation

Certaines techniques simples peuvent aider l'animateur à se sensibiliser aux problèmes propres à chacun des trois niveaux de participation et à faire circuler l'information utile dans le groupe. Elles sont groupées sous trois titres correspondant aux trois niveaux de participation : clarifier, au niveau du contenu ; contrôler, au niveau de la procédure ; et faciliter, au niveau socio-émotif.

Clarifier

Définir : le groupe étant réuni en vue d'un objectif commun, il est important que dès le point de départ l'animateur s'assure que cet objectif a bien été défini. S'il ne l'est pas, il accorde tout le temps nécessaire pour le faire. De même, le vocabulaire utilisé par les participants est souvent équivoque ou polyvalent ; l'animateur se demande donc continuellement si les mots employés veulent dire la même chose pour tous les membres du groupe sinon il demande aux participants de définir les termes qu'ils emploient. S'il n'est pas certain, il vérifie en demandant à ceux qui emploient ces termes s'ils veulent dire la même chose.

Reformuler : une bonne façon de faire circuler l'information correctement au niveau du contenu est de reformuler de temps en temps ce qu'un participant vient de dire, surtout lorsqu'il ne semble pas compris par les autres. Cette technique est particulièrement efficace pour sensibiliser tous les participants aux difficultés de communication et pour susciter chez eux une conscience de groupe. Elle a également pour effet d'augmenter la capacité d'écoute des participants. Elle aide enfin le participant qui vient de parler à prendre conscience de ce qu'il vient de dire et à nuancer sa pensée au besoin.

Faire des liens : une des difficultés du travail en équipe est que les participants ne tiennent pas assez compte des éléments que les autres apportent. L'animateur peut alors intervenir en demandant à celui qui vient de parler de faire lui-même le lien avec ce qui vient d'être dit. Il peut aussi faire lui-même les liens qu'il voit, surtout lorsqu'ils sont demeurés implicites dans les interventions des participants. Cela invite les gens à s'écouter davantage et contribue à faire une discussion plus concentrée.

Résumer : de temps en temps l'animateur peut permettre aux participants de reprendre leur souffle en résumant les différentes opinions déjà émises. Il peut aussi essayer d'en faire la synthèse ou demander au groupe de l'aider s'il ne peut la faire lui-même. Si le groupe a un secrétaire, il peut également faire part au groupe de temps en temps des éléments qu'il a retenus. Cela permet de faire le point et de réorienter les discussions si cela est nécessaire.

Contrôler

Susciter : dans tout groupe il y a des participants qui parlent peu et d'autres qui ne parlent pas du tout. L'animateur ne doit pas se donner comme mission de faire parler tout le monde, il doit cependant favoriser la participation verbale de ceux qu'on appelle « les silencieux ». La technique qui consiste à faire un tour de table systématique n'est pas à conseiller, elle crée souvent un stress qui rend encore plus pénible la participation des silencieux. La façon de susciter la participation verbale des silencieux est de guetter le moment où ils semblent plus à l'aise ou moins conscients d'eux-mêmes, pour les inviter à parler. C'est souvent lorsque le groupe est le plus animé que ces moments se présentent ; si l'animateur est attentif il peut alors donner la priorité de parole à ceux qui parlent le moins.

Refréner : tout groupe contient aussi des participants qui parlent facilement, longtemps, et souvent. La tâche de l'animateur est de les refréner et de les aider à prendre moins de place. Il le fera d'autant plus facilement qu'il aura une bonne relation interpersonnelle avec ses participants ; s'il peut le faire avec humour cela est encore mieux. Très souvent, ces participants sont verbo-moteurs et le simple fait de les résumer au moment opportun et de demander à d'autres participants d'intervenir suffit à réduire leur participation. On peut aussi les inviter à se résumer eux-mêmes en leur donnant comme défi de le faire en moins de cinq phrases.

Sensibiliser au temps : pour éviter que le temps dont on dispose soit perdu sur des questions de détail et pour accélérer la progression des idées, l'animateur peut rappeler de temps en temps le nombre de minutes qu'il reste. Il peut aussi demander au groupe d'évaluer l'emploi du temps en fonction de l'agenda que l'on devrait couvrir normalement ; quitte à modifier l'agenda s'il y a lieu.

Donner la parole : on s'attend ordinairement à ce que l'animateur donne la parole ; il peut le faire formellement de façon régulière ; il peut aussi le faire uniquement pour ceux qui préfèrent la demander et il peut inviter les participants à prendre la parole sans la demander. Ce qui est important c'est qu'il avertisse les participants de la façon dont il veut procéder, modifiant cette façon selon les besoins du groupe. De toute façon, l'animateur garde toujours priorité de parole et il peut l'utiliser pour mettre de l'ordre advenant une confusion momentanée.

Faciliter

Accueillir : l'animateur peut favoriser grandement la participation de tous par son accueil chaleureux à l'égard de chaque participant. Le fait de s'adresser à chaque participant, quel que soit son statut, contribue également à valoriser chacun aux yeux des autres.

Détendre : en permettant aux participants de se détendre et de blaguer entre eux à l'occasion, l'animateur peut contribuer grandement à solidariser le groupe. De même certains moments de pause au cours de la discussion peuvent laisser se déposer certaines tensions dues à la fatigue. Tout cela est de nature à faciliter le travail du groupe.

Objectiver : s'il se produit des conflits plus violents entre deux personnes émotivement engagées l'une par rapport à l'autre, l'animateur peut détendre beaucoup la situation en reformulant de façon objective les idées à contenu socio-émotif. Il permettra ainsi aux participants de ne pas s'arrêter à des conflits de personnalité.

Verbaliser : lorsque le climat est tendu sans trop qu'on sache pourquoi, il est peut-être indiqué de permettre aux participants de verbaliser ce qu'ils ressentent à ce moment présent. De même lorsqu'on est face à une difficulté qui semble insurmontable, il est peut-être utile de verbaliser ce qu'on ressent. L'animateur peut encourager et même susciter cette verbalisation lorsque cela semble utile. Le principe à la base de cette technique est qu'un sentiment verbalisé devient beaucoup plus facile à maîtriser.

En résumé, on peut dire qu'un animateur compétent est celui qui tient compte des trois niveaux de participation, quelles que soient les techniques qu'il emploie. Si certaines techniques lui semblent plus difficiles il peut s'en acquitter en demandant aux participants de les exercer. Une bonne façon de s'entraîner à l'animation est de s'enregistrer et de noter après coup ses interventions spontanées selon les trois niveaux.

Réunions et assemblées

Éviter la « réunionite »

L'efficacité d'un groupe ou d'une organisation n'est pas directement proportionnelle au nombre de réunions qu'il tient. On pourrait même dire, l'expérience le révèle, que bien souvent la multiplication des réunions ne vise qu'à dissimuler l'inefficacité. La « réunionite » est une maladie qui conduit à l'essoufflement des membres et au désintéressement de la plupart envers l'ensemble des activités du groupe.

On ne doit pas confondre : si la démocratie exige que les membres soient continuellement impliqués au niveau du processus décisionnel, elle implique aussi que l'on tienne compte des disponibilités des individus. Nous l'avons vu dans les chapitres précédents : la culture populaire privilégie le côté pratique des choses. Les gens des milieux populaires ne sont pas particulièrement attirés par les longues discussions qu'affectionnent les intellectuels. Si, entre autres, les réunions servent à justifier le salaire des intervenants qui gagnent leur vie dans le champ de l'action communautaire, elles constituent, pour la plupart des membres, une tâche additionnelle qui s'ajoute aux huit heures de travail à l'usine, au bureau ou à la manufacture. Pour une majorité de femmes, la réunion s'additionne à la double tâche de ménagère et de travailleuse salariée. C'est pourquoi il ne faut pas convoquer de réunions inutiles.

Éviter la « réunionite », c'est témoigner de son souci de la démocratie en ne favorisant pas la prise de décisions importantes par une poignée de membres particulièrement disponibles.

Le groupe de travail

Le groupe de travail est non seulement le lieu par excellence où s'effectueront les tâches que commandent les activités du groupe, mais c'est aussi un instrument privilégié d'intégration et de formation des membres. On ne le dira jamais assez !

Normalement, un groupe de travail est constitué sur proposition, lors d'une assemblée générale. Ce sera entre autres le cas des groupes de travail à caractère plutôt permanent tels que le comité d'information, des finances, de formation, de stratégie. Ce type de comités est généralement présidé par un membre du conseil d'administration lequel rend compte à cette instance décisionnelle des progrès enregistrés dans la progression des travaux confiés à son groupe.

Il est souvent préférable d'élire celui ou celle qui présidera un comité de travail. Cette façon de procéder permet de choisir les membres du c.a. en fonction de leur intérêt et de leur compétence. À l'occasion, le conseil d'administration pourra décider de la formation d'un comité *ad hoc*; c'est-à-dire, formé en fonction d'une tâche précise. Le mandat d'un tel comité est limité dans le temps et précis quant à son cadre. Par exemple, on formera un comité *ad hoc* pour travailler sur des sujets tels que l'organisation d'une fête ou d'une activité de financement, l'étude d'un dossier particulier, l'analyse d'un événement imprévu, etc.

Quelle que soit sa nature, le groupe ou comité de travail est vraiment le lieu où s'articule la vie du groupe : sa dynamique interne et ses projets de luttes ou d'activités.

Comme nous l'avons mentionné à plusieurs reprises, le groupe de travail constitue l'instance par excellence pour la formation des membres. Plusieurs motifs justifient selon nous cette affirmation. D'une part, le membre qui participe à un comité aura, plus qu'ailleurs, la possibilité de s'exprimer. Cela tient au petit nombre de personnes qui, normalement, composent cette instance. De plus, certains des membres qui acceptent de se joindre à un comité de travail sont généralement assez familiers avec le sujet qui y sera abordé. Dans le cas où le groupe ne compte pas de « spécialistes », il lui est toujours possible de s'adjoindre une ou des personnes-ressources.

Quelle que soit l'origine — interne ou externe au groupe — des spécialistes invités à participer aux travaux d'un comité de travail, il est extrêmement important que ceux-ci soient conscients du rôle péda-gogique qu'ils seront appelés à y jouer. Il faut que les membres enrichissent leurs connaissances au contact de « l'expert ». Par la même occasion, ce même « expert » tirera sans doute profit du savoir de ses interlocuteurs.

Le résultat des travaux d'un comité est normalement acheminé vers le conseil d'administration. Sur cette base, le c.a. prendra les décisions qui orienteront les activités du groupe. Le mouvement populaire n'a pas les moyens, contrairement au gouvernement, de mettre sur pied des comités de travail dont les conclusions ne seront pas étudiées. C'est justement parce que ces comités sont importants qu'il faut que ceux qui y participent prennent leur rôle au sérieux. Cela veut dire, entre autres, qu'ils rempliront le mandat qui leur fut confié dans les limites de temps prescrites.

Réunion de l'exécutif

L'exécutif est formé d'un certain nombre de personnes membres du conseil d'administration. Normalement, il est constitué immédiatement après l'assemblée générale où ont été élus les représentants au c.a. Le comité exécutif compte ordinairement quatre membres : le président, le vice-président, le secrétaire, et le trésorier. Naturellement, la compo-sition du comité exécutif peut être modifiée au gré des membres ; cependant, vous noterez que chacune des personnes précitées a, à cause de la nature de sa tâche, des responsabilités telles que sa présence à l'exécutif est, à toutes fins pratiques, essentielle. De plus, il est souhaitable que ces personnes soient spécifiquement élues par l'ensemble des membres en assemblée générale ou en congrès.

Il va de soi que le membre qui accepte de siéger « à l'exécutif » doit s'assurer au préalable de sa capacité à le faire. Cela signifie, entre autres, qu'il devra être très au fait des objectifs et des activités du groupe, qu'il sera disponible pour participer à un grand nombre de réunions et qu'il sera capable d'une très forte solidarité avec ses collègues. Une loi non écrite veut que les décisions prises au niveau exécutif fassent l'objet d'un consensus ; cela implique donc une maturité politique nettement supérieure à la moyenne.

Le comité exécutif joue un rôle très important : un rôle clé. Il est l'instance qui assure le bon fonctionnement entre les rencontres du conseil d'administration. Il voit à préparer des ordres du jour. Ses membres sont les porte-parole naturels du groupe et des interlocuteurs privilégiés tant pour les autres groupes que pour les bailleurs de fonds. Les membres du comité exécutif seront aussi les mieux informés puisque toute l'information leur passe nécessairement entre les mains.

Le statut privilégié des membres du comité exécutif leur impose néanmoins la plus grande prudence. Il faut qu'ils veillent à ne pas devenir une clique autoritaire. Ils sont les gardiens des droits démocratiques des membres et leur mandat sera d'autant plus agréable à remplir qu'ils auront l'appui conscient de la majorité.

Il faut aussi que la composition du comité exécutif reflète celle du groupe. C'est ainsi que les femmes devraient y être représentées adéquatement et que, de façon générale, on n'y retrouve pas plus d'éléments de la petite bourgeoisie que de membres représentatifs de la communauté locale ou de la classe sociale dont le groupe prétend défendre les intérêts. Enfin, les rencontres de l'exécutif sont normalement convoquées par décision collective. Le président ou le permanent de l'organisme faisant parvenir un ordre du jour à ses collègues quelques jours à l'avance.

Le conseil d'administration

Le conseil d'administration constitue l'instance suprême entre les congrès ou assemblées générales des membres. Ses réunions sont convoquées à la suite d'une entente entre les membres lors de la réunion précédente. Il peut aussi être convoqué à l'initiative du comité exécutif si les affaires du groupe le commandent. Normalement, le secrétaire du comité exécutif ou le permanent de l'organisme fera parvenir aux administrateurs un ordre du jour complet quelques jours avant la date prévue sur l'avis de convocation.

Les membres du conseil d'administration sont élus démocratiquement, au scrutin secret, lors de l'assemblée générale des membres. Ils peuvent aussi être nommés lorsqu'il s'agit de remplacer un membre démissionnaire.

Être élu à un conseil d'administration témoigne certes de l'appréciation des membres mais implique aussi que l'on soit un peu plus disponible que les autres. Lorsque l'on nous demande si on accepte d'être mis en nomination pour un poste d'administrateur, il faut savoir dire non si l'on ne croit pas pouvoir disposer du temps et de l'énergie que commande cette responsabilité. Il arrive parfois que certains se laissent séduire par «l'honneur» et oublient les responsabilités qui l'accompagnent. Ceux-là risquent non seulement d'être de mauvais administrateurs mais aussi de nuire à la dynamique du groupe.

Tel que nous l'avons suggéré précédemment, chaque administrateur devrait être responsable d'un dossier particulier et être bien informé de l'ensemble des activités du groupe. Ceci peut paraître évident, mais on voit parfois des groupes s'évertuer à meubler leur c.a. de notables sous le fallacieux prétexte que «cela assure plus de crédibilité»... Le mouvement populaire n'a que faire d'individus qui ne sont pas impliqués dans l'action, à quelque titre que ce soit. Il n'est pas un lieu où certains notables témoigneront de leurs préoccupations sociales en prêtant leur nom à une « bonne cause ».

Un groupe ou une organisation populaire devra donc éviter la tentation de se donner une fausse crédibilité par le biais de «nominations honorifiques» réservées à certains individus trop heureux de soulager leur mauvaise conscience par une participation formelle à l'administration de groupes travaillant avec et pour des gens qui leur seraient, en d'autres circonstances, complètement étrangers.

Les réunions du conseil d'administration doivent être soigneusement préparées de manière à ce que les sujets prévus à l'ordre du jour soient abordés sérieusement et que les décisions soient prises. Il arrive malheureusement trop souvent que des ordres du jour mal construits, surchargés, empêchent les membres du c.a. de faire leur travail correctement. Il faut aussi prévoir la garde des enfants de certains membres. Ceci peut être une tâche militante, assumée par quelques membres.

S'il faut tout faire pour permettre à n'importe quel membre de participer aux activités du groupe, il faut aussi s'assurer que personne ne sera empêché, à cause de ses responsabilités personnelles, de participer aux différentes instances décisionnelles. Les femmes ont formulé des critiques très justes concernant l'antidémocratisme de la plupart des groupes et organisations à leur endroit; ces critiques devraient maintenant faire partie de nos acquis.

L'assemblée générale

Les groupes populaires ont l'habitude de tenir une assemblée générale annuelle. Cette rencontre de tous les membres, convoquée par le c.a., est l'occasion de faire le point sur les réalisations du groupe au cours de l'année écoulée. Les membres, réunis en assemblée générale, sont souverains, c'est-à-dire qu'ils sont l'instance suprême et que leurs décisions sont sans appel. Tout le monde comprendra que la préparation d'une assemblée générale doit être effectuée avec le plus grand soin et que tout doit être mis en œuvre pour que les membres puissent y participer et prendre les décisions qui orienteront la vie du groupe dans l'année à venir.

Normalement, l'assemblée générale est dirigée par le président jusqu'au moment des élections. Les membres éliront alors un président d'élections qui verra à ce que le processus de formation d'un nouveau c.a. se fasse dans l'ordre et dans le respect des règles démocratiques. Avant la tenue d'une assemblée générale, le conseil d'administration devra prévoir un certain nombre de dispositions; en particulier, la formation d'un comité d'organisation, l'attribution d'un budget spécial, la forme que prendra l'assemblée (ateliers, engagement d'animateurs extérieurs, repas, etc.), une liste des sujets qui y seront abordés, les propositions qu'il entend proposer à l'approbation des membres, telles que les modifications à la charte et/ou aux règlements, de nouveaux programmes d'activités, les états financiers et le budget, le bilan général, des appels qui pourraient avoir été logés par des membres conformément aux règlements, l'approbation des nouveaux membres et, cela peut se produire, l'exclusion de certains...

Le comité d'organisation verra à concrétiser les décisions du conseil d'administration. Il s'occupera, entre autres, d'organiser les rencontres préliminaires, de mettre sur pied un service de garde des enfants ou de prendre des arrangements avec une garderie, de rencontrer les animateurs d'ateliers, de préparer un dossier pour chaque membre, lequel dossier sera expédié avant la tenue de l'assemblée de sorte que les membres auront pu en prendre connaissance. Le comité d'organisation devra aussi prendre des mesures concernant l'hébergement, les repas, la soirée récréative, etc.

Pour réaliser toutes ces tâches, le comité d'organisation confiera des mandats précis et limités à des sous-comités, se réservant un rôle de coordination.

Une règle impérative devrait accompagner la préparation des assemblées générales: viser à la participation de tous les membres. C'est pourquoi il faudra sans doute faire appel à la collaboration d'éléments extérieurs au groupe. Dans ce cas, il va de soi que, tant pour le travail d'animation que pour les tâches telles que la manipulation des outils audio-visuels ou les services de support (garderie, repas...), on demandera la collaboration de personnes liées au mouvement populaire ou au mouvement syndical. Préférablement, on s'adressera à des individus ayant une assez bonne connaissance de notre groupe et de ses activités.

Évidemment, ces règles ne s'appliquent pas nécessairement à tous les groupes. La préparation de l'assemblée générale d'une organisation large sera plus complexe que celle d'une association de locataires comptant vingt membres. Les ajustements se feront donc en fonction du nombre de membres, de la nature de l'organisation (locale, régionale, nationale) et du type d'assemblée que l'on veut organiser.

Une assemblée générale débute normalement par un petit discours du président et se termine de la même façon. Les membres sont ensuite invités à accepter l'ordre du jour et à adopter le procès-verbal de la dernière assemblée. Certains points à l'ordre du jour sont facultatifs, c'est-à-dire qu'ils dépendent d'un choix. D'autres, par contre, sont obligatoires, tels que l'acceptation des états financiers, du budget, du montant des cotisations, du bilan des activités, des élections des membres du c.a. et l'adoption des propositions privilégiées (appel sur le renvoi d'un membre, etc.).

L'assemblée générale n'est pas un congrès, ni un colloque. Elle est une instance administrative et un lieu où doivent se faire les débats sur l'orientation et les activités du groupe. Il peut d'ailleurs être préférable de procéder en deux étapes soit : convoquer une assemblée sur des questions strictement administratives, y compris les élections, et en convoquer une autre sur des sujets qui touchent davantage à la vie du groupe et aux luttes. L'important, c'est que les membres puissent se prononcer sans être bousculés, en prenant le temps de réfléchir aux questions qui leur sont posées ainsi qu'à celles qu'ils voudraient eux-mêmes formuler.

Importante aussi, la partie récréative de l'assemblée générale annuelle. Les membres ont rarement l'occasion de se retrouver tous ensemble. La partie récréative doit leur permettre de se mieux connaître tout en décompressant après une journée de réflexion et de décisions. Certains groupes ont développé l'heureuse habitude de solliciter la participation active des membres à ces soirées. Certains monteront un « sketch », d'autres chanteront, réciteront un poème ou joueront d'un instrument. C'est une façon comme une autre de valoriser la culture populaire et nul doute que cela contribue à cimenter la solidarité entre les membres.

Les règlements de la plupart des groupes structurés contiennent des dispositions prévoyant la tenue d'assemblées générales spéciales. Ces assemblées peuvent être convoquées par le conseil d'administration mais aussi par un certain nombre de membres en règle. Inutile de dire qu'il ne faut pas abuser de ce mécanisme démocratique car on risquerait d'écœurer tout le monde. Par contre, il ne faut pas hésiter à convoquer une assemblée générale spéciale si les intérêts du groupe sont gravement menacés.

Les coalitions

De plus en plus, les groupes et organisations du mouvement populaire sentent le besoin de se regrouper pour mener des luttes plus larges. À l'occasion, ils s'associeront aussi au mouvement syndical. Des initiatives comme l'occupation du bureau d'un ministre, l'organisation d'une marche telle La grande marche pour l'emploi, des sommets populaires, sont autant d'activités qui nécessitent la participation d'un grand nombre de groupes et organisations.

Ce type d'activités obéit cependant à certaines règles, nous dirions à une certaine éthique, qu'il importe de souligner. En premier lieu, il est nécessaire de faire une distinction entre les groupes qui appuient une initiative de ce genre et ceux qui l'organisent et s'y impliquent activement. Il va de soi que ce sont ceux qui s'y impliquent activement qui décideront tant du contenant que du contenu. Bien entendu, cela n'empêche aucunement n'importe quel groupe de participer à l'activité mais il faut qu'il soit clairement précisé que ce seront ceux qui sont les plus impliqués qui auront le pouvoir décisionnel tant sur la forme que sur le contenu.

Deuxièmement, si l'on considère que dans le cadre d'une coalition nous retrouvons des groupes et des organisations de taille et de force différentes, il est important que les plus forts n'écrasent pas les plus faibles. Il arrive parfois, surtout lorsque le mouvement populaire s'associe au mouvement syndical, que ce dernier soit, à cause du nombre de ses adhérents ou de ses capacités financières, en position d'imposer jusqu'à un certain point son propre point de vue. Il est évident qu'une telle attitude illustre une conception pour le moins curieuse de la démocratie telle qu'elle doit s'exprimer dans le cadre des relations entre les mouvements populaire et syndical. L'intervenant qui en a l'occasion devrait s'efforcer de maximiser l'égalité des rapports entre les groupes représentant chacun de ces mouvements, même si, dès le départ, il est bien évident qu'ils ne sont pas de force égale.

Enfin, nous croyons que dans le cadre d'une coalition, les porte-parole de celle-ci devraient être mandatés par l'ensemble des groupes participants. Ceci étant dit, il va de soi qu'un groupe ne doit pas prendre la vedette au détriment des autres. Enfin, aucun groupe ne devrait dévier de la stratégie acceptée sans au préalable avoir consulté ses alliés.

9

Financement et dissolution
d'un groupe populaire

Nous sommes aux prises avec une conjoncture économique de plus en plus difficile ; la classe ouvrière et les organisations populaires sont les premières à en subir les conséquences. Les coupures budgétaires effectuées par les différents niveaux de gouvernement ont sérieusement affecté le financement des groupes, lesquels se voient coincés entre un mode de fonctionnement très précaire et leur disparition totale. Alors que la crise devrait justifier plus que jamais l'existence des organisations populaires, on constate une certaine démobilisation et un épuisement qui met les groupes devant un dilemme : se laisser récupérer par des gouvernements soucieux d'une certaine image de social-démocratie ou lutter pour une autonomie politique tout en cherchant des sources de financement venant de l'État et d'ailleurs.

Depuis toujours les problèmes de financement ont accaparé beaucoup de temps et d'énergie. C'est aussi la cause de nombreuses crises internes, voire même de la disparition de certains groupes. Nous voulons présenter ici l'état de la réflexion sur les difficultés financières des organisations pour ensuite aborder la question de l'autofinancement. Enfin, nous apporterons certaines suggestions concernant le financement et la recherche de subventions.

Les difficultés de la conjoncture

Le financement des groupes populaires a toujours été un peu précaire mais on a réussi à s'en sortir grâce à certains programmes gouvernementaux ou campagnes de financement. Le financement par l'extérieur a entraîné le développement d'une certaine « mentalité de subventionné » laquelle a provoqué une dépendance et des difficultés internes menant parfois à des liquidations d'organismes. À cela s'ajoutent un certain amateurisme dans la gestion financière et une absence de planification du financement. Quant à inventer des modes d'auto-financement, on ne peut pas dire que le mouvement populaire ait brillé par son imagination.

Malgré l'existence d'un responsable du financement et même d'un comité, dans certaines organisations, le financement n'a pas réussi à susciter beaucoup d'intérêt. À l'occasion de crises (coupures, disparition d'un programme gouvernemental), on assiste à des levées de boucliers mais toujours, c'est le mécanisme des droits acquis qui joue. Évidemment, ces difficultés sont aussi liées à une faiblesse du membership. Les groupes les plus aptes à se défendre contre les coupures sont ceux qui possèdent, comme le souligne Marcel Artaud : « les structures par lesquelles les membres peuvent faire entendre leur voix, décider des actions et assurer collectivement le fonctionnement de l'organisation... pour faire face à la crise. Ce n'est pas le cas, semble-t-il, des groupes dont le fonctionnement repose sur un ou deux permanents ou "poteaux". Vienne la tempête et les salariés doivent trouver un autre travail et les "poteaux" manquent alors d'appuis dans le combat. » Certes, il y a une conjoncture de plus en plus difficile et des coupures qui ne dépendent que de facteurs externes mais le fonctionnement des organisations est demeuré un facteur interne majeur.

Voyons d'abord certains facteurs externes qui sont à l'origine des coupures. La table régionale des O.V.E.P. réunis à l'automne 79 avait identifié quatre raisons importantes qui pouvaient expliquer les coupures de subventions aux groupes. D'abord, les critères d'admissibilité sont de plus en plus précis et parfois hors de portée des groupes (on pense ici à l'exigence d'avoir un numéro d'enregistrement comme œuvre de charité, ce qui oblige à n'avoir aucune activité à caractère politique). Deuxièmement, les exigences administratives et les modes de contrôle sont de plus en plus difficiles à respecter par des groupes moins bien administrés. Les rapports à remplir, les bilans financiers à faire et les programmes par objectifs intimident certains groupes qui ne présentent pas de demande. Ce contrôle est aussi un facteur d'auto-censure qui amène des groupes à se limiter à un service en réduisant le travail de dénonciation publique et de mobilisation. La bureaucratisation du groupe se développe et l'on tue tout le dynamisme. C'est ce qui fait dire à certains: « La meilleure façon de tuer un groupe, c'est de lui donner une grosse subvention. » Cela, pour deux raisons: on crée une dépendance face au bailleur de fonds; on s'embourbe dans les contraintes administratives et politiques et les permanents commencent à s'autojustifier pour assurer la recherche et le maintien de subventions.

Le troisième facteur pouvant mener à des coupures est une décision arbitraire de fonctionnaires ou de bailleurs de fonds qui décident de changer leurs priorités ou qui appliquent une grille d'évaluation de façon un peu aléatoire. Face à ce genre de coupures les groupes ont souvent tenté de se mobiliser mais avec peu de succès. Enfin, le dernier facteur amenant une coupure de subventions est une volonté gouvernementale de récupérer et d'intégrer dans sa structure les services offerts par les groupes visés. Le contexte de coupures budgétaires risque d'atténuer beaucoup ce genre de tactique, alors que l'on coupe simplement des secteurs de services complets.

À ces facteurs externes identifiés par les O.V.E.P., on doit ajouter certains facteurs internes dont quelques-uns ont déjà été identifiés (l'inexistence d'une base mobilisée, l'absence de rigueur et de planification administrative et financière). Le laisser-aller dans la comptabilité (tenue de livres, contrôle des dépenses, bilans mensuels et annuels) est impardonnable. Aucune organisation ne peut se permettre de ne pas avoir des livres à jour, en ordre et clairs et ce, pour deux raisons. D'abord, face aux membres, la transparence et l'accessibilité des données sont essentielles à une organisation démocratique. Deuxièmement, les groupes doivent être au-dessus de tout soupçon face aux bailleurs de fonds et aux autorités gouvernementales. Les groupes populaires fournissent assez de motifs politiques pour être réprimés financièrement, sans prêter un flanc faible sur le plan de la gestion comptable. L'orientation politique n'excuse pas l'incompétence administrative.

Un second principe à considérer est la répartition du souci financier parmi tous les permanents et membres. Le souci c'est la préoccupation constante de penser à la survie, à des moyens et à des sources de financement, mais ce n'est pas la tenue de livres et le contrôle quotidien des menues dépenses. Le bon fonctionnement d'une organisation n'exige pas une polyvalence intégrale, au niveau de la gestion, mais il exige une transparence qui empêche la monopolisation outrancière de responsabilités. Il faut aussi partager le souci du contrôle des dépenses et des revenus. Une assemblée générale, et surtout un conseil d'administration, doivent déterminer les grandes lignes du financement et surveiller le respect de ces directives. Les tâches quotidiennes de comptabilité ne peuvent se partager à plusieurs, mais elles doivent être assez connues pour permettre un bon contrôle par les membres et permanents.

Un troisième principe qui peut éviter de graves difficultés c'est la répartition des tâches de financement (et non des tâches de comptabilité) parmi les permanents et les membres. Ceux-ci peuvent contribuer autant sur le plan technique (organisation de moyens d'autofinancement tels que des fêtes, des ventes de documents et macarons, des campagnes de souscription) que sur le plan politique (demandes et négociations auprès des bailleurs de fonds). Sur la question des tâches il faut toutefois respecter aussi les principes énoncés dans le chapitre sur le fonctionnement efficace et démocratique des organisations, c'est-à-dire qu'il faut être attentif aux intérêts et capacités de chacun et de chacune et ne pas envoyer des membres non avertis dans la « fosse aux lions ». Il faut savoir profiter des contacts et connaissances des membres et de leur atout pour présenter telle demande à tel bailleur de fonds.

Enfin, la situation précaire du financement pose le problème de l'autofinancement mais aussi du mode de fonctionnement actuel des groupes. Faut-il dépendre autant des permanents? Faut-il refuser à tout prix de faire payer les services et documents? La réflexion à ce sujet ne fait que s'amorcer depuis quelques années et déjà les groupes « donnent moins » qu'autrefois. On n'a pas encore osé faire payer les services rendus à une population des plus démunies financièrement. Les difficultés dans les rapports avec l'État sont particulièrement criantes: faut-il continuer à défendre les acquis du financement par l'État en cherchant à l'accroître au risque de perdre l'autonomie d'action, ou faut-il travailler à s'autofinancer? Ces deux options ne se posent pas irréductiblement, mais présentent toutes deux des avantages et des dangers.

D'abord le danger premier des subventions provenant de l'État, c'est leur caractère de plus en plus incertain et les contraintes administratives et politiques qui leur sont rattachées. C'est une menace à l'autonomie et cela représente un risque de récupération avec au mieux une forme d'autocensure et une mobilisation plus faible. L'avantage que permet le financement étatique est l'infrastructure (permanent, local), mais les exigences taxent beaucoup celle-ci. La dépendance financière face à l'État amène aussi à une dépendance politique, lorsque les groupes doivent définir leurs activités en fonction des programmes de subventions. On devient alors à la merci des politiques gouvernementales.

La recherche d'autofinancement présente aussi le danger de la précarité financière, mais elle a l'avantage de ne pas obliger à une certaine autocensure. Elle force aussi les groupes à être plus près des intérêts de la population visée, favorisant ainsi la mobilisation de celle-ci. Nous verrons plus en détail les contraintes et avantages de l'autofinancement, mais il importe de préciser que les deux modes de financement (subventions de l'État et autofinancement) peuvent se compléter. Il faut savoir choisir les subventions et les formes d'autofinancement qui conviennent au groupe et qui offrent le plus d'avantages.

L'autofinancement

Outre les rapports avec l'État, l'autofinancement influence l'orientation des groupes et leur mode de fonctionnement. En somme, comme les syndicats, toute organisation populaire devrait viser à devenir indépendante financièrement, c'est-à-dire à assurer ses besoins à l'aide des cotisations des membres, des revenus de ses activités (services, vente de documents, etc.) et des campagnes de souscription (y inclus les fêtes populaires).

L'autofinancement c'est avant tout ne pas dépendre de subventions et surtout ne pas dépendre de bailleurs de fonds qui ont des objectifs politiques très différents des nôtres. Les membres et la population qui contribuent à une organisation populaire partagent suffisamment les objectifs pour ne pas la détourner de son orientation. Cette « dépendance » à l'égard des masses n'est pas toujours facile, comme en témoignent certains dirigeants syndicaux, mais elle est plus saine et plus démocratique. Cela laisse donc toute la marge de manœuvre nécessaire face aux institutions et gouvernements qui sont les cibles de dénonciations et de revendications.

Cette marge de manœuvre peut permettre de profiter d'une forme de subventions ponctuelles et supplémentaires au fonctionnement régulier, sans créer un trou lors de sa disparition.

Mais, est-il vraiment réaliste d'envisager l'autofinancement des groupes populaires, dans la mesure où ceux-ci visent une population à faibles revenus et maintiennent des services à caractère social et non lucratif? Cela paraît impensable à moins de réduire de beaucoup l'infrastructure. Cependant, tous les groupes doivent développer une préoccupation et des activités d'autofinancement afin de ne pas oublier la fragilité des subventions et de pouvoir survivre sans elles. L'expérience du fonds de solidarité formé de neuf groupes populaires de Québec est un témoignage de cet effort de solidarité et de recherche d'autofinancement. En réaction contre Centraide de Québec qui avait coupé certains groupes, le fonds vient combler une source de revenus. On vise à atteindre un pourcentage de financement de 50 à 60% pour certains groupes. Ce genre d'expérience ainsi que les tables régionales de concertation comme à Montréal, dans l'Outaouais et l'Estrie, sont des initiatives à développer car les avantages des activités d'auto-financement sont nombreux :

— C'est un baromètre de l'engagement des membres et de l'appui du milieu.
— C'est une occasion de mobilisation générale.
— C'est une occasion de susciter la créativité et l'imagination.
— Cela permet aux membres d'augmenter leurs habiletés.
— Cela favorise l'esprit d'équipe et la cohésion du groupe.
— Cela favorise souvent la solidarité entre les groupes.
— Cela permet de réaffirmer ses objectifs et de faire de la publicité autour de l'organisme.
— Cela rapporte de l'argent « sans condition ».
— Cela diminue la dépendance face aux bailleurs de fonds tradi-tionnels.
— Cela augmente la dépendance face aux membres et à la popu-lation, ce qui favorise la démocratie et la clarté des objectifs.
— Cela peut amener de nouveaux membres et militants à l'organisme.

Ainsi, les campagnes de financement sont une bonne source de motivation et de mobilisation qui forcent les vieux militants à ré-apprendre à parler au monde des objectifs qu'ils prennent pour acquis. Le bureaucratisme s'installe dans un groupe et une campagne de financement est un bon tonique pour l'enrayer.

Les moyens d'autofinancement sont illimités, mais ils doivent :

— Être efficaces pour atteindre les objectifs financiers et/ou de publicité.
— Être agréables et même amusants (fêtes, kiosques, corvées, etc.) à réaliser.
— Ne pas demander trop d'énergie et d'investissements financiers.
— Être la préoccupation du plus grand nombre possible et l'occasion pour tous les membres d'avoir des tâches à leur mesure.

Par exemple, une fête populaire peut être l'occasion de découvrir les talents de musicien et de décorateur de membres moins actifs. Un kiosque peut être l'occasion de rencontrer beaucoup de monde et d'apprendre à expliquer les activités du groupe. La sollicitation par la poste peut être l'objet d'une corvée pour envoyer (imprimer, adresser, brocher, plier, coller, timbrer) des lettres. Une campagne peut aussi être l'occasion de renouveler des liens avec d'autres groupes populaires ou d'en découvrir de nouveaux. Cela peut aussi être l'occasion du lancement d'une pièce de théâtre, d'un macaron, d'un document.

En somme, les activités d'autofinancement sont aussi rentables politiquement et organisationnellement que financièrement... si l'on sait bien les planifier.

La recherche de subventions

Il faut d'abord établir ses orientations, son programme d'action et donc les *besoins* et ensuite la *liste des sources de revenus possibles*. Trop de groupes ont tendance à définir leurs programmes d'activités en fonction du financement; ils perdent ainsi le sens de leurs actions.

Il faut ensuite établir les *priorités* de financement en fonction de:

— l'énergie nécessaire;
— des chances de réussite;
— des contraintes politiques;
— des contraintes administratives.

Certains bailleurs de fonds reviennent périodiquement avec les mêmes formulaires et des exigences politiques facilement réconciliables avec les orientations des groupes, de sorte qu'il est facile de présenter des demandes avec une certaine assurance de réussite. La stabilité devient un atout majeur. Centraide était jadis de ce genre de bailleurs de fonds. Par contre, plusieurs ministères créent de nouveaux programmes régulièrement avec des exigences politiques et administratives très lourdes. Pensons à tous les programmes de création d'emplois qui ont marqué les années 70 comme ils marquent les années 80 et qui ont provoqué et continuent de provoquer la dépendance et la débandade dans plusieurs groupes.

Un autre principe difficile à respecter est la *diversification* des sources de financement. C'est un principe qui est respecté en situation de besoin, plus que par calcul politique. Lorsqu'un groupe a une source importante stable, il tend à s'y installer confortablement jusqu'au moment où le bailleur de fonds révise sa politique ou décide que le groupe n'y correspond plus. Centraide a coupé un certain nombre de groupes qui ne correspondaient plus aux normes. Rien n'est donc garanti et il faut se prémunir contre la dépendance à l'égard d'une source unique, même si cela nécessite beaucoup de temps. L'autonomie politique du groupe y gagne d'autant plus que chaque bailleur de fonds ne finance qu'une partie des activités et donc ne peut contrôler le groupe.

Un *calendrier des dates d'échéance* des demandes de subventions est essentiel pour un groupe qui veut retenir plusieurs sources de revenus. Il faut prendre le temps de bien préparer les documents et donc éviter les préparations de dernière minute ou les oublis complets. Un calendrier permet de voir l'ensemble des perspectives financières et de préparer d'avance les demandes. On peut ainsi mieux faire les demandes et les démarches informelles (« lobbying ») qui sont nécessaires à l'occasion.

Un dernier principe à respecter c'est « *l'honnêteté dans l'opportunisme* ». Ces termes peuvent paraître contradictoires mais ils ne le sont pas vraiment. L'opportunisme consiste à saisir des occasions de financement facile là où elles se présentent. Il faut savoir saisir les occasions de financement, donc avoir de l'imagination et ne pas être plus pur que nécessaire. On a souvent boycotté des sources de financement fédérales pour des raisons politiques au lieu d'en tirer profit et même de jouer sur la surenchère des gouvernements fédéral et provincial. Sans devenir le pantin d'un gouvernement, un groupe peut accepter certaines concessions politiques qui n'affectent pas son action.

Il faut aussi être honnête dans ses démarches et ne pas dire des choses fausses qui pourraient ressortir et nuire à la survie du groupe et à l'ensemble des groupes populaires. L'honnêteté implique de ne pas fausser des documents ou des rapports qui peuvent inutilement entraîner des poursuites et des campagnes de discrédition. Chaque fois qu'un groupe est critiqué, plusieurs en subissent les conséquences. L'honnêteté n'exige pas de tout dire et de décrire un portrait très négatif du groupe, mais elle exige de ne pas rapporter des réalisations exagérées. À long terme, l'on risque d'y gagner face à des bailleurs de fonds et face à l'autonomie du groupe.

Les demandes de subventions

Il y a différentes sortes de sources qu'il faut distinguer au départ :

— les organismes publics et parapublics (gouvernements, Centraide, etc.) ;
— les fondations privées et religieuses (Ford, Donner, Conférence des évêques, Plura, etc.) ;
— les institutions financières (banques, caisses populaires et d'économie, entreprises, etc.).

La première catégorie a habituellement des formulaires et des critères publics ainsi que des échéanciers qui dictent la façon de présenter la demande. Les deux autres sources demandent un effort d'imagination et de rigueur plus grand car il faut bâtir un dossier soi-même. Les principes qui guident ces présentations sont toujours la *clarté*, la *précision*, la *concision*. Il faut toujours se mettre dans la peau d'une personne qui étudie plusieurs demandes et qui veut savoir rapidement :

— qui fait la demande (description de l'organisme, ses buts, son fonctionnement, ses actions) ;
— qui est visé par le projet ;
— ce que l'on veut faire et pourquoi ;
— comment (les moyens d'action, l'échéancier) ;
— combien on veut (le budget).

Un excellent guide technique décrivant toutes les étapes et les éléments d'une demande a été fait : il s'agit du *Bottin de financement* publié par le C.L.S.C. Centre-Sud en 1978. Nous n'insisterons pas sur cet aspect mais plutôt sur les rapports qui doivent lier les bailleurs de fonds et les groupes, et les stratégies de financement à développer.

Dans toute demande, il faut mettre en valeur l'intérêt du bailleur de fonds dans le projet. Si un projet présente plusieurs facettes et que l'on fait plusieurs demandes, une lettre de présentation doit faire ressortir la pertinence d'une implication de ce bailleur de fonds particulier dans ce projet. Il faut donc bien se renseigner sur l'orientation de chaque source de financement.

Une rencontre en personne peut souvent aider à clarifier des éléments de la demande ou corriger des perceptions erronées sur le groupe. Qu'il s'agisse d'un organisme gouvernemental ou privé, un « lobbying » poli, diplomate et ferme peut favoriser une demande. La personnalisation des rapports peut faire ressortir un projet parmi une masse de demandes anonymes. Il est donc important de sonder un organisme afin d'établir un contact qui permette de mieux saisir les exigences et les priorités du bailleur de fonds. Un contact privilégié et sympathique peut aider à piloter la demande et à la défendre devant un jury de sélection.

Si une rencontre est obtenue avec un bailleur de fonds, il faut prévoir une délégation de deux ou trois personnes au maximum selon le caractère formel ou informel de la rencontre. Cette délégation devrait être formée d'une personne habilitée à répondre aux questions techniques sur l'aspect financier et le programme. Une personne doit bien connaître les activités de l'organisme et son évolution depuis quelques années. Enfin, une autre personne peut symboliser une action ou un projet précis que l'on veut mettre de l'avant. Ainsi, la délégation devrait habituellement être formée d'un permanent et d'au moins un élu représentant la structure de pouvoir démocratique, ce qui est toujours un gage de crédibilité. Il peut être utile d'avoir un usager d'un programme que l'on veut souligner dans une demande afin d'illustrer la mobilisation et la prise en charge par les personnes visées par le programme. Il faut être prudent sur cet aspect pour bien préparer et coordonner les rôles de chacun. Plus on est nombreux et plus il est dangereux de se contredire. Donc, une préparation avec un jeu de rôles peut être utile pour déterminer le rôle de chacun : porte-parole principal, technicien, témoin vivant du projet.

Les liens avec les sources de financement peuvent être entretenus en permanence par des envois d'informations ou de rapports et lettres de remerciement. On peut aussi demander d'être informé de tout changement dans les politiques de financement. Ainsi, les prétextes de contacts peuvent jalonner l'année et favoriser de bonnes relations, tout en gardant son autonomie et en respectant les différences. Si les exigences du financement dépassent ses avantages, il faut ajuster ses priorités et ses démarches en conséquence.

Le bilan

En terminant, il faut souligner l'importance de tenir un dossier ouvert sur toutes les activités de financement. Une des difficultés des groupes c'est le manque de mémoire collective et de continuité. Toutes les informations pertinentes sur les sources de financement (exigences techniques et politiques, contacts, moyens de sollicitation, degré de succès possible) et les moyens d'autofinancement devraient être compilées en un seul endroit, afin de ne pas constamment recommencer des démarches vouées à l'échec. Il faut aussi mettre à jour toutes ces informations afin d'être en mesure d'ajuster ses demandes.

Par exemple, le bilan d'une fête est important pour ne pas répéter les mêmes erreurs : les délais nécessaires pour faire imprimer des tracts, affiches, billets, les démarches nécessaires pour obtenir des permis de salles et de boissons, les contrats à négocier avec les fournisseurs, etc.

Tous ces éléments peuvent simplifier la tâche d'un groupe et démystifier ses activités. De plus, il faut profiter de l'expérience des autres et enquêter sur les moyens entrepris par des groupes comparables. On apprend par ses erreurs et celles de ses semblables.

La dissolution d'un groupe

La vie de certains groupes peut parfois être fort brève. Tout dépend des motifs qui ont incité ces gens à se regrouper et, dans une bonne mesure, de la stabilité du financement.

Depuis l'avènement d'un financement d'État, particulièrement d'origine fédérale, des groupes naissent et disparaissent au gré des fantaisies des politiciens et des technocrates. Occasionnellement, des entreprises un peu plus solides cessent leurs activités à cause d'un désintéressement généralisé. Ce fut le cas de certaines associations de locataires et de certains comptoirs alimentaires.

Que reste-t-il alors des efforts consentis par ces gens pour se donner des instruments de défense et des services ? Essentiellement deux choses : des acquis et du matériel. En ce qui concerne les acquis, il est important qu'ils soient disponibles quelque part. Il est toujours utile de savoir quelles sont les embûches qui se dressent sur notre route ; les connaître c'est être mieux équipé pour les contourner. C'est pourquoi les membres d'un groupe qui se dissout seraient bien inspirés de confier leurs bilans à des organismes tels le Centre populaire de documentation ou le Centre de formation populaire, de même qu'à des organisations larges qui continuent d'être actives dans le même champ d'intervention.

Par ailleurs, le matériel et le mobilier peuvent être offerts à ceux qui sont encore actifs.

Il existe aussi un troisième motif qui peut justifier la dissolution d'un groupe : c'est son intégration à une organisation plus forte. Le cas n'est pas fréquent mais il est possible. Il va de soi qu'une dissolution pour ce motif doit être librement consentie et être l'objet d'une évaluation sérieuse de la part de ceux qui en sont les acteurs. Nous ne reviendrons pas sur le cas des dissolutions pour des motifs politiques : inutile de tourner le fer dans la plaie. Cependant, nous croyons que cette pénible expérience, vécue par plusieurs au cours de la deuxième moitié des années 70, ne doit pas être oubliée. Il faut que les intervenants d'aujourd'hui sachent qu'on ne fait pas disparaître des organisations et des groupes populaires sous le fallacieux prétexte que leur action, étant réformiste, empêche tout changement socio-politique majeur.

La force du mouvement populaire combinée à celle du mouvement syndical, si elle n'est pas suffisante à des changements radicaux dans notre société, n'en est pas moins un des éléments de base. Ces deux instances, qui représentent les intérêts de la majorité exploitée et opprimée, sont des lieux de résistance et de lutte. Leur existence a joué un grand rôle dans le développement du Québec moderne et, dans le contexte actuel, elles sont appelées à des défis encore plus grands.

Plusieurs d'entre nous avons été formés dans les luttes menées par les mouvements populaire et syndical et nous pouvons témoigner qu'ils sont des lieux de formation privilégiés et indispensables.

Conclusion

Bref rappel

Au terme de cette démarche, il n'est peut-être pas inutile de nous résumer. Dans un premier temps nous avons voulu rappeler brièvement l'histoire des organisations populaires au Québec afin que tout intervenant communautaire possède une idée minimale des nombreuses luttes sociales qui ont été menées depuis une quinzaine d'années et qu'il puisse en tirer un bénéfice pour ses propres actions. Ce faisant, nous avons également appris à mieux connaître ceux et celles qui participent à cette action communautaire, les divers groupes d'intérêts avec lesquels ils doivent travailler ainsi que leurs lieu et milieu de travail.

Par ailleurs, au-delà du romantisme trop souvent associé au personnage de l'intervenant communautaire, il faut voir qu'intervenir ce n'est pas une affaire mystique mais bien plutôt quelque chose qui s'apprend comme pour d'autres métiers. Il s'agit essentiellement d'habiletés, de techniques et de méthodes qui ont été expérimentées par des milliers d'intervenants dans divers lieux avec des succès variables, il faut bien l'avouer. L'intervention communautaire n'est donc pas qu'affaire de bonne volonté. De plus en plus, elle exige une bonne formation technique. Et, à ce propos, vouloir faire œuvre utile suppose effectivement que l'on n'oppose pas inutilement la recherche et l'intervention. Tel est l'objectif de la seconde partie centrée précisément sur les processus d'enquête et d'analyse du milieu. Mais l'intervention communautaire ne se limite pas non plus qu'à une démarche d'analyse, si fine et si juste soit-elle. On a d'ailleurs reproché à certains intellectuels, à juste titre croyons-nous, de limiter l'intervention à un processus analytique ; on dit facilement aux autres ce qu'il faudrait faire mais on ne dit pas comment le faire. Bref, il faut aborder de front les problèmes concrets liés à l'intervention : la mobilisation, l'organisation d'une lutte, etc. Voilà l'objet essentiel de la troisième partie.

Finalement l'intervention communautaire c'est aussi interagir avec des gens en chair et en os, d'où l'importance de savoir animer un groupe et de savoir promouvoir aussi la démocratie interne afin que l'action collective soit la plus efficace possible. Cette réflexion sur la dynamique interne des groupes ainsi que sur les « techniques de travail » vise à faire en sorte que ces connaissances servent à promouvoir la conscience collective du groupe plutôt qu'à être de simples techniques de manipulation comme cela arrive quelquefois. Il nous a aussi paru essentiel d'aborder les problèmes du financement du groupe ainsi que sa dissolution possible. Mais l'intervention communautaire n'est pas non plus qu'un processus strictement technique. C'est aussi, et surtout, un processus humain engageant l'ensemble de la personnalité de l'intervenant social, c'est d'ailleurs pourquoi, tout au long de cet ouvrage, nous avons souligné l'importance de certaines « attitudes » de même que certains comportements chez lui, qui se réfèrent tout autant au « comment être » qu'au « comment faire ». Ceci dit, il est bien entendu qu'il ne saurait y avoir un seul modèle d'intervenants communautaires pas plus d'ailleurs qu'on ne doit faire reposer les réussites et/ou les échecs des entreprises sur la personnalité de l'intervenant ou encore sur la justesse ou non de ses orientations idéologiques. Cela serait tomber dans une sorte de « volontarisme » un peu simpliste qui consiste à faire croire qu'il suffit de vouloir pour pouvoir et réussir... Nous savons qu'il s'agit là d'un trait essentiel du discours dominant qui consiste habituellement « à blâmer les victimes ». C'est pourquoi, il nous faut nous efforcer, dans cette dernière partie, de situer le travail communautaire dans une perspective plus large qui tente de situer à la fois les idéologies et les pratiques réelles dans le contexte socio-politique et administratif qui les encadre et les explique aujourd'hui.

Les grands débats actuels

Pour certains, la conjoncture de crise économique actuelle ne peut que susciter des transformations profondes dans la façon de voir et de pratiquer l'action communautaire et/ou le militantisme. Loin de faire disparaître le travail communautaire, la crise actuelle serait pour lui l'occasion de se trouver un second souffle. Il y a d'abord la crise militante (ou la démobilisation générale) qui est en train de se transformer en crise existentielle (ou l'inverse). On assiste en effet à un certain repli sur le travail professionnel, sur la vie privée, sur ses petits projets personnels, etc. Pour certains, cette plus grande sensibilité à la dimension individuelle ne peut être que bénéfique pour l'avenir du travail social communautaire. Par exemple, P. Lebrun (1981) estime qu'avec la crise actuelle, beaucoup de militants en arrivent à expérimenter la limite de la lutte politique face aux problèmes quotidiens et aux enjeux essentiels de leur vie. Pour plusieurs la transformation intérieure devient une composante essentielle de la transformation sociale et institutionnelle. Toutefois cette réflexion « existentielle » sur le sens individuel et collectif du travail communautaire n'évacue pas, bien au contraire, les problèmes objectifs et sérieux qu'a rencontrés cette pratique au cours des dix dernières années de son évolution tant au Québec qu'ailleurs.

Accentuée par les récents bouleversements, la question du « Que faire ? » est plus que jamais à l'ordre du jour. Et, de plus en plus, les militants et les intervenants veulent en débattre ouvertement (*i.e.* sans trop d'idées préconçues) et publiquement. Parmi les principaux thèmes de ce débat on peut citer : la démobilisation dans la population ouvrière visée par ces groupes ; le fonctionnement démocratique de ces organisations et le rôle des « intellectuels » ; le rapport entre, d'une part, les objectifs, les activités, les prises de position et le financement des groupes populaires et, d'autre part, l'État et ses politiques ; et le rôle des femmes dans les organisations populaires. Voilà bien là quelques thèmes fondamentaux qui caractérisent les débats actuels dans les organisations populaires au Québec et que nous voulons aborder ici.

Démobilisation, stratégies et tactiques

Un des débats les plus importants, et certes le plus préoccupant, porte sur les raisons de la démobilisation actuelle et les moyens d'en sortir. Après avoir vécu les luttes idéologiques, plusieurs groupes ont été « déstabilisés » et recherchent encore la voie à suivre pour retrouver des membres actifs. Pour certains, seul le service concret permettra de rejoindre le public perdu. Pour d'autres, c'est l'analyse de la conjoncture et de ses répercussions sur les conditions de vie des masses populaires qui est la plus grande lacune dans ce débat sur la mobilisation. Les groupes n'ont pas tous les moyens pour bien comprendre les éléments conjoncturels qui pourraient expliquer, même partiellement, les difficultés actuelles. Pour d'autres encore il faut explorer le choix des revendications et voir à quel point elles collent réellement aux besoins des masses plutôt que de répondre aux offensives de l'État. Dans cette optique, le problème se situe beaucoup sur la définition des enjeux et leur traduction en termes clairs pour la majorité des gens. Toutefois, tous s'entendent pour souligner que les groupes se cherchent actuellement et ont de la difficulté à cerner les pistes d'action. Par exemple, la grande majorité des intervenants communautaires en milieu urbain reconnaissent qu'ils n'ont pas été capables de mobiliser très longtemps la classe ouvrière dans des luttes urbaines. Très souvent, il en est résulté un manque de participation des citoyens ce qui est ainsi devenu le « grand problème » de l'organisation. Devant une telle situation, plusieurs intervenants ont souvent décidé de quitter le quartier (d'où une grande mobilité au sein des organismes populaires) et, pour ceux qui restent, bon nombre sont désillusionnés et/ou découragés.

Mais comment expliquer une telle situation ? Nous l'avons vu, selon certains, cela dépend essentiellement du statut des animateurs sociaux et des militants au sein des organismes populaires ainsi que de leur mode de fonctionnement. Dans cette perspective de la domination des intellectuels, le manque de participation des citoyens, tout autant que leur « anti-intellectualisme », peut être perçu et interprété comme une forme de résistance de ces derniers aux interventions des intervenants sociaux. Quant aux intellectuels militants, la contradiction entre leur discours (pouvoir à la classe ouvrière) et leur pratique (appropriation effective du pouvoir par les intellectuels) rend leur rôle difficile et explique partiellement leur découragement. Implicitement à tout ce débat sur les causes de la démobilisation actuelle, se rattachent les discussions sur les « meilleures » stratégies à adopter pour rejoindre les populations visées. Ces pistes sont des jalons essentiels à un débat sérieux qui ne devrait pas aboutir à une recherche simpliste de bouc émissaire pour expliquer une situation complexe qui frappe l'ensemble des organisations de masse.

Le fonctionnement démocratique des organisations

Un débat important, qui est relié au premier, porte sur le fonctionnement démocratique des organisations. La démobilisation générale, la difficulté de plus en plus grande d'assurer le financement des groupes, la complexité du fonctionnement et les exigences d'un groupe sont tous des facteurs qui entrent en jeu dans ce débat. Est-ce que ce sont purement des problèmes administratifs, politiques ou humains qui expliquent cette difficulté à fonctionner démocratiquement et avec l'ensemble des membres ? Le bureaucratisme est encore très présent dans plusieurs groupes mais on a beaucoup de misère à l'éliminer et tous ne s'entendent pas sur les meilleurs moyens de le faire.

En effet, beaucoup d'observateurs et de militants eux-mêmes ont souligné que, malgré les discours contraires, les militants ne sont pas tous égaux et souvent à l'intérieur des groupes l'on assiste à une certaine reproduction des rapports sociaux dominants (de domination, de contrôle) dans les organisations populaires. À vrai dire, on s'interroge dans les groupes sur beaucoup de choses (enjeux, organisation, stratégies, conjoncture, etc.) mais encore assez peu sur la nature du travail militant et sur la situation objective des permanents. Il faut dire, par ailleurs, que le financement extérieur favorise grandement le pouvoir des permanents. C'est une sorte de cercle vicieux, les groupes n'ont pas d'argent ; pour en avoir, il leur faut des « permanents » capables d'aller décrocher des subventions ; ceux-ci, en retour, obtiennent rapidement du pouvoir dans les groupes (information, connaissance des dossiers, etc.). Face à tout cela, certains estiment (M. Raboy, 1981) qu'il faut éviter l'attitude moralisatrice car, d'une part, on ne peut se sacrifier outre mesure pour la cause et d'autre part on peut difficilement continuer à fonctionner sur des bases volontaires une fois qu'on a dépassé un certain niveau de développement ; d'où un certain besoin d'expertise et de professionnalisation. Encore ici, il n'y a pas de recettes faciles ni de solutions toutes faites puisque les études de Piven et Cloward (1975, 1977) à la suite des expériences américaines, ont montré que le fait de se doter d'organisations structurées avec permanents suscite différents effets : cela détruit l'esprit radical et récupère les luttes ; mène à la bureaucratisation ; crée une nouvelle classe d'interlocuteurs privilégiés à qui doivent s'adresser les couches défavorisées. Bref, le défi est de situer les pratiques professionnelles dans une perspective de « gestion démocratique » et non pas de « pouvoir du savoir ».

Cela nous amène à revenir brièvement sur le financement des organisations populaires. Le financement par l'État a imposé des définitions de projets et l'embauche de permanents en fonction de normes qui viennent détourner les organisations de leurs objectifs originaux. L'arme du financement est puissante car on crée des attentes et des habitudes de fonctionnement pour ensuite couper des fonds et forcer une réorganisation qui entraîne des conflits et des crises parfois fatales. Un groupe habitué à fonctionner avec des permanents revient difficilement à une base de fonctionnement purement militante.

Par ailleurs, les péripéties entourant les négociations entre les Organisations volontaires d'éducation populaire (O.V.E.P.) et le Ministère de l'Éducation du Québec pour le financement d'activités d'éducation populaire illustrent assez bien les budgets de plus en plus restreints alloués par le gouvernement à ce genre d'activités, tout en cherchant à contrôler les groupes populaires par l'intermédiaire de son financement.

Ceci dit, le financement n'est pas le seul facteur qui crée des difficultés; il y a toute la politique d'intégration des membres et militants ouvriers qui est sérieusement chancelante. La nature des exigences et des activités imposées aux membres ne rend pas leur participation facile d'où le vide qui se crée actuellement dans les groupes où seuls de petits noyaux « endurcis » résistent aux exigences du militantisme. Une étude historique sur le passé récent est importante afin de tirer les acquis d'ordre organisationnel, mais cela est exigeant et les grilles d'analyse sont rares. Il faudra donc beaucoup de rigueur, de créativité et d'ouverture d'esprit pour poursuivre ce débat.

Le rôle de l'État

Les années 70 ont forcé les intervenants sociaux à s'interroger sur le rôle de l'État tant aux niveaux fédéral, provincial que municipal. Les limites de ce texte ne permettent pas d'entrer dans les détails mais seulement d'évoquer certains thèmes principaux. La décennie a commencé avec les grands dossiers des centrales syndicales qui situaient pour la première fois les rôles économiques (F.T.Q., « l'État rouage de notre exploitation », 1971; C.S.N., « Ne comptons que sur nos propres moyens », 1971) et idéologique (C.E.Q., « L'école au service de la classe dominante », 1972) de l'État. Les leviers économiques déterminants sont liés au gouvernement fédéral qui a tenté de gérer la crise des années 30 avec des politiques d'emploi pour apaiser le mouvement de contestation de la classe ouvrière. Trente-cinq ans plus tard, c'est surtout la contestation des jeunes chômeurs et étudiants que l'on a voulu tempérer avec les Projets d'initiative locale (P.I.L.) et les projets Perspectives-jeunesse. La récupération, via le financement, ainsi que la démobilisation et la désorganisation qui ont suivi la distribution de cette « manne » ont fait réfléchir plus d'un intervenant.

Toutefois, c'est par le « rôle social » de l'État, qui comprend toujours une dimension économique importante, que les organisations populaires ont été surtout affectées. Ainsi, par exemple, les lois sur la réorganisation des services sociaux et de santé et l'aide juridique ont systématiquement récupéré les pratiques développées par les organisations populaires (les cliniques de santé et les cliniques juridiques) pour en faire des appareils d'État. Le discours qui a enveloppé ces opérations d'institutionnalisation et d'intégration a toujours été celui d'une meilleure accessibilité des services tout en masquant l'individualisation des problèmes et la catégorisation des populations. Avec le temps, c'est autant dans la forme que dans le contenu des programmes gouvernementaux (aide sociale, formation professionnelle, assurance-chômage, supplément de revenu au travail) que la fonction idéologique et sociale est apparue. L'État veut ainsi gérer les populations marginales et temporiser les éléments contestataires présents dans les organisations populaires et syndicales. Et cette gestion des rapports sociaux se fait de plus en plus en insistant sur une image de neutralité que l'État veut se donner. La politique de santé et de sécurité au travail illustre bien comment on ménage la chèvre et le chou en faisant d'une politique dite favorable aux travailleurs, un programme qui ne nuit pas, par ailleurs, aux employeurs, ni par son coût ni par son contrôle sur l'entreprise.

Finalement, les groupes populaires ont évidemment « goûté » eux aussi au rôle répressif de l'État par le biais de luttes contre les projets de loi sur l'assurance-chômage et l'aide sociale, pour ne nommer que ceux-là. Ces politiques sociales ont été vivement combattues par les groupes de chômeurs (le Mouvement d'Action Chômage) et d'assistés sociaux (l'A.D.D.S.) qui ont bien analysé les contraintes de ces lois qui n'assurent qu'un revenu de crève-faim à des personnes que l'on veut forcer à travailler à des conditions intolérables, alors qu'il n'y a à peu près pas d'emplois disponibles. De plus, dans un contexte de crise, l'État devient plus coercitif comme en témoignent les nombreuses coupures de postes dans les domaines sociaux et éducatifs. Que peut-on conclure sinon que la discussion sur le rôle de l'État... est toujours ouverte.

Rôle et place des femmes dans les organisations populaires

Plusieurs analystes ont insisté sur l'importance numérique des femmes dans les organisations populaires naissantes du début des années 60 au Québec. Toutefois, à cette époque, l'analyse des organisations englobait les femmes dans la lutte de la classe ouvrière sans aucune distinction. De plus, on a constaté que malgré un « membership » majoritairement féminin, la direction des organisations populaires et syndicales étaient essentiellement masculine. Rapidement cependant, de profondes transformations apparaissent.

Les décennies des années 60 et 70 sont d'abord marquées par un accroissement de la présence des femmes dans les milieux de travail. Une certaine démocratisation de l'enseignement et un courant de libéralisme permettent aussi un accès plus grand à l'éducation. De plus, comme aux États-Unis et en Europe, on voit apparaître au Québec pendant cette période, une multitude de groupes de femmes axés sur les fonctions reproductives (planning des naissances, contraception et avortement), sur les conditions de travail (égalité des salaires, garderies, congés parentaux, formation professionnelle) et sur toutes les formes de violence faites aux femmes (viol, publicité sexiste, patriarcat familial). Finalement, la présence accrue des femmes dans les services sociaux et sanitaires, avec le développement de l'appareil étatique, a aussi marqué les syndicats par l'arrivée massive de jeunes femmes scolarisées et autonomes. Tous ces facteurs ont contribué à l'évolution de l'impact des femmes dans les groupes populaires axés sur les conditions de vie.

Contrairement à ce que l'on croit trop souvent, le mouvement des femmes est loin d'être un mouvement monolithique ; par sa diversité, il a fait progresser les débats idéologiques. Généralement, on distingue quatre courants principaux sur la condition des femmes : le réformisme, le marxisme, le féminisme-marxisme, le féminisme radical (G. Legault : 1981). Les réformistes et les radicales se retrouvent surtout dans les groupes de femmes autonomes alors que les marxistes et les féministes-marxistes se retrouvent plus dans les organisations populaires et syndicales. Tout en tentant une rupture radicale avec les organisations dominées par des mâles, les femmes n'ont pas toujours réussi à créer des organisations autonomes de femmes qui fonctionnent sur la base de rapports égalitaires. Dans les organisations syndicales et populaires, la lutte auprès d'hommes progressistes a donné des résultats très variables qui font ressortir les contradictions entre le discours public et la pratique.

Toutefois, si les rapports entre hommes et femmes ont peu changé dans plusieurs organisations, par contre, on constate que l'orientation des revendications et des luttes a beaucoup évolué depuis dix ans. La multitude de groupes de femmes a fait ressortir une façon nouvelle d'aborder l'exploitation et l'oppression. Ainsi, les fonctions du corps et la vie familiale ont pris une place plus grande dans les revendications économiques. Les femmes ont particulièrement réussi à mettre de l'avant des revendications au niveau des conditions de travail qui ont été intégrées dans certaines conventions collectives et législations (congés de maternité, conditions de santé, garderies, congés d'éducation, discrimination dans l'embauche et le salaire, etc.).

En somme, les organisations populaires sont encore très fragiles et l'influence des femmes, malgré une participation majoritaire demeure relativement faible au niveau des postes de direction. Malgré d'honnêtes efforts, le travail à faire est énorme car on doit transformer des appareils idéologiques, tels que l'école et la famille, dont le rôle est déterminant dans les rapports hommes et femmes. Toutefois, même si on est en présence d'une évolution très lente et de fortes résistances au changement, il n'en reste pas moins que le mouvement est solidement lancé et il reste à systématiser les acquis. À ce propos, il importe d'adapter le travail social à des réalités nouvelles et aussi d'ajuster l'enseignement de l'organisation communautaire en conséquence. En effet, le mouvement des femmes a, par exemple, apporté une plus grande sensibilité au rythme d'apprentissage des femmes et des classes populaires qui militent dans les organisations populaires. Par sa sensibilité au vécu quotidien, sont réalisme et son pragmatisme, l'analyse féministe a souvent permis de remettre en question plusieurs schémas traditionnels. Bref, le travail d'éducation et d'organisation communautaire en milieu populaire peut bénéficier beaucoup de l'approche du mouvement des femmes afin d'être plus sensible aux difficultés de participation des masses.

Éléments d'évolution et d'interrogation

L'évolution des pratiques en intervention communautaire au Québec repose sur un certain nombre de facteurs dont nous voulons brièvement rendre compte. D'abord, on doit noter que le diagnostic plutôt négatif qui fut porté vers le début des années 70 sur l'animation sociale professionnalisée, par rapport à une conception plus « politique» et engagée du travail communautaire, a entraîné une vague de démobilisation et de désaffection de nombreux militants aguerris à la problématique des luttes populaires sur les conditions de vie. Par la suite, nous avons assisté à un développement inégal des groupes populaires au Québec, dans la mesure où de plus en plus ils avaient des niveaux très diversifiés d'activités de même que d'organisation et d'analyse de leur rapport à l'État.

Puis, très rapidement, d'autres secteurs d'activités furent explorés, entre autres, l'aide juridique, la défense des droits sociaux, les garderies populaires, l'oppression spécifique des femmes, la formation politique. Sur tous ces fronts et secteurs anciens et nouveaux apparurent un assez grand nombre d'organisations qui, souvent précaires, n'arrivèrent que rarement à coordonner leurs luttes ou à se doter de plates-formes de revendications communes. Depuis, l'idée même d'organisation générale d'un mouvement populaire progressiste, c'est-à-dire de rattachement des organisations à l'ensemble des forces sociales qui militent pour l'amélioration des conditions de vie et de travail de la majorité de la population, a été généralement mise en veilleuse, sauf exceptionnellement, comme lors du Sommet populaire de Montréal.

Par ailleurs, la coloration du discours idéologique ajoutera grandement à la confusion des objectifs et à l'impression de fractionnement. Qui ne s'est retrouvé un jour ou l'autre affublé des titres de contre-révolutionnaire, d'anticommuniste ou de gauchiste...? Quel groupe populaire n'a pas été ébranlé de l'intérieur par le dogmatisme des débats idéologiques? Tout ceci devait accentuer les pénibles contradictions entre le discours et les pratiques quotidiennes. Mais même si les intellectuels radicaux de gauche, la plupart étudiants, ont pu être maladroits et sectaires, ils n'ont pas assumé le rôle de courroie de transmission des politiques étatiques joué par le clerc humaniste, l'universitaire touriste et le technicien de l'animation.

En effet, comme nous l'avons vu, la cause principale d'un certain désarroi qui a sévi au sein des groupes populaires a été la stratégie de l'État. La situation de crise s'aggravant, l'État (et ses différents paliers de gouvernement) a instauré une véritable stratégie d'encadrement du mouvement populaire. Cette stratégie ouvre la période actuelle de vicissitudes du mouvement. Les récentes réductions des budgets sociaux et le resserrement des contrôles bureaucratiques sont les tactiques de base d'une offensive orchestrée de réduction des possibilités du mouvement et d'intégration de ses secteurs les plus combatifs au moyen de corps intermédiaires entièrement à la charge de l'État.

Par ailleurs, si la situation externe de crise économique explique beaucoup de difficultés actuelles, elle n'explique pas tout. Nombre de militants sont d'accord pour dire que le désenchantement actuel envers le mouvement communautaire est aussi lié au fait qu'il a été trop idéologique, technocratique et insuffisamment présent à l'affectivité et à l'oppression concrète et quotidienne des gens du milieu. Il s'ensuit de nouveaux débats sur les conditions subjectives de la mobilisation populaire et du militantisme.

De plus, il ressort que les problèmes concrets auxquels se confrontent les groupes populaires demeurent identiques à ceux connus à la fin des années 60. Il est vrai que ces problèmes concrets ne sont plus envisagés dans les mêmes termes mais le terrain objectif de luttes sur les conditions de vie n'a pas été transformé pour autant. D'une façon générale, on peut avancer que la conjoncture économique et sociale actuelle favorise le maintien des organisations populaires sur le plan défensif — ce qui n'est pas catastrophique en soi — et force celles-ci à donner des réponses ponctuelles à des situations d'urgence et à résoudre des problèmes aggravés par la situation de crise. Quant au sens global de l'intervention communautaire, on remarque que si, dans certains cas, la stratégie consciente des organisations a été redéfinie en fonction d'une volonté de doter à moyen terme la classe ouvrière de structures politiques autonomes, curieusement, l'organisation des secteurs d'activités des groupes populaires s'oriente vers une surspécialisation qui respecte les divisions administratives du gouvernement. Par exemple, dans le cas du logement, on retrouve des groupes de ressources techniques pour stimuler la formation de coopératives, les associations de locataires et les comités de logements voient en grande partie leur action effective se restreindre à un rôle de conciliation auprès de la Régie des loyers, etc. La stratégie étatique de l'animation institutionnalisée a repris du poil de la bête, ce qui veut dire que bien des groupes sont conscients que leur travail peut n'être qu'une courroie de transmission des politiques sociales et non de mobilisation populaire.

Dans un tel cadre, on comprend l'intervenant communautaire qui s'interroge devant les tâches qu'on lui demande d'accomplir. Les difficultés actuelles, vécues souvent sur un mode individuel et subjectif par nombre d'intervenants, s'expliquent donc objectivement par le fait qu'il s'agit là d'une tâche épuisante sinon décourageante précisément parce que les changements sociaux sont profonds et importants. Dans une telle conjoncture, le travail communautaire est une véritable tâche de Sisyphe (R. Couillard et R. Mayer, 1981). Face à un tissu social éclaté de partout, nombre de militants et d'intervenants communautaires se voient confier, souvent par les pouvoirs publics, la tâche et le mandat « d'organiser » la communauté ou encore de promouvoir la « socialité ». Mais, de plus en plus, beaucoup de praticiens se demandent par exemple: « À quoi cela sert-il de vouloir recoudre le tissu social, si plusieurs autres forces obscures viennent le déchirer? » (N. Baccouche, 1979: 12). Cette interrogation renvoie non seulement à une analyse des objectifs internes du travail communautaire, mais encore à l'analyse des déterminations externes (c'est-à-dire les dimensions économiques, politiques et idéologiques) de cette pratique. En somme, tout se passe comme si la finalité cachée du capital visait à la désintégration des anciennes formes de solidarité sociale de même qu'à la destruction progressive des milieux ouvriers et ruraux (comme lieu d'expression de cette solidarité). À l'autonomie disparue on tenterait de substituer une dépendance face à une panoplie de services (d'assistance sociale, de santé, etc.) sous le contrôle et le monopole de l'État (F. Lesemann,

1980). Face à une telle orientation politique qu'ils concourent plus ou moins directement à reproduire, plusieurs intervenants communautaires ne peuvent manquer de s'interroger sur le sens de leur travail.

Toutefois, évoquer certaines transformations sociales qui influencent la pratique d'intervention communautaire ne vise aucunement à décourager les initiatives ou encore la poursuite du travail amorcé. En effet, en dépit des changements sociaux et économiques précédemment évoqués, la majorité des individus est encore insérée dans des réseaux plus ou moins étroits de parents, d'amis, de voisins, de compagnons de travail, etc. qui peuvent se révéler à la fois source d'entraide et de volonté de changement social. En somme, les nombreuses études sur les diverses pratiques communautaires au Québec, de même que notre propre pratique, nous amènent à conclure qu'il est trop tôt pour sonner le glas de la « solidarité communautaire ». Toutefois, le débat est encore largement ouvert.

Bibliographie

PREMIÈRE PARTIE

L'action communautaire : des acteurs, des lieux, des enjeux

CHAPITRE 1

Un peu d'histoire

CHÈVREFILS, Aline, *Le Rôle des animateurs sociaux*, Éd. coopératives Albert St-Martin, Montréal, 1978.

COLLIN, J.P. et GODBOUT, J., *Les Organismes populaires en milieu urbain*, I.N.R.S.-Urbanisation, Montréal, 1977.

COUILLARD, R., DORÉ, G., LAMARCHE, F., RACICOT, P., ROBERT, L., MAYER, R., *Une ville à vendre*, Éd. coopératives Albert St-Martin, Montréal, 1981.

CÔTÉ, C. et HARNOIS, Y., *L'Animation sociale au Québec : sources, apports et limites*, Éd. coopératives Albert St-Martin, Montréal, 1978.

DÉSY, M., FERLAND, M., LÉVESQUE, B., VAILLANCOURT, Y., *La Conjoncture au Québec au début des années 80 : les enjeux pour le mouvement ouvrier et populaire*, Éd. La Librairie Socialiste de l'Est du Québec, Rimouski, février 1980.

HAMEL, P. et LÉONARD, J.-F., *Les Organisations populaires, l'État et la Démocratie*, Éd. Nouvelle Optique, Montréal, 1981.

HAMEL, P., LÉONARD, J.-F. et MAYER, R., *Les Mobilisations populaires urbaines*, Éd. Nouvelle Optique, Montréal, 1982.

LEVASSEUR, Roger, *Loisir et culture au Québec*, Boréal Express, Montréal, 1982.

LÉVESQUE, Benoît (sous la direction de), *Animation sociale, entreprises communautaires et coopératives*, Montréal, Éd. coopératives Albert St-Martin, 1979.

DUPUIS, J.P., FORTIN, A., GAGNON, G., LAPLANTE, R. et RIOUX, M., *Les Pratiques émancipatoires en milieu populaire*, Institut québécois de la recherche sur la culture, Québec, 1982.

MCGRAW, Donald, *Le Développement des groupes populaires à Montréal* (1963-1973), Éd. coopératives Albert St-Martin, Montréal, 1978.

CHAPITRE 2

L'action communautaire : ceux et celles qui la font

CHARBONNEAU, F., COUILLARD, R. et MAYER, R., « Postface » *in Une ville à vendre*, Montréal, Éd. coopératives Albert St-Martin, 1981, pp. 505-550.

COUILLARD, R. et MAYER, R., « La pratique d'organisation communautaire à la Maison de quartier de Pointe-Saint-Charles (1973-1978) » *in Revue internationale d'action communautaire*, n° 4/44, Automne 1980, pp. 110-120.

DORÉ, G. et PLAMONDON, D., « Les pratiques urbaines d'opposition à Québec » *in Revue internationale d'action communautaire*, n° 4/44, Automne 1980, pp. 120-129.

DORÉ, G. et LAROSE, C., « L'organisation communautaire : pratique salariée d'animation des collectivités au Québec » *in Service social*, vol. 28, n°s 2-3, juil.-déc. 1979, pp. 69-96.

FORTIN, Denis, *Le Métier d'intellectuel militant... « de gauche »*, 1980, Groupe de recherche en action populaire (G.R.A.P.), Département de service social, Université Laval.

GROULX, Lionel, « L'action communautaire comme diversité et ambiguïté » *in Revue Canadienne de Science Politique*, vol. 8, n° 4, déc. 1975, pp. 510-519.

GROULX, Lionel, « L'animation urbaine : politisation pédagogique » *in International Review of Community Development*, n°s 33-34, Hiver 1975, pp. 207-220.

HAMEL, P. et LÉONARD, J.-F., « Les groupes populaires dans la dynamique socio-politique québécoise » *in Politique Aujourd'hui*, Paris, n°s 7-8, 1978, pp. 155-164.

HOUDE, Gilles, « L'animation sociale en milieu urbain : une idéologie pédagogique » *in Recherches sociographiques*, vol. 13, n° 2, 1972, pp. 231-252.

HUSTON, Lorne, « La petite bourgeoisie et les groupes (pas très) populaires : un conte de fées pour militant averti » *in Possibles*, Montréal, vol. 3, n° 4, Automne 1978, pp. 147-153.

LAFRANCE, G. et LESEMANN, F., *Modèles d'organisation communautaire: pratiques et idéologies dans les Centres locaux de services communautaires de la région de Montréal*, École de service social, U. de M., miméo, 1980.

LANCTÔT, Jacques, « Portrait d'une génération » *in Le Temps fou*, Montréal, n° 20, avril-mai 1982, pp. 30-32.

LAMOUREUX, Henri, « À propos des groupes populaires » *in Offensives*, Montréal, vol. 1, n° 2, avril 1981, pp. 114-117.

LARIVIÈRE, Claude, « L'intervention en milieu urbain : du professionnalisme au militantisme » *in International Review of Community Development*, n°s 39-40, Summer, 1978, pp. 37-48.

LEBRUN, Paule, « L'impasse est la porte de sortie » *in Le Temps fou*, Montréal, n° 16, oct. 1981, pp. 26-29.

MAYER, Robert, *À propos de l'action communautaire au Québec*, recueil de textes, Librairie de l'Université de Montréal (2e éd.), 1981.

RABOY, Marc, « Profession : militant(e) » *in Le Temps fou*, Montréal, n° 16, oct. 1981, pp. 20-25.

DEUXIÈME PARTIE

Connaître un milieu : l'enquête

CHAPITRE 3

La recherche

BEAUDRY, L., *Guide de recherche à l'intention des militants*, Centre coopératif de recherches en politique sociale, Montréal, 1975.

BULL, J., *Guide sommaire de la documentation en service social*, Bibliothèque des Sciences humaines et sociales, Université de Montréal, Service des bibliothèques, Montréal, 1979, miméo.

CAPLOW, T., *L'Enquête sociologique*, A. Colin, Paris, 1970.

COUILLARD, R., DORÉ, G., LAMARCHE, F., RACICOT, P., ROBERT, L. et MAYER, R., *Une ville à vendre*, (E.Z.O.P.-Québec), Éd. coopératives Albert St-Martin, Montréal, 1981.

DESROCHES, H., *Apprentissage en sciences sociales et en éducation permanente*, Éd. Ouvrières, Paris, 1970.

DE OLIVEIRA, R. et M., « L'observation militante » *in Bulletin de l'Institut d'action culturelle*, n° 9, Genève, Suisse, 1975.

DU RANQUET, M., « La recherche en service social » *in Nouvelles perspectives en « case-work »*, Privat, Paris, 1975, pp. 73-83.

222

GRAVEL, R.G., *Guide méthodologique de la recherche*, Les Presses de l'Université du Québec, 1978.

GRAND'MAISON, J., *Vers un nouveau savoir*, H.M.H., Montréal, 1969.

LACOSTE-DUJARDIN, C., « La relation d'enquête » *in Hérodote*, Paris, n⁰ 8, 1977, pp. 21-44.

LACOSTE, Y., « L'enquête et le terrain : un problème politique pour les chercheurs, les étudiants et les citoyens » *in Hérodote*, Paris, n⁰ 8, oct.-déc. 1977, pp. 3-20.

MILLS, C.W., « Le métier d'intellectuel » *in L'Imagination sociologique*, F. Maspero, Paris, 1967, pp. 205-235.

NISON, A., *Travail social et méthodes d'enquête sociologique*, Les Éditions E.S.F., Paris, 1975.

OUELLET-DUBÉ, F., « Recherche ou pratique : qui gagne ? » *in Service social*, Québec, vol. 28, n⁰s 2-3, juil.-déc. 1979, pp. 5-14.

PICHOL, M., « Attention, un militant peut cacher un chercheur ! » *in Hérodote*, Paris, oct.-déc. 1977, pp. 84-104.

PINTO, R. et GRAWITZ, M., *Méthodes des sciences sociales*, Dalloz, Paris, (2ᵉ éd.), 1967.

RAMSAY, L., *Les Enquêtes sociales pratiques*, texte miméo, sept. 1967, Montréal.

SELLTIZ, C., WRIGHTSMAN, L.S. et COOK, S.W., *Les Méthodes de recherche en sciences sociales* (traduit par D. Bélanger), Les Éditions H.R.W., Montréal, 1977.

2) *Enquête conscientisante, recherche militante et recherche-action*

AUCLAIR, R., « La recherche-action remise en question » *in Service social*, Québec, vol. 29, n⁰s 1-2, janv.-juin 1980, pp. 182-190.

BARBIER, R., « Implication, animation et recherche-action dans les sciences humaines »*in Connexions*, Paris, n⁰ 13, 1975, pp. 103-123.

BERNIER, D., « La recherche-action : aspects historiques et applications aux pratiques du service social » *in Intervention*, Montréal, n⁰ 5, Hiver 1978, pp. 9-15.

BLANCHET, L., COSSETTE, D., DAUPHINAIS, R., DESMARAIS, D., KASMA, J., LAVIGUEUR, H., MAYER, R. et ROY, L., *Réseau primaire et santé mentale : une expérience de recherche-action*, C.H. Douglas, Montréal, 1982.

BOLLE DE BAL, Marcel, « Nouvelles alliances et reliance : deux enjeux stratégiques de la recherche-action » *in Revue de l'Institut de Sociologie*, Bruxelles, 1981, n⁰ 3, pp. 573-589.

CAILLOT, R., « L'enquête-participation à Économie et Humanisme » *in Cahiers de l'Institut canadien d'éducation des adultes*, (l'I.C.E.A.), Montréal, février 1967, pp. 122-144.

CADOTTE, R., DESJARDINS, M., FOREST, L., GENDRON, R., NOËL, C., « La pédagogie progressiste à l'université : l'expérience de La maîtresse d'école » *in Revue internationale d'action communautaire*, (R.I.A.C.), Montréal, n° 2/42, Automne 1979, pp. 95-106.

DE BRUYNE et al., *Dynamique de la recherche en sciences sociales*, P.U.F., Paris, 1974.

DOMINICÉ, P., « L'ambiguïté des universitaires face à la recherche-action » *in Revue internationale d'action communautaire*, Montréal, n° 5/45, Printemps 1981, pp. 51-58.

DUBOST, J. et LUDEMANN, O., « Un nouveau courant de la recherche-action en Allemagne (R.F.A.) » *in Connexions*, Paris, n° 21, 1977.

GAUTHIER, Fernand, « Quelques conditions pratiques de la recherche-action dans les universités » *in Documents de recherche*, Faculté de l'Éducation permanente, Université de Montréal, oct. 1981.

GRELL, Paul, « Problématiques de la recherche-action » *in Revue de l'Institut de Sociologie*, Bruxelles, 1981, n° 3, pp. 605-615.

HUARD, A., « Le groupe de recherche-action en développement de la Baie des Chaleurs » *in Animation sociale, entreprises communautaires et coopératives*, Éd. coopératives Albert St-Martin, Montréal, 1979, pp. 142-151.

HUMBERT, C. et MERLO, J., *L'Enquête conscientisante: problèmes et méthodes*, Harmattan, Paris, 1978.

DE BOTERF, Guy, *L'Enquête participation en question*, Coll. Théories et pratiques de l'Éducation permanente, Paris, 1981.

MAYER, R. et DESMARAIS, D., « Réflexions sur la recherche-action : l'expérience de l'équipe d'intervention de réseau de l'hôpital Douglas à Montréal » *in Service social*, Québec, vol. 29, n° 3, juil.-déc. 1980.

PIRSON, Ronald, « La recherche-action : une méthode de mise à disposition des savoirs » *in Revue de l'Institut de Sociologie*, Bruxelles, 1981, pp. 615-623.

ROUSSEAU, Richard, « Recherche-action et intervention de réseaux » *in Service social*, vol. 29, n° 3, juil.-déc. 1980, pp. 322-332.

SAUVIN, A., DIND, D., VUILLE, M., « Recherche-action et travail social » *in Revue internationale d'action communautaire*, Montréal, n° 5/45, Printemps 1981, pp. 58-74.

SÉGUIER, M., *Critique institutionnelle et créativité collective*, Éd. L'Harmattan, Paris, 1976.

VAILLANCOURT, Yves, « Quelques difficultés rencontrées dans la recherche militante » *in Actes du colloque sur la recherche-action*, U.Q.A.C., Chicoutimi, oct. 1981, pp. 62-72.

ZUNIGA, Ricardo, « La recherche-action et le contrôle du savoir » *in Revue internationale d'action communautaire* (R.I.A.C.), Montréal, n° 5/45, Printemps 1981, pp. 35-45.

CHAPITRE 4

Analyse d'un milieu

BLONDIN, Michel, « L'animation sociale en milieu urbain : une solution » *in Recherches sociographiques*, vol. 6, no 3, 1965, pp. 283-304.

BROUILLETTE, Benoît, « Comment faire la monographie d'une localité ou d'une industrie au Québec » *in Revue de Géographie de Montréal*, 1970, vol. 24, no 4, pp. 371-383.

CHARBONNEAU, F., COUILLARD et MAYER, R., « Postface » *in Une ville à vendre*, Montréal, Éd. coopératives Albert St-Martin, 1981, pp. 505-550.

CHENOT, L. et BEAUMEZ, R., *Villes et citoyens*, Éd. Ouvrières, 1969.

CHOMBART DE LAUWE, P.H., « L'organisation sociale en milieu urbain » *in Manuel de la recherche sociale dans les zones urbaines*, Unesco, Paris, 1965, pp. 150-169.

CÔTÉ, Charles, « L'insertion dans le milieu », C.E.C.M., Montréal, document miméo, 1981.

COUILLARD, R., DORÉ, G., LAMARCHE, F., RACICOT, P., ROBERT, L. et MAYER, R., *Une ville à vendre*, Éd. coopératives Albert St-Martin, Montréal, 1981.

LÉONARD, Jean-François, *L'Évolution de l'occupation du sol dans le centre-ville de Montréal et les zones limitrophes* (1964-71), I.N.R.S.-Urbanisation, notes de recherche no 2, mars 1973.

McGRAW, Donald, *Le Développement des groupes populaires à Montréal* (1963-1973), Éd. coopératives Albert St-Martin, Montréal, 1978.

MÉDARD, Jean-François, *Communauté locale et organisation communautaire aux États-Unis*, Paris, A. Colin, 1969.

PANET-RAYMOND, Jean, « Les premiers pas dans un milieu », École de service social, Université de Montréal, document miméo, 1981.

POULIN, Martin, « Traditions de recherche sur la communauté et concepts de modèles vertical et horizontal de communauté » *in Service social*, Québec, vol. 27, no 1, janv.-juin 1978, pp. 7-21.

POULIN, Martin, « L'étude monographique des communautés » *in Service social*, vol. 27, no 1, janvier-juin 1978, pp. 85-100.

WATTERS, Claude, « La vraie pauvreté du Centre-Sud » *in Le Temps fou*, Montréal, mars-avril 1978, pp. 9-17.

WARREN, Roland L., *Studying your Community*, The Free Press Paperback, (3e éd.), 1969.

COLLECTIF, « Bilan de militants dans un quartier : deux ans de travail politique dans le quartier St-Michel » *in Mobilisation*, Montréal, vol. 3, no 9, juil. 1974, pp. 11-34.

2) *Analyse des besoins*

BAUDRILLARD, Jean, « La genèse idéologique des besoins » *in Cahiers int. de Socio.*, Paris, vol. 47, juil.-déc. 1969, pp. 45-69.

CHOMBART DE LAUWE, P.H., *Pour une sociologie des besoins et des aspirations*, Éd. Denoël, Paris, 1969.

DE COCK, B. et GRANÉ, J., « Travail social et classes sociales » *in* Liégeois, J.P., *Idéologie et pratique du travail social de prévention*, Toulouse, Privat, 1977, pp. 137-198.

FORTIN, G. et TREMBLAY, M.A., *Les Comportements économiques de la famille salariée du Québec*, P.U.L., Québec, 1964.

SELLIER, F., « Le rôle des organisations et des institutions dans le développement des besoins sociaux » *in Socio du travail*, Paris, vol. 12, no 1, janv.-mars 1970, pp. 1-14.

3) *Analyse socio-démographique*

ALARY, J. et LESEMANN, F., *Les Centres locaux de services communautaires : Opération Bilan*, document miméo, Montréal, juin 1975.

BLONDIN, Michel, « Problèmes des quartiers détériorés » *in Une ville à vivre*, Montréal, 1967, pp. 145-155.

CONSEIL DES ŒUVRES DE MONTRÉAL, *Opération : rénovation sociale*, Montréal, déc. 1966.

CÔTÉ, C., DUSSAULT, G. et DORÉ, G., *Les Zones prioritaires de Québec*, E.Z.O.P.-Québec, C.O.B.E.Q., Québec, 1971.

LAMARCHE, Y., RIOUX, M., SÉVIGNY, R., *Aliénation et idéologie dans la vie quotidienne des Montréalais francophones*, (T. 1), P.U.M., Montréal, 1973.

4) *Le modèle de « culture de la pauvreté »*

BERNIER, Bernard, « Culture de pauvreté et analyse des classes » *in Anthropologica*, vol. 16, no 1, 1974, pp. 41-58.

FOURNIER, Marcel, « La culture de pauvreté » *in Anthropolitique*, no 2, Montréal, 1969, pp. 73-81.

LEWIS, Oscar, *Pedro Martinez : un paysan mexicain et sa famille*, Paris, Gallimard, 1966.

LEWIS, Oscar, *La Vida* (La vie d'une famille portoricaine à San Juan et à New York), Paris, Gallimard, 1968.

MARTIN, Luc et MAYER, Robert, « De l'aliénation au développement : notes sur certaines analyses de la pauvreté et des comités de citoyens » *in Québec 1960-1980 : la crise du développement*, textes choisis et présentés par G. Gagnon et L. Martin, H.M.H., Montréal, 1973, pp. 285-316.

TELLIER, Marie, *Culture de pauvreté*, Thèse de maîtrise, Département d'anthropologie, Université de Montréal, sept. 1969.

5) *La perspective de Paulo Freire*

AMPLEMAN, G., DORÉ, G., GAUDREAU, L., LAROSE, C., LEBŒUF, L. et VENTELOU, D., *Pratiques de conscientisation*, Nouvelle Optique, Montréal, 1983.

FREIRE, Paulo, *Pédagogie des opprimés*, Paris, Maspéro, 1974.

HUMBERT, Colette, *Conscientisation*, L'Harmattan, Paris, 1976.

HUMBERT, C. et MERLO, J., *L'Enquête conscientisante: problèmes et méthodes*, I.N.O.D.E.P., Paris, Éd. L'Harmattan, 1978.

O'NEIL, John, « Le langage et la décolonisation : Fanon et Freire » *in Sociologie et Sociétés*, Montréal, vol. 6, n⁰ 2, nov. 1974, pp. 53-65.

SEGUIER, Michel, *Critique institutionnelle et créativité collective*, I.N.O.D.E.P., Paris, Éd. L'Harmattan, 1976.

TROISIÈME PARTIE

L'action communautaire : mobilisation et luttes

CHAPITRE 5

La mobilisation

ALINSKY, Saul, *Reveille for Radicals*, Vintage Books, N.Y., 1969.

ALLAIRE, François, « Le Groupe de travail » *in* TELLIER, Y. et TESSIER, R., *Changement planifié et développement des organisations*, I.F.G./E.P.I., Montréal/Paris, 1973, pp. 122-145.

FREIRE, Paulo, *La Pédagogie des opprimés*, Petite Collection Maspero, Paris, 1974.

GENDRON, Aline, « Les assistées sociales occupent le bureau du ministre Charron » *in Vie ouvrière*, n⁰ 159, janvier-février 1982, pp. 56-59.

I.C.E.A., *La Continuité dans les organisations populaires*, Rapport d'un colloque tenu le 16 octobre 1982, Montréal.

MEISTER, Albert, *Participation, animation et développement*, Anthropos, Paris, 1971.

MEISTER, Albert, *La Participation dans les associations*, Éditions Économie et Humanisme/Éditions Ouvrières, Paris, 1974.

PIVEN, Francis Fox et CLOWARD, Richard, *The Politics of Turmoil*, Vintage Books, New York, 1975.

PIVEN, Francis Fox et CLOWARD, Richard, *Poor Peoples Movements, Why they Succeed, How they Fail*, Pantheon Books, N.Y., 1977.

CHAPITRE 6

L'organisation d'une lutte

ALINSKY, Saul, *Le Manuel de l'animateur social*, Éditions du Seuil, Paris, 1976.

BRAGER, George, *Helping vs Influencing: Some Political Elements of Organizational Change*, texte miméo, Columbia University, 1972, traduit par Justin Lévesque, École de service social, Université de Montréal, 1982.

BRAGER, George et SPECHT, Harry, *Community Organizing*, Columbia University Press, New York, 1973, chap. 16.

HEATHER BOOTH, *Direct Action Organizing: A Handbook*, Midwest Academy, Chicago, 1975, miméo.

CENTRE DE FORMATION POPULAIRE, *La Convention collective: préparation et négociation*, 1978.

CENTRE DE FORMATION POPULAIRE, *Les Militants et les médias d'information*, 1978, p. 18.

Les femmes et les médias, Conseil du statut de la femme, gouvernement du Québec, 1980, pp. 16-18.

La parole ça se prend, Rapport et dossiers de référence du colloque populaire sur le rôle des médias, leur accessibilité, leur contrôle et leur propriété, tenu les 2 et 3 novembre 1979 à Montréal. Coédition C.E.Q.-I.C.E.A.

Un dossier de presse a été constitué sur la M.I.U.F. et atteste de l'activité « médias » intensive. « La M.I.U.F. », revue de Presse, Sélection de la Fédération des comités de victimes, publiée par le Centre de documentation populaire, 3535 rue St-Laurent, Montréal, H2X 2T7, tél.: (514) 845-3490.

COX, F.M., ELRICH, J.L., ROTHMAN, ed. *Strategies of Community Organization*, F.E. Peacock Publishers, Itesca, Illinois, 1970.

DORÉ, Gérald, *Pour faire le bilan de nos luttes: étude de l'impact*, Québec, G.R.A.P., cahier 3, 1981.

DORÉ, Gérald, *Le Jeu des forces sociales dans nos luttes. Analyse de la conjoncture*, Québec, G.R.A.P., cahier 4, 1981. L'essentiel de cette partie est tiré de ces deux cahiers mais le lecteur peut aussi lire des illustrations de la grille dans les cahiers 1 et 5: Denis FORTIN et Marc ROLAND, *Histoire des luttes de protection des consommateurs*, 1962-1978, Cahier I, G.R.A.P., 1981; Gérald DORÉ et Denis PLAMONDON, *Gagner ou perdre: deux luttes sur le logement à Québec*, cahier 5, G.R.A.P., 1981. Ce texte se trouve aussi dans la *Revue internationale d'action communautaire*, no 4/44, Automne 1980, pp. 120-128.

DROVER, Glenn and Eric SHRAGGE, « Urban Struggle and Organizing Strategies » *in Our Generation*, vol. 13, n° 1, 1979.

SI KAHN, *How People Get Power*, McGraw-Hill, New York, 1970.

KRAMER, R. et SPECHT, H. ed., *Readings in Community Organization Practice*, Prentice-Hall, Englewood Cliffs, N.J., 1969.

228

PANET-RAYMOND, Jean, « Le manifeste de l'A.C.E.F. » *in Revue internationale d'action communautaire*, n° 2/42, 1979, pp. 89-94.

PATTI, Rino J. et RESNICK, Herman, « Changing the Agency from Within » *in Social Work*, vol. 17, n° 4, pp. 48-57, traduit par Jocelyne Guilbault, École de service social, Université de Montréal, 1982.

SPECHT, Harry, « Disruptive Tactics » *in Social Work*, vol. 14, n° 2, April 1969, pp. 5-15.

Sur les médias communautaires

La revue *Luttes urbaines* présente une chronique sur les médias communautaires et parfois des articles présentant l'aspect technique et des expériences d'utilisation de moyens variés par les groupes (la chanson, le vidéo, le journal, les macarons, les « posters », les films, le théâtre, les photoromans, etc.). On peut contacter la revue à l'adresse suivante : C.P. 263, Drummondville, tél. : 1-(819)-477-5468.

La *Revue internationale d'action communautaire* a publié un numéro sur « Médias communautaires ou médias libres », n° 6/46, Automne 1981. Ce numéro présente certains éléments des débats et des difficultés des médias communautaires (surtout écrits et T.V.). On peut obtenir cette revue par l'entremise des Éditions coopératives Albert St-Martin ou l'École de service social de l'Université de Montréal, tél. : (514) 343-6601.

La revue *Offensives* publie sur les expériences des groupes populaires et des groupes culturels et illustre certains moyens d'information et d'éducation.

Michel BRAIS et Michel LEMAY, « Les trésors oubliés, du théâtre populaire par des personnes âgées » *in Revue internationale d'action communautaire*, n° 2/42, Automne 1979, pp. 107-112.

Quelques ressources

Plusieurs groupes existent dans plusieurs domaines soit pour produire, soit pour distribuer, soit pour aider techniquement des groupes à produire. Nous en soulignons quelques-uns.

Le *Cinéma* d'information politique, 1407 rue Sherbrooke, Montréal, H2X 3B1, tél. : (514) 523-0285. Fait le prêt de films, vidéos et diaporamas.

Le vidéographe, 4550 Garnier, Montréal, tél. : (514) 521-2116. La vidéographe, qui existe depuis le début des années 70, s'occupe de distribution de vidéos et peut aussi aider techniquement des groupes voulant produire un vidéo. Il existe plusieurs groupes d'intervention vidéo au Québec. Leurs activités sont habituellement de produire de façon autonome (sur commande) et de soutenir techniquement la production de vidéos par des groupes.

Le théâtre

Le théâtre progressiste ou « jeune » foisonne de troupes qui créent des interventions sur différents thèmes et selon différentes formules (pièces structurées, interventions brèves, guérilla, etc.). La plupart des troupes répondent à des commandes et tentent d'intégrer le groupe qui commande dans leur production. Plusieurs troupes offrent aussi des cours d'expression ou d'écriture collective. Pour savoir s'il existe une telle ressource dans votre région, vous pouvez contacter *L'Association québécoise du jeune théâtre*, 952 est, rue Cherrier, Montréal, H2L 1H7, tél.: (514) 526-5967. Il existe des troupes, entre autres, à Montréal, Longueuil, Drummondville, Sherbrooke, Victoriaville, Joliette, Québec, etc.

Les affiches («posters»)

Il existe un certain nombre de groupes qui aident à la production d'affiches dont *L'atelier du 19 septembre*, 1369 est, rue Ste-Catherine, Montréal.

On peut aussi trouver un diaporama sur la place et la production des affiches populaires. «Le goût de l'interdit». Ce diaporama est disponible au *Centre populaire de documentation*, 3575 St-Laurent, Montréal, H2X 2T7, tél.: (514) 845-3490. On peut aussi trouver (et emprunter) au Centre une exposition d'affiches («Nous on s'affiche») et une exposition de photos sur «Les marcheurs de la crise».

QUATRIÈME PARTIE

Le fonctionnement des groupes

CHAPITRE 7

La démocratie interne

CENTRE DE FORMATION POPULAIRE, *Synthèse des débats de la journée d'étude sur le mouvement populaire du 25 avril 1981*.

CENTRE DE FORMATION POPULAIRE, *Le Fonctionnement de nos organisations*, 1979, coût 1.75 $. Ce document décrit très concrètement comment monter une organisation populaire sur le plan technique, légal et financier.

LAMOUREUX, Henri, «À propos des groupes populaires, Réplique» *in Offensives*, vol. 1, n⁰ 2, avril 1982, pp. 14–17.

LAGÜE, Jean-Guy, «Un pas en avant, deux (trois) pas, en arrière!» *in Le Temps fou*, n⁰ 5, mai 1979. Ce texte fait une critique du rôle des intellectuels et surtout des militants marxistes-léninistes dans les groupes.

MATHIEU, Réjean, «Les groupes populaires et "Dieu-le-père-qui-est-à-Québec-Ottawa-ou-ailleurs..."» *in Offensives*, vol. 1, n⁰ 1, décembre 1980, pp. 12–17. Ce texte tente le bilan des grands problèmes actuels des groupes populaires. Voir la réplique d'Henri Lamoureux.

PANET-RAYMOND, Jean, «La place des femmes dans les organisations populaires: évolution et perspectives» *in Intervention*, Été 1981, n⁰ 61, pp. 36–41.

230

CHAPITRE 8

Animer un groupe

ALBERT, Lucien, SIMON, Pierre, *Les Relations interpersonnelles*, Éditions d'Arc, Montréal, 1976.

BEAUCHAMP, André, GRAVELINE, Roger, QUINGER, C., *Comment animer un groupe*, Éd. de l'Homme, Montréal, 1978.

DARRÉ, J.P., *Liberté et efficacité des groupes de travail*, Éd. Ouvrières, Paris, 1978.

TELLIER, Y. et TESSIER, R., *Leadership, autorité et animation de groupe*, Éditions de l'I.F.G., Montréal, 1974.

CHAPITRE 9

Financement et dissolution d'un groupe populaire

ARTEAU, Marcel, «Le financement des groupes populaires. Le commerce des idées doit-il être déficitaire?» *in Le Temps fou*, n° 12, décembre 1980, p. 43.

CENTRE DE FORMATION POPULAIRE, *Synthèse des débats de la journée d'étude sur le mouvement populaire du 25 avril 1981.*

CENTRE DE FORMATION POPULAIRE, *Le Fonctionnement de nos organisations*, 1979.

CONSEIL NATIONAL DU BIEN-ÊTRE SOCIAL, *Manuel de tenue de livres à l'intention des groupes de citoyens à faible revenu*, Gouvernement du Canada, octobre 1973. Ce guide technique est utile pour comprendre les rouages comptables.

FORGET, Nicole et ARCAND, Ghislaine, *Des budgets et de la comptabilité*, un outil de gestion à l'usage des groupes à but non lucratif, I.C.E.A., mars 1977. Ce guide technique est très complet et utile pour mettre sur pied un système comptable. Il est disponible à: l'Institut canadien d'éducation des adultes (I.C.E.A.), 506 est, rue Ste-Catherine, suite 800, Montréal, H2L 2C7, tél.: (514) 842-2766, coût: 3.00 $.

LE FONDS DE SOLIDARITÉ, «Moi j'place ma piastre à la bonne place!» *in Luttes urbaines*, vol. 1, n° 3, pp. 30–32.

PILON, Hervé, «Au fond la vie est belle» *in Luttes urbaines*, vol. 3, n° 3, pp. 21–25.

FOURNIER, Pierre, «Les dessous de la fête» *in Luttes urbaines*, vol. 3, n° 3, pp. 34–36.

CONCLUSION

BACCOUCHE, Nasser, «L'intervention de l'intellectuel dans le social» *in Revue canadienne d'éducation en service social*, vol. 5, n° 1, 1979.

COUILLARD, R. et MAYER, R., « La pratique d'organisation communautaire à la maison de quartier de Pointe-Saint-Charles (1973-1978) » *in Revue internationale d'action communautaire*, no 4/44, Automne 1980, pp. 110-119.

JEAN, Michelle, « Histoire des luttes féministes au Québec » *in Possibles*, Montréal, vol. 4, no 1, Automne 1979, pp. 17-32.

LAFRANCE, Gilles et LESEMANN, F., *Modèles d'organisation communautaire: pratiques et idéologies dans les C.L.S.C. de la région de Montréal*, École de service social, Université de Montréal, 1980.

LEBRUN, Paule, « L'impasse est la porte de sortie » *in Le Temps fou*, Montréal, no 16, oct. 1981, pp. 26-29.

LEGAULT, Gisèle, *Courants explicatifs de la condition des femmes*, École de service social, Université de Montréal, janvier 1981.

PANET-RAYMOND, J., « La place des femmes dans les organisations populaires: évolution et perspectives » *in Intervention*, no 61, Été 1981, pp. 36-41.

PIVEN, F., CLOWARD, R., *The Policies of Turmoil. Essay on Poverty, Race and the Urban Crisis*, New York, Vintage Books, 1975.

PIVEN, F., CLOWARD, R., *Poor Peoples Movements, Why They Succeed, How They Fail*, New York, Pantheon Books, 1977.

RABOY, Marc, « Profession: militant(e) » *in Le Temps fou*, Montréal, no 16, oct. 1981, pp. 20-25.

VANDELAC, Louise et SANSFAÇON, Robert, *Perspectives-jeunesse* (ou le programme cool d'un gouvernement too much), A.P.L.Q., Montréal, 1973.

Liste des sigles

A.C.E.F. :	Association coopérative d'économie familiale
A.D.D.S. :	Association pour la défense des droits sociaux
A.F.E.A.S. :	Association féminine d'éducation et d'action sociale
A.Q.D.R. :	Association québécoise pour la défense des droits des retraités et préretraités
A.S.T.A. :	Amitié, service, troisième âge (Hochelaga-Maisonneuve)
B.A.E.Q. :	Bureau d'aménagement de l'Est du Québec
B.C.J. :	Bureau de Consultation-Jeunesse
C.A.C. :	Coopérative d'action communautaire (Hochelaga-Maisonneuve)
C.C.R.P.S. :	Centre coopératif de recherche en politique sociale
C.D.S.M.M. :	Conseil de développement social du Montréal métropolitain
C.E.C.M. :	Commission des écoles catholiques de Montréal
C.F.P. :	Centre de formation populaire
C.J.C. :	Compagnie des jeunes Canadiens
C.L.S.C. :	Centre local de services communautaires
C.S.N. :	Confédération des syndicats nationaux
C.S.S. :	Centre de services sociaux
F.R.A.P./ C.A.P. :	Front d'action politique/Comité d'action politique
F.R.A.P.R.U. :	Front d'action populaire et réaménagement urbain

234

H.L.M.	Habitation à loyer modique
I.C.E.A.:	Institut canadien d'éducation des adultes
M.I.U.F.:	Mousse isolante d'urée formaldéyde, qui a provoqué la naissance de la Fédération des comités de victimes de la M.I.U.F. du Québec
O.P.D.S.:	Organisation populaire de défense des droits sociaux
O.V.E.P./ M.E.P.A.C.Q.:	Organisme volontaire d'éducation populaire, regroupés dans le Mouvement d'éducation populaire et d'action communautaire du Québec.
P.C.O.:	Parti communiste ouvrier
P.I.L.:	Projet initiative locale
P.J.:	Perspectives-jeunesse
P.M.E.:	Petite ou moyenne entreprise
P.O.P.I.R.:	Projet d'organisation populaire d'information et de regroupement (Saint-Henri)
R.C.M.:	Rassemblement des citoyens de Montréal
S.E.A.:	Service d'éducation des adultes
U.P.A.:	Union des producteurs agricoles
U.Q.A.M.:	Université du Québec à Montréal

Table des matières

237

COMPOSÉ AUX ATELIERS
GRAPHITI BARBEAU, TREMBLAY INC.
À SAINT-GEORGES-DE-BEAUCE

Achevé d'imprimer
en septembre 1986 sur les presses
des Ateliers Graphiques Marc Veilleux Inc.
Cap-Saint-Ignace, Qué.